表2 病原因子による歯肉炎の分類

1) プラーク単独性歯肉炎	Gingivitis induced by plaque only
2) 全身因子関連歯肉炎	Gingivitis modified by systemic conditions
①思春期関連歯肉炎	Puberty-associated gingivitis
②月経周期関連歯肉炎	Menstunal cycle-associated gingivitis
③妊娠関連歯肉炎	Pregnancy-associated gingivitis
④糖尿病関連歯肉炎	Diabetes-associated gingivitis
⑤白血病関連歯肉炎	Leukemia-associated gingivitis
⑥その他の全身状態が関連する歯肉炎	Other
3) 栄養障害関連歯肉炎	Gingivitis modified by malnutrition
①アスコルビン酸欠乏性歯肉炎	Ascorbic acid-deficiency gingivitis
②その他の栄養不良が関連する歯肉炎	Other

表3 非プラーク性歯肉病変の分類

1) プラーク細菌以外の感染による歯肉病変	Gingival lesions induced by other infections
①特殊な細菌感染によるもの	Gingival lesions of specific bacterial origin
②ウイルス感染によるもの	Gingival lesions of viral origin
③真菌感染によるもの	Gingival lesioins of fungal origin
2) 粘膜皮膚病変	Mucocutaneous disorders
①扁平苔癬	Lichen planus
②類天疱瘡	Pemphigoid
③尋常性天疱瘡	Pemphigus vulgaris
④エリテマトーデス	Lupus erythematosus
⑤その他	Other
3) アレルギー反応	Allergic reactions
4) 外傷性病変	Traumatic lesions of gingiva

表4 リスクファクターによる歯周炎の分類

1) 全身疾患関連歯周炎	Periodontitis associated with systemic diseases
①白血病	Leukemia
②糖尿病	Diabetes
③骨粗鬆症/骨減少症	Osteoporosis/osteopenia
④AIDS	Acquired immunodeficiency syndrome (AIDS)
⑤後天性好中球減少症	Acquired neutropenia
⑥その他	Other
2) 喫煙関連歯周炎	Periodontitis associated with smoking
3) その他のリスクファクターが関連する歯周炎	Periodontitis associated with other risk factors

表5 歯周炎を随伴する遺伝疾患

1) 家族性周期性好中球減少症	Familial and cyclic neutropenia
2) Down 症候群	Down syndrome
3) 白血球接着能不全症候群	Leukocyte adhesion deficiency syndrome
4) Papillon-Lefèvre 症候群	Papillon-Lefèvre syndrome
5) Chédiak-Higashi 症候群	Chédiak-Higashi syndrome
6) 組織球症症候群	Histocytosis syndrome
7) 小児遺伝性無顆粒症	Infantile genetic agranulocytosis
8) グリコーゲン代謝疾患	Glycogen storage disease
9) Cohen 症候群	Cohen syndrome
10) Ehlers-Danlos 症候群 (Ⅳ・Ⅷ型)	Ehlers-Danlos syndrome (TypeⅣ and Ⅷ)
11) 低ホスファターゼ症	Hypophosphatasia
12) その他	Other

This book was originally published in Japanese under the title of :

SHISYŪBYOU GAKU YŌGOSYŪ
(Glossary of Periodontal Terms 2025)

Editors :
The Japanese Society of Periodontology

© 2007   1st ed.
© 2025   4th ed.

ISHIYAKU PUBLISHERS, INC.
　7-10, Honkomagome 1 chome, Bunkyo-ku,
　Tokyo 113-8612, Japan

『歯周病学用語集』第4版の発刊に寄せて

　本学会の教育・啓発活動の一環として，本書の初版は2007年，改訂版（第2版）は2013年，第3版は2019年に上梓されています．このように本書が長い間活用され続け，今回も版を重ねられたことは，本学会として望外の喜びです．

　歴代の理事長，用語委員会の方々が異口同音に書かれているように，本書の役割は，歯周病学，歯周治療学の領域，さらには広く歯科医療における研究・臨床の場でのコミュニケーションの根幹に位置する「用語」を明確に定義すること，そしてそれをさまざまな作業現場で「共通言語」として相互の共通理解の下に活用し，その活動精度の向上に役立てることにあります．

　今回の第4版刊行の背景には，歯周病とさまざまな全身疾患の発症や進行との関連を研究するペリオドンタルメディシン（歯周医学）の概念の広がり，ライフステージに合わせた歯周病予防と治療が，健康長寿社会実現に向けての重要な方略と位置づけられることからの多職種連携の広がり，この分野での新たな知見や技術の登場などがあり，それらに関する用語の整理，追加が必要になったことがあります．

　そのような追い風を受け，今回の改訂では，昨今の社会的・歯科医学的，医学的背景の変化に対応するため，新たに約70語を追加しています．

　本書が多くの方々の各目的に応じて役割を十分に果たすことができるものと，編者，執筆者一同，確信をしています．

　結びに，この本の刊行は，本学会用語委員会委員長の野口和行先生（鹿児島大学歯学部）を中心とした8名の委員の先生方の多大なご尽力をはじめ，関係各所の多くの方々のご協力があってこそ実現できたものです．ご多忙中にもかかわらず玉稿を御執筆頂き，度重なる校正にご協力いただいた方々に対し，心より感謝申し上げます．また今回も医歯薬出版株式会社編集部の皆さまの多大なご理解とご助力で，こうして版を重ねることができました．ここに記して感謝の意を表します．

　令和7（2025）年1月

特定非営利活動法人 日本歯周病学会
理事長　沼部 幸博

『歯周病学用語集』第4版の発行にあたって

　2019年に『歯周病学用語集第3版』が発刊されてから約6年が過ぎましたが，この間に『歯周病患者における口腔インプラント治療指針およびエビデンス2018』，『歯周治療のガイドライン2022』，『歯周病患者における再生療法のガイドライン2023』，『高齢者の歯周治療ガイドライン2023』など多くのガイドラインが発行され，また，2018年には米国歯周病学会・欧州歯周病連盟による歯周病・インプラントに関する新しい情報・知見が発信され，歯周炎の分類はステージ・グレードを用いた新しい分類法が用いられています．

　このように，日々新しい概念や治療法などが発表されるなかで，新規の用語が用いられるようになっています．そのため，今回の改訂では，一定期間，歯周病学領域で使用され，重要と思われる用語や歯周病学の基本を学ぶのに必要と思われる用語等を含めて，新規用語として約70語を選定しました．また，第3版の全面的な見直しを行い，多くの用語に修正を加えました．なお，5語〔アタッチメント（補綴装置の），オクルーザルカントゥアクレストライン，歯肉の適合，ファイバーポスト，プロービングチャート〕を削除しております．

　歯周病学に関係する用語が数多くある中で，収載されている用語で十分とは言えませんが，紙面の都合上ご理解いただきたく存じます．また，本用語集は歯周病学を中心にまとめており，インプラントに関係する用語は十分ではありませんので，必要に応じて専門的な用語集をご覧いただきたく存じます．本用語集が，歯周病学に関係する方々の教育・臨床・研究に活用され，歯周病学ならびに歯科医学の発展に寄与することを願っております．

　最後になりましたが，本用語集の編集にご協力いただきました本学会理事長沼部幸博先生，本学会理事の先生方，ならびに医歯薬出版の編集部諸氏に厚く感謝申し上げます．

令和7（2025）年1月

特定非営利活動法人　日本歯周病学会　用語委員会

令和3（2021）年度～ 令和4（2022）年度	令和5（2023）年度～ 令和6（2024）年度
委員長　　野口和行	委員長　　野口和行
副委員長　申　基喆	副委員長　菅谷　勉
委員　　　鵜飼　孝	委員　　　鵜飼　孝
江澤庸博	江澤庸博
菅野直之	杉戸博記
竹内康雄	竹内康雄
中村利明	中村利明
吉田　茂	吉田　茂

（五十音順）

『歯周病学用語集』第3版の発刊に寄せて

　『歯周病学用語集』は本学会の教育・啓発活動の一環として2007年に初版が発行され，その後，歯周病の臨床・疫学研究の活性化や，インプラント治療の普及に伴い，2013年に改訂版（第2版）として発行されています．

　『歯周病学用語集』の役割は，歯周病学，歯周病治療学，また広く歯科医療において，研究の場，臨床の場におけるコミュニケーションの根幹である用語を明確に定義して共通の理解の下に，それぞれの活動の精度を高めることにあります．取りあげられる用語は，基盤的，根幹的な用語から，社会や医療の発展によって新たに導入されたり，注目されるようになった用語です．第2版以降の歯周病の分野を振り返ってみますと，Periodontal medicine の浸透，それに伴う多職種連携，ヒト iPS 細胞の登場から加速した組織再生医療の発展，臨床研究の増加，再生医療や介入を伴う臨床研究の倫理の再確認，超高齢化に伴う地域包括医療，薬剤耐性菌対策，分子標的医療の発展など，幅広い様々な分野においてこれまでにない速度で発展がみられました．今回の改訂では，このような社会的・医学的背景の変化に対応するために，新たに13語が追加され定義されました．

　最後になりましたが，膨大な作業を成し遂げられた用語委員会の委員各位に深く感謝申し上げます．とりわけ委員長の梅田　誠先生（大阪歯科大学歯周病学講座教授）には短期間で膨大かつ緻密な作業をまとめて頂きまして重ねて感謝申し上げます．また，医歯薬出版の編集部諸氏に厚く御礼申し上げます．

　平成31年3月

特定非営利活動法人 日本歯周病学会
理事長　栗原 英見

第3版発刊にあたって

　歯周病学は日々進歩しており，それに伴い『歯周治療の指針2015』をはじめとして歯周病学会から刊行されるガイドラインが次々に更新されています．そのため，『歯周病学用語集』も2007年初版の発刊以来6年目に改訂され，今回2回目の改訂を行うことになりました．

　栗原英見日本歯周病学会理事長のご指導の下，今回の改訂にあたって，歯周病学会のガイドライン更新に伴い新たな用語を追加・修正するだけでなく，地域包括医療の進展とともに歯科衛生士の役割がクローズアップされ，その部分をさらに充実していく必要性が高まりました．また，歯周病予防を地域歯科医療においてより広く普及していくため，地域で活躍される先生方の歯周病に対する理解が深まるよう，追加の項目を吟味いたしました．

　『歯周病学用語集』は，CBTや歯科医師国家試験問題に用いられる用語の定義を正確に理解するための最も役立つ書籍として，『日本歯科医学会学術用語集』と見出し語の整合性を図るようにいたしました．今回の改訂においてさらに新用語として13語を追加し，全部で1,063語収載しました．歯周病学に関連する用語は年々増加し膨大な数になっておりますが，紙面に限りがあるため，特に基礎研究に関する用語については他の専門書を参照いただければ幸いです．

　今回改訂を行った用語集が歯周病学の教育・臨床・研究に活用され，歯科医学のさらなる発展に寄与することを願っております．

　最後になりましたが，本用語集の編集にご指導・ご協力いただきました栗原理事長，本学会理事の先生方，ならびに医歯薬出版の編集部諸氏に厚く御礼申し上げます．

平成31年3月

特定非営利活動法人　日本歯周病学会　用語委員会
平成29年度～平成30年度
委員長　　梅田　誠
副委員長　吉田直樹
委　員　　江澤庸博
　　　　　白方良典
　　　　　須田玲子
　　　　　高井英樹
　　　　　田口洋一郎
　　　　　吉田　茂

『歯周病学用語集』第2版の発刊に寄せて

　日本歯周病学会は，2012年12月現在，9,000名をこえる会員数を有する歯科界でも有数の規模の学会であり，学術を基盤として，専門医・認定医制度や認定歯科衛生士制度を有し，歯周病から国民を守り，口腔・全身の健康支援を使命とする学術団体であります．

　本学会の教育・啓発活動の一環として，『歯周病専門用語集』を2007年に初めて発刊しました．専門用語944語を選定し，明確な定義・解説，第一選定用語の決定を行い，歯周病学・歯周治療学ならびに歯科医療において，コミュケーションをとる根幹である用語統一を図りました．しかしながら，発刊より5年が経過し，歯科医学の急速な発展に伴い追加すべき用語も増加し，また，言葉は時代とともに変化するものでありますので，改訂版の発刊が課題となっておりました．

　2011年4月に理事長を拝命させていただいたとき，この2年間において改訂版を発刊することを公約として明言いたしました．そして，学識豊かで，用語にも精通されている鹿児島大学教授の野口和行先生を用語委員長として，5名の委員のもと改訂作業に取りかかってもらいました．各先生方の活気あふれるエネルギーのもと，膨大な作業をみごとに貫徹し，このたび『歯周病学用語集』と題した第2版発刊の運びとなりました．

　第2版においては，特に歯周病の臨床・疫学研究やインプラントに関する用語を中心に約110語を追加し，合計1,050語を収載しました．また，本学会が発刊しております5つの指針やガイドラインと用語との整合性にも配慮して修正し，より統一されたものとなりました．本用語集が学会会員の皆様はもとより，歯科学生や多くの歯科・医科分野の先生方，さらには行政そして関係者の方々のお役に立ちますことを心より期待しております．

　最後になりましたが，本用語集の編集・出版にご尽力いただきました野口先生を初めとする用語委員会委員，本学会理事の先生方，ならびに医歯薬出版の編集部諸氏に厚く御礼申し上げます．

　平成25年1月

特定非営利活動法人 日本歯周病学会
理事長　吉江 弘正

改訂にあたって

　2007年の『歯周病専門用語集』発刊以来，既に5年が過ぎ，この間にも歯周病に関する教科書が発刊され，また日本歯周病学会では，『歯周病の診断と治療の指針』など歯周病に関する幾冊かのガイドラインを発行し，さらにインプラントに関しても『歯周病におけるインプラント治療の指針2008』を発行するなど，歯周病やインプラントに関して多くの情報が得られるようになっています．また，用語は常に変化していくものであり，ある時間が過ぎれば見直す必要があります．このようなことから，吉江弘正理事長のご指導のもと，用語委員会を中心におよそ1年半の時間をかけて改訂作業を行い，ここに改訂版を発行するにいたりました．この改訂版の発行にあたり，書名も，その取り扱う用語は歯周病に関する専門用語ばかりというわけではありませんので，『歯周病学用語集』と改めています．

　本書の編集方針は，既刊の『歯周病専門用語集』とほぼ同じですが，前回は一からの編集で，多大なる作業が短時間で行われた経緯があり，用語の解説として十分とは言えないものもありました．また，本学会では，前述したように歯周病に関するガイドラインを発行しており，ガイドラインを踏まえて，既に収載の用語の解説等を見直すとともに，歯周病の臨床研究や疫学研究，インプラントに関する用語を中心に約110語追加し，全部で1,050語を収載しました．しかし，歯周病学の基礎研究に関する用語は，その領域が幅広く膨大であり，残念ながら収載は限られたものとなっていますので，他の専門書をご覧いただければ幸いです．

　今回はこれらの点を踏まえてこれからの時代に即した歯周病専門用語集に改変したと考えております．紙面の都合上十分な用語が収載されているとはまだ言えないかもしれませんが，本用語集がこれからの歯周病学の教育・臨床・研究に活用され，そして歯周病学のみならず歯学のさらなる発展に寄与していくことを願ってやみません．

　最後になりましたが，本用語集の編集にご協力頂きました日本歯周病学会理事長吉江弘正先生，本学会理事の先生方，ならびに医歯薬出版の編集部諸氏に厚く御礼申し上げます．

平成25年1月

特定非営利活動法人 日本歯周病学会 用語委員会
平成23年度～平成24年度
委員長　　野口和行
副委員長　音琴淳一
委　　員　廣藤卓雄
　　　　　須田玲子
　　　　　玉澤かほる
　　　　　松山孝司

『歯周病専門用語集』の発刊に寄せて

　特定非営利活動法人（NPO）日本歯周病学会は，2007年1月現在，6,000名を越える会員数を有する歯科界でも有数の規模の学会であり，近年では歯周病専門医制度や認定歯科衛生士制度も導入し，国民の口腔および全身の健康に寄与することを目的とする学術団体であります．

　このたび，本学会が初めて学会として編集いたしました専門用語集である『歯周病専門用語集』が，用語委員会委員長である新潟大学大学院医歯学総合研究科教授の吉江弘正先生を中心として編集され，発行されることとなりました．

　歯周病学は，他の歯科の分野と比較しますと後発の領域，換言いたしますとそれだけ新しい領域ということができると存じますが，近年における研究・臨床・教育分野での進展は著しいものがあり，歯科界はもとより医科界，行政そして多くの国民が強い関心を向けております．

　歯周病は20歳を過ぎた国民の大多数が罹患している疾患であり，歯を失う最大の原因でもあります．さらに，歯周病は歯科疾患のなかで唯一，法的に生活習慣病と認定され，また，「ペリオドンタルメディシン」という用語で示されるように，糖尿病をはじめとする全身疾患との関連性も強く示唆されております．このため，適切な歯周治療により歯周病が克服されれば，歯を残存させ，国民のQOLに大きく貢献することができます．

　われわれは，研究・臨床・教育を通じて人々の健康に貢献する責務を担っているわけですが，そのためにも刻々と変化する歯周病の用語の選定および統一は，学会としてぜひとも成し遂げなければならない大きな事業の一つでありました．さらに，私が2005年4月に日本歯周病学会の理事長を拝命した際の最大の目標が，歯周病学会による「ガイドラインの発行」と「歯周病の分類の策定」でしたので，そのためにも用語集の編集は全力を挙げて達成していただきたい事業の一つでありました．

　用語集を編集するということは，大変な労力と細心の注意が要求される膨大な作業でございますが，吉江教授を中心とした委員会の先生方の活力あふれるエネルギーにより，本用語集が刊行されることはきわめて大きな意義を有していると思われます．

　本用語集が学会の会員の皆様はもとより，多くの歯科および医科分野の方々，さらには行政，教育そして一般の国民の方々のお役に立ちますことを心より期待しております．

　最後になりましたが，本用語集を出版するにあたり，多大なご協力をいただきました医歯薬出版の方々に深謝いたします．

　平成19年1月

特定非営利活動法人 日本歯周病学会
理事長　野口 俊英

序　文

　特定非営利活動法人日本歯周病学会は，1957（昭和32）年に発足してから，本年で50年を迎えようとしておりますが，このたび，野口俊英理事長のもとで本学会による初めての専門用語集であります『歯周病専門用語集』を発刊することになりました．

　歯周病学に限らず，どの分野におきましても，専門用語を正しく整理し，的確に教授することは，教育・臨床・研究の基本的事項であり，50年の節目に多くの先生方の協力を得て，ここに本用語集を上梓できたことに深く感謝いたしたいと存じます．

　本用語集は，2004（平成16）年から2006（平成18）年にかけて，特定非営利活動法人日本歯周病学会用語委員会を中心として編集され，本学会の承認を得たものであります．以下に発行までの編集の工程を記したいと存じます．

1　専門用語の収集と用語の選定

　　用語集の編集にあたりまして，まずは『文部科学省学術用語集 歯学編』（日本歯科医学会 編），『平成18年度 歯科医師国家試験出題基準』，各種の歯周病学教科書，米国歯周病学会用語集などから約2,800語を抽出し，歯周病学，歯周治療学の教育・臨床・研究に必要と判断された約800語を選出いたしました．

2　特定非営利活動法人日本臨床歯周病学会からの推薦用語の追加

　　日本臨床歯周病学会は，本学会と同じ歯周病学を専門とする学会でありまして，これまでにも学術大会をはじめ，さまざまな形でご協力いただいてまいりました．本用語集の編集に際しましても理事長の船越栄次先生をはじめ，用語委員会に加わっていただきました池田雅彦先生ほか多くの先生方にご助言・ご指摘を頂戴し，日本臨床歯周病学会よりご推薦いただきました用語を約100語追加いたしました．

3　用語の定義・解説

　　選定された用語につきましては，歯周病学の面から用語委員会にて簡潔な定義と解説の原案を作成し，その後本学会理事，用語委員ならびに日本臨床歯周病学会用語委員会の先生方に送付し，修正，追加いたしました．

4　第一選定用語の決定

　　同義語が複数ある用語につきましては，本学会の理事ならびに日本臨床歯周病学会の用語委員の先生方へアンケートを行いまして，第一選定用語を決定いたしました．

5　主な保険用語，日本歯周病学会の歯周病分類との関連

　　歯周治療に関する主な保険用語・略号を選び，本用語集に収載した用語との関連を表にまとめました．さらに，このたび，新しくまとめられました本学会の歯周病分類表も収載しております．

　以上，2年以上に及んだ編集作業を記しましたが，今回の編集作業はほとんど一からの作業であったこともあり，時間的にも切迫したなかでの作業でございましたので，改善の余地が多く残されて

いることと存じます．また，用語というものは，常に変化をしていくものでございます．つきましては，数年おきに見直しの作業が行われ，本用語集が中心となって教育・臨床・研究の専門用語が規定され，歯周病学のさらなる発展につながっていくことを願ってやみません．

　最後になりましたが，本用語集の編集にご協力いただきました特定非営利活動法人日本臨床歯周病学会理事長船越栄次先生および用語委員会の先生方，本学会理事長野口俊英先生，本学会理事の先生方ならびに，医歯薬出版の編集部諸氏に心より感謝申し上げます．

　平成 19 年 1 月

特定非営利活動法人 日本歯周病学会 用語委員会
平成 17 年度〜平成 18 年度
委　員　長　　吉江弘正
副委員長　　島内英俊
委　　　員　　池田雅彦
　　　　　　　奥田一博
　　　　　　　五味一博
　　　　　　　佐藤　聡
　　　　　　　杉戸博記
　　　　　　　須田玲子
　　　　　　　玉澤かほる
　　　　　　　（五十音順）

凡　例

1．本用語集は，特定非営利活動法人 日本歯周病学会が2019年に出版した『歯周病学用語集第3版』を日本歯周病学会用語委員会が中心となって改訂したものである．本用語集に収載の選定用語は，教育・論文執筆・学会誌投稿などの際に第一選択肢として使用する用語であり，特定非営利活動法人日本歯周病学会の承認を得たものである．
2．本用語集では，歯周病学の教育・研究および臨床に必要と判断された用語について収録し，化学や物理学などの自然科学領域ならびに歯周病学以外の歯学領域に属すると考えられる用語は対象外とした．
3．収載の見出し用語1,129語は五十音順に配列し，通し番号を付した．
4．一単語についての解説は，①用語，②読み（漢字，英語のみ），③用語の英語表記，④同義語（略語も含む），⑤類義語・関連語，⑥用語の定義・解説からなる．また，解説中に存在する選定用語は，太字とすることで視認性を高めた．
5．「➡」は参照先を示し，「▶」 は用語の定義・解説の中には用いられていないが，その用語と関係があり第4版に掲載されている用語を示している．
6．使用漢字については，近年の漢字政策および新しいJIS漢字等に鑑みて，いわゆる正字体を採用することとした．
　　例）「頬 → 頰」，「蝕 → 蝕」，「嚢 → 囊」，「填 → 塡」，「弯 → 彎」
7．索引には，ページおよび用語番号を付した．索引として挙げた用語は，①見出し用語，②同義語，③類義語・関連語，④英語表記である．
8．人名に関しては，基本的には欧文表記としたが，一般名詞的に使用されている用語に関しては，カタカナ表記とした．
　　例）オルバンメス，グラム陰性細菌，ヘルトヴィッヒ上皮鞘
9．歴史的な用語については，使用頻度などを検討した結果，同義語や類義語には含めないこととした．
　　例）「歯槽膿漏→歯周炎」，「歯周症→若年性歯周炎」，「白亜質→セメント質」
　　　　「琺瑯質→エナメル質」，「盲囊→ポケット」，「歯齦→歯肉」

あ

1 アーカンソーストーン
Arkansas stone
〔同義語〕アーカンサスストーン
　米国のアーカンソー州で産出される仕上げ用の天然石砥石．粒子が細かく硬い．鈍磨したスケーラーの刃部などのシャープニングなどに用いられる．目詰まりや発熱防止のためにオイルを使用する．
▶インディアストーン

2 Eichner の分類　あいひなー——ぶんるい
Eichner's classification
　左右の小臼歯部，大臼歯部の4ブロックの咬合支持域による欠損歯列の分類．残存歯列における上下顎の支持域を判断基準にしている．4支持域すべてで咬合接触しているA型，4支持域中の一部で咬合接触しているB型，すべての支持域に咬合接触がないC型に分類され，さらに亜分類がある．

3 悪習癖　あくしゅうへき
abnormal habit
〔同義語〕悪習慣，異常習癖
　歯周組織に為害作用を及ぼす舌や口唇などの**習癖**．ブラキシズム，吸指癖，**咬唇癖**，吸唇癖，弄唇癖，咬爪癖，**舌習癖**（舌前突癖，咬舌癖），異常嚥下癖などがある．歯周組織に対して外傷性因子として働き，また，不正咬合の原因にもなるので，悪習癖を自覚させて是正指導や**自己暗示法**などを行う．また，習癖により前歯の前突や離開がある場合は，矯正歯科治療も行われる．
▶パラファンクション

4 *Aggregatibacter actinomycetemcomitans*
あぐりがてぃばくたーあくちのまいせてむこみたんす
〔同義語〕*Actinobacillus actinomycetemcomitans*
　歯周病原細菌の一種．非運動性，非芽胞産生性，糖分解性，微小集落形成を示す通性嫌気性グラム陰性桿菌．ヒトの好中球や単球に毒性を示すロイコトキシンを産生する．**侵襲性歯周炎**あるいは**若年性歯周炎**の病巣から比較的高率に検出され，血清の抗体価も高いことから，侵襲性歯周炎あるいは若年性歯周炎に関連性の高い病原菌の一つとされている．以前は，*Actinobacillus actinomycetemcomitans* や *Haemophilus actinomycetemcomitans* とよばれていた．

5 アクリルレジン冠固定　——かんこてい
acrylic resin crown splint
〔同義語〕連続レジン冠固定，レジン連続冠固定
　固定式の**外側性固定**による**暫間固定**の一つ．歯の動揺が高度で二次性咬合性外傷がみられる2歯以上の歯に対して，**永久固定**を前提として，支台歯形成を行いアクリルレジン冠を製作して連結する．
▶プロビジョナル固定

6 アジスロマイシン
azithromycin
➡マクロライド系抗菌薬

7 足場　あしば
scaffold
➡スキャフォールド（再生における）

8 アスパラギン酸アミノトランスフェラーゼ　——さん——
aspartate aminotransferase
〔同義語〕AST，GOT
　アスパラギン酸のアミノ基転移酵素．従来はグルタミン酸オキサロ酢酸トランスアミナーゼ（glutamic-oxaloacetic transaminase；GOT）とよばれていた．肝臓・心臓・筋などの細胞に含まれている酵素で，細胞が傷害されると血中濃度が上昇する．正常値は40国際単位以下であり，肝炎，肝硬変，脂肪肝，筋疾患，心筋梗塞などで上昇する．現在，**歯肉溝滲出液**，唾液，血清中の本酵素と歯周病との関連が研究されている．

9 アタッチメント（歯周組織の）
attachment
➡上皮性付着，結合組織性付着，骨縁上組織付着

10 アタッチメントゲイン
attachment gain
〔同義語〕付着の獲得
　アタッチメントロスが生じた歯根面において**歯周治療**などによりポケット底の位置が歯冠側へ移動すること．ポケット内や口腔内に露出した歯根面に治療法に応じて**上皮性付着**，**結合組織性付着**あるいは**新付着**が獲得される．その結果，**アタッチメントレベル**が減少する．
▶アタッチメントロス

11 アタッチメントレベル
attachment level
〔同義語〕付着レベル，クリニカルアタッチメント

レベル，臨床的アタッチメントレベル，プロービングアタッチメントレベル，付着の位置，CAL，PAL

セメント-エナメル境（基準点）から歯肉溝底またはポケット底までの距離（基準点としてステントを用いることもある）．これによって，歯肉溝底，ポケット底の位置を表すことができる．歯周病の進行や改善の指標として用いられる．また，歯周プローブで測定した距離を**臨床的アタッチメントレベル**（**CAL**）または**プロービングアタッチメントレベル**（**PAL**），組織学的に正確に調べた距離を組織学的アタッチメントレベルという．
▶アタッチメントゲイン，アタッチメントロス

12 アタッチメントロス
attachment loss

〔同義語〕付着の喪失

歯肉の上皮組織および結合組織による歯面への付着が炎症などにより喪失し，歯肉溝底またはポケット底の位置が根尖方向に移動すること．**歯周組織の喪失**を意味し，アタッチメントレベルが増加する．
▶アタッチメントゲイン

13 アップライト
uprighting

〔同義語〕矯正的整直，整直

傾斜歯の歯軸を咬合平面に対し垂直に起こすこと．傾斜した歯にスプリングやゴム輪などを用いて歯軸を矯正する．口腔清掃性の改善，側方力などの外傷性因子の除去，垂直性に吸収した**歯槽骨**の再生などが可能となり，補綴治療も容易となる．前歯部においては審美性も改善できる．

14 アディポサイトカイン
adipocytokine

脂肪細胞から分泌される生理活性物質の総称．アディポネクチン，レプチン，インターロイキン-6，腫瘍壊死因子（TNF-α），プラスミノーゲンアクチベーターインヒビター-1（PAI-1）などが含まれる．

15 アテローム性動脈硬化症
――せいどうみゃくこうかしょう
atherosclerosis

〔同義語〕粥状動脈硬化症

血管壁内膜に脂肪の**沈着**と線維性肥厚による隆起性のアテローム（粥腫）を形成して，内腔の狭窄とともに動脈が硬化する病変．アテロームは潰瘍形成，石灰化を経て，血栓形成へと進展する．狭心症や心筋梗塞などの**虚血性心疾患**や脳卒中などの原因となる．本疾患の病巣から**歯周病原細菌**が検出されたことから，歯周病との関連が指摘されている．
▶ペリオドンタルメディシン

16 アテロコラーゲン膜 ――まく
atelocollagen membrane

〔同義語〕アテロコラーゲンメンブレン，コラーゲン膜，コラーゲンメンブレン

ブタやウシから抽出したコラーゲンの主な抗原部位であるテロペプチドを酸処理で除き，抗原性を低下させて製造された**吸収性膜**．GTR膜やGBR膜に応用され，生体吸収性のため，手術は1回ですむ．膜の吸収期間は，4～6週間，4～6か月間など膜の性質により異なる．生体適合性に優れ，止血効果，細胞接着の促進など，膜自体が組織内で一体化し，創部が安定する．
▶GTR法，GBR法

17 アドヒアランス
adherence

〔類義語・関連語〕コンプライアンス，インフォームドコンセント

患者が病気の状態や治療の目的を理解したうえで，積極的に治療方針の決定に参加し，それに従って治療を受けること．

18 アバットメント
abutment

インプラント体と上部構造をつなぎ止める中間構造物．上部構造の支台装置として用いる．既製アバットメントやカスタムアバットメント，CAD/CAMアバットメントがある．

19 アバットメントスクリュー
abutment screw

インプラント体とアバットメントを結合固定するためのネジ．

20 アフタ性歯肉炎 ――せいしにくえん
aphthous gingivitis

歯肉にアフタを生じる炎症性病変．粘膜や舌などにもアフタがみられる場合はアフタ性口内炎という．原因としてアレルギー，ウイルス，内分泌異常，**ストレス**などが考えられており，治療法は，患部を清潔に保つことと，ビタミン，**抗菌薬**，副腎皮質ホルモンの投与などの**対症療法**が主となる．

21 アブフラクション
abfraction

〔類義語・関連語〕非齲蝕性歯頸部欠損

咬合，嚥下，**ブラキシズム**などによる力が歯へ負

荷されたとき，応力が集中した部位に生じる歯質欠損．多くの場合，咬合力により歯頸部領域にくさび状あるいは三日月状などの欠損が生じる．力の負荷によるたわみがエナメル小柱の破壊，象牙質やセメント質の微小破折につながると考えられている．abfraction は 1991 年に Grippo が命名したラテン語の ab（＝away）と fractio（＝breaking）からの造語である．
▶くさび状欠損（歯の）

22 アメロジェニン
amelogenin

エナメルマトリックスタンパク質の約 90% を占めるプロリンに富むタンパク質．エナメル質の石灰化とともに分解され，エナメル質中のアパタイト結晶が成長するスペースを確保していると考えられている．細胞接着能を有し，骨芽細胞やセメント芽細胞の分化に関与するとされている．
▶エナメルマトリックスデリバティブ

23 アモキシシリン
amoxicillin
➡ペニシリン系抗菌薬

24 アラキドン酸代謝産物
——さんたいしゃさんぶつ
arachidonic acid metabolic product
➡プロスタグランジン E_2

25 アルカリホスファターゼ
alkaline phosphatase
〔同義語〕ALP

アルカリ領域で有機リン酸エステル化合物を加水分解する酵素の総称．全身のほとんどの臓器や組織に含まれており，とくに小腸粘膜上皮，骨，肝臓，腎臓に多く分布する．骨芽細胞には本酵素が豊富に存在し，石灰化の開始点となる基質小胞として細胞外マトリックス中に放出される．骨芽細胞の分化の指標として用いられることが多い．

26 アンキローシス
ankylosis
➡骨性癒着

27 暗視野顕微鏡　あんしやけんびきょう
dark-field microscope

光源が対物レンズに直接入射せず，試料の表面や内部の屈折率の異なる界面で，反射・屈折・回折した散乱光のみが対物レンズに入射する顕微鏡．暗い背景のなかに試料が白く輝いて見えるので，無染色の生菌や，とくに感染性のスピロヘータの運動を観察するのに適している．歯周病患者に対してプラーク中の細菌を視認させ，モチベーションの向上のために使用することがある．
▶位相差顕微鏡

28 安静位　あんせいい
rest position
➡下顎安静位

29 アンダーカントゥア
undercontour
➡カントゥア

30 アンテリアガイダンス
anterior guidance
〔同義語〕前方誘導

下顎の前方への滑走運動を誘導する要素の一つで，上下顎の歯の接触滑走路における歯のガイド．咬合治療により術者が調節可能で，歯のガイドが適切でない場合は，咬合性外傷，アブフラクション，ブラキシズムなどが生じる．一方，ポステリアガイダンスは，個人に固有のものであり，顎関節内の下顎頭の運動を誘導する要素をさす．

31 鞍部（歯間乳頭の）　あんぶ
col
➡コル（歯間乳頭の）

い

32 EDTA 処理　いーでぃーてぃーえーしょり
EDTA conditioning

中性で粘膜を損傷せず，歯質のカルシウムと結合脱灰し象牙質を軟化する．再生治療などにおいてエナメルマトリックスデリバティブなどの根面処理に用いられ，キレート結合によってスミヤー層を除去する．
▶エッチング

33 ePTFE 膜　いーぴーてぃーえふいーまく
expanded polytetrafluoroethylene membrane
〔同義語〕延伸ポリテトラフルオロエチレン膜，伸展四フッ化エチレン樹脂膜

フッ素樹脂であるポリテトラフルオロエチレンを延伸加工した ePTFE を素材とする非吸収性膜．微細な連続多孔質構造をもち，GTR 法や GBR 法に用いる．ePTFE は防水性，透湿性，防塵性に優れ，医科領域では人工血管，人工硬膜などに応用されてい

34 異種骨移植　いしゅこついしょく
xenograft

骨欠損部の回復にウシやブタなどの骨を使用する**他家骨移植**の一つ．**自家骨移植**とは異なり，骨採取のための手術が不要で，必要量が供給できる．移植骨は凍結乾燥や脱灰凍結乾燥処理を受けたものが多い．ただし，未知の感染や異種抗原に対する免疫応答について注意を払う必要がある．

▶凍結乾燥骨移植，脱灰凍結乾燥骨移植

35 移植術（歯の）　いしょくじゅつ
tooth transplantation

歯を同一個体の他の部位，または他の個体に移しかえること．同一個体での移植成功率は高く，第三大臼歯を大臼歯部の欠損に移植することが多い．第三大臼歯を凍結保存して自家移植に備える場合もある．

36 異所性骨形成　いしょせいこつけいせい
ectopic bone formation,
heterotopic osteogenesis

通常では硬組織形成が生じない組織に骨形成が生じること．

37 位相差顕微鏡　いそうさけんびきょう
phase-contrast microscope

試料の厚さや内部の屈折率によって生じる位相や振幅の差を，位相板を用いて明暗の差に変えて識別可能にした顕微鏡．この顕微鏡で無染色の生菌やその運動を観察する．**歯周病**患者に対してプラーク中の細菌を視認させ，**モチベーション**向上のために使用することがある．

▶暗視野顕微鏡

38 一塩基多型　いちえんきたけい
single nucleotide polymorphism

〔同義語〕スニップ，SNP，スニップス，SNPs

ゲノム塩基配列における一塩基の変異のうち，その変異が集団内で1％以上の頻度で認められるとき，これを一塩基多型という．

▶遺伝子型，遺伝子診断

39 1型糖尿病　いちがたとうにょうびょう
type 1 diabetes mellitus

〔同義語〕IDDM，インスリン依存性糖尿病

膵臓のランゲルハンス島にあるβ細胞の破壊により，インスリンがほとんど分泌されなくなり慢性高血糖状態が生じる**糖尿病**．主に自己免疫学的機序により発症すると考えられている．小児や若年者に多いが，成人にも発症する．

▶2型糖尿病

40 一次性咬合性外傷　いちじせいこうごうせいがいしょう
primary occlusal trauma

➡咬合性外傷

41 一次創傷治癒　いちじそうしょうちゆ
primary wound healing

➡創傷治癒

42 一次予防　いちじよぼう
primary prevention

疾病を発症しないようにするための処置や指導．健康教育や保健指導などの健康増進と疾患特有の予防法が必要となる特異的予防がある．**歯周病**の特異的予防として専門家による口腔清掃や予防的歯石除去などが行われる．

43 一回法インプラント埋入　いっかいほう——まいにゅう
non-submerged implant placement,
one-stage implant placement

歯槽骨内への**インプラント体**埋入と，インプラントのアバットメント部の粘膜貫通を1回で行う術式．オッセオインテグレーション獲得後に粘膜を貫通させる手術が不要である．しかし，埋入直後から暫間義歯による負担荷重が必要であり，貫通部の感染が生じる可能性もあり，術後管理が重要である．

▶二回法インプラント埋入

44 遺伝子型　いでんしがた
genotype

〔同義語〕遺伝子タイプ

〔類義語・関連語〕遺伝子多型，一塩基多型，スニップ，SNP，スニップス，SNPs

一つの個体に存在する全遺伝子座もしくは特定の遺伝子座（locus）における2つの対立遺伝子（アレル）の組み合わせ．

▶一塩基多型

45 遺伝子診断　いでんしんだん
genetic diagnosis

ヒトの疾患を遺伝子レベルで診断すること．現在，歯周領域において，**歯周病**のハイリスク患者を選別するなどの目的で，**歯周病原細菌**に対する**感受性**，ヒト白血球抗原（human leukocyte antigen；HLA）の多型，インターロイキン（IL）の**遺伝子型**

などを用いた診断法が研究され，IL-1遺伝子型のように臨床に応用されているものもある．

46 遺伝疾患に伴う歯周炎
いでんしっかん——ともな——ししゅうえん

periodontitis associated with genetic disorders

2006年の日本歯周病学会による分類用語．歯周炎を随伴する遺伝疾患には，**好中球減少症**，Down症候群，Papillon-Lefèvre症候群，Chédiak-Higashi症候群，**低ホスファターゼ症**などがある．

47 遺伝性歯肉線維腫症
いでんせいしにくせんいしゅしょう

hereditary gingival fibromatosis

〔同義語〕遺伝性歯肉過形成症，遺伝性歯肉増殖症
〔類義語・関連語〕歯肉線維腫症，特発性歯肉線維腫症

歯肉辺縁，**歯間乳頭**，さらに**付着歯肉**まで広がる**歯肉の増殖性の腫脹**をきたす稀な疾患．発病は乳幼児期で，上下顎の頰舌側に腫脹がみられるが，抜歯後には消退する．家族的研究から，常染色体劣性または常染色体優性と遺伝的な傾向の報告もみられるが，いまだ病因は不明である．

48 遺伝的素因　いでんてきそいん

genetic predisposition

特定の疾患に対して罹患しやすい，あるいは悪化しやすいと考えられている個体の遺伝的因子．歯周病の遺伝的素因としては，主要組織適合抗原遺伝子群や，IL-1遺伝子などがその候補として示されている．

▶遺伝子診断

49 イニシャルプレパレーション

initial preparation
➡歯周基本治療

50 インスリン抵抗性糖尿病
——ていこうせいとうにょうびょう

insulin-resistant diabetes mellitus
➡2型糖尿病
▶糖尿病

51 インスリン様増殖因子
——ようぞうしょくいんし

insulin-like growth factor

〔同義語〕インスリン様成長因子，IGF

ヒト血清中に存在するインスリン類似の物質．アミノ酸配列の相違により2種類存在し，主な産生細胞は**骨芽細胞**や軟骨細胞である．各細胞の増殖，骨芽細胞からのⅠ型コラーゲン産生，軟骨細胞からの**プロテオグリカン**産生など，骨基質を産生増加させることで骨形成を促進する．

52 インターデンタルスティムレーター

interdental stimulator
➡歯間刺激子

53 インターデンタルブラシ

interdental brush, interdental toothbrush
➡歯間ブラシ

54 インターフェロン

interferon
〔同義語〕IFN

サイトカインの一種であり，ウイルス増殖阻止，細胞増殖抑制，免疫や炎症の調節などの作用を示すタンパク質．ヒトでは大きくⅠ型（α，β，ω，ε，κ），Ⅱ型（γ），Ⅲ型（λ）に分類される．現在では遺伝子操作により大量生産が可能になり，IFN-α，β，γの3種類が医薬品として承認され，C型などのウイルス性肝炎やある種の腫瘍の治療に抗がん剤や放射線と併用して用いられている．

55 インターポジション型グラフト
——がた——

interpositional graft

筋線維の相対的な高位付着および口腔前庭の深さが不十分である場合に骨量不足を改善する**骨移植術**．骨移植予定部位に**骨切除術**を行い，次に腸骨より皮質-海綿骨を採取し，離断した部位に採取した骨を介在させ固定を行う．

▶自家骨移植

56 インターロイキン

interleukin
〔同義語〕インターリューキン，IL

免疫系，造血系などの細胞間情報伝達を担う**サイトカイン**．細胞の分化，増殖および生体の恒常性維持のため，細胞間でインターロイキンを介して情報を交換している．その種類は現在30以上にのぼり，細胞表面に発現しているその受容体の解析が進むにつれ，多様な機能や重複性をもつことがわかりつつある．

▶サイトカイン

57 インディアストーン

india stone
〔同義語〕インディアナストーン

中等度の粗さをもった人工の砥石．鈍な**カッティングエッジ**の形態修正や研磨に適している．目詰まりや発熱防止のためにシャープニングオイルを使用する．
▶アーカンソーストーン

58 インテグリン
integrin

細胞表面タンパク質の一つで，細胞表面に存在する接着タンパク質．複数のα鎖およびβ鎖が存在し，その組み合わせによりリガンド特異性の多様な分子が形成される．**細胞外マトリックスに対する細胞の接着を司る受容体**である．主に細胞外マトリックスへの細胞接着，細胞外マトリックスからの情報伝達に関与する細胞接着分子として作用する．また細胞間接着に関与するインテグリンも存在する．

59 インドール
indole
➡揮発性硫黄化合物

60 インフォームドコンセント
informed consent
〔同義語〕説明に基づく同意，説明と同意
〔類義語・関連語〕コンプライアンス，アドヒアランス

医療者が患者に病状やそれに応じた検査や治療について十分な情報を提供して説明し（informed），患者はそれを十分理解したうえで承諾すること（consent）．

61 インプラント（歯科の）
dental implant
〔同義語〕歯科インプラント，人工歯根

チタンなどの人工材料で製作された人工的な歯根．外科的に顎骨内あるいは顎骨の骨膜下に埋入する．その構造体はスクリュー型，シリンダー型の形状があり，オッセオインテグレーションが起こる．**上部構造を装着して，咀嚼機能や審美性を回復する**．現在では，チタンスクリュー型の骨内インプラントが主流である．

62 インプラント周囲炎 ——しゅういえん
peri-implantitis
〔同義語〕ペリインプランタイティス
〔類義語・関連語〕インプラント周囲粘膜炎

オッセオインテグレーションが獲得された機能下のインプラントに，**細菌感染や過重負担**などの結果生じるインプラント周囲の炎症性疾患の総称．狭義では骨破壊を伴う非可逆性疾患の状態をいう．臨床所見として，周囲粘膜の発赤，腫脹に加え，**プロービング時の出血，排膿，プロービングデプスの増加，**周囲組織の**退縮**などがある．歯槽骨破壊の速さ，吸収の型・範囲，**歯周組織**の反応などで，**歯周炎**と異なる点もある．インプラント周囲の臨床所見の変化を定期的にモニタリングすることが，疾患の**予防**には最も重要である．

63 インプラント周囲溝 ——しゅういこう
peri-implant sulcus
〔同義語〕ペリインプラントサルカス

インプラントとインプラント**周囲軟組織**との間に存在するインプラント周囲のV字型の間隙．天然歯と異なり，インプラント周囲軟組織には**歯周プローブ**の進行に抵抗するような**歯肉**の走行および上皮のバリアがないため，この部位に歯周プローブを使用する際，骨結合部位近くまで到達する可能性があり，軟組織への不要なダメージや，健全な組織への過剰挿入を避ける必要がある．そのため軽圧（0.2～0.3 N）での挿入を心がける．

64 インプラント周囲溝上皮 ——しゅういこうじょうひ
peri-implant crevicular epithelium

インプラント周囲溝に面する上皮．口腔上皮，接合上皮に移行する．

65 インプラント周囲溝滲出液 ——しゅういこうしんしゅつえき
peri-implant crevicular fluid,
peri-implant sulcus fluid

インプラント周囲溝上皮を通過してインプラント周囲溝内に滲出してきた組織液．成分は**歯肉溝滲出液**とほぼ類似している．**滲出液量は，インプラント周囲組織**の炎症の程度や骨吸収量と相関することが報告されており，インプラント周囲溝内の自浄・抗菌作用を有する．

66 インプラント周囲疾患 ——しゅういしっかん
peri-implant disease

インプラント周囲組織に生じる疾患の総称．主に**インプラント周囲粘膜炎とインプラント周囲炎**からなる．

67 インプラント周囲組織 ——しゅういそしき
peri-implant tissue
〔類義語・関連語〕インプラント周囲粘膜

インプラント周囲の粘膜組織（上皮組織，結合組織），骨組織から構成される組織で，**歯根膜とセメント質は存在しない．インプラント体**と接する結合組

織のコラーゲン線維は，インプラント体と平行に走行している．インプラント体と骨組織はオッセオインテグレーションにより生体と調和を保っている．

68 インプラント周囲軟組織 ——しゅういなんそしき
peri-implant soft tissue

インプラント周囲の上皮組織と結合組織からなる粘膜組織．上皮は口腔側から口腔上皮，**インプラント周囲溝上皮**につながり接合上皮に移行する．接合上皮は**インプラント体**表面に**ヘミデスモゾーム**を介して付着している．接合上皮の幅は約 1.2 mm である．上皮の根尖側部と骨頂の間には約 1〜1.6 mm の結合組織がインプラント体と直接接触している．

69 インプラント周囲粘膜 ——しゅういねんまく
peri-implant mucosa
〔類義語・関連語〕インプラント周囲軟組織

インプラント周囲の歯肉粘膜組織．**インプラント体**では，**接合上皮**とその下部に結合組織のコラーゲン線維が平行して走行しており，天然歯のような強い付着は存在しない．

70 インプラント周囲粘膜炎 ——しゅういねんまくえん
peri-implant mucositis

インプラント周囲粘膜組織に限局した可逆的炎症．インプラント周囲粘膜に発赤・腫脹・プロービング時の出血・排膿などを認める．主にインプラント周囲に付着したプラーク細菌によって発症する．**インプラント周囲炎**とは異なり，**骨吸収は伴わない**．
▶インプラント周囲疾患

71 インプラントスレッド
implant thread

インプラント体表面に付与されているネジ山．インプラント体の回転埋入と骨への**固定**を目的に付与されている．様々なタイプのスレッドがあり，種々の骨条件に対し，良好で適切な初期安定性を得る工夫がされている．

72 インプラント即時埋入 ——そくじまいにゅう
immediate implant placement
〔同義語〕抜歯後即時埋入

抜歯直後に**インプラント体**を埋入すること．治療期間を大幅に短縮できるが，抜去歯由来の感染源が抜歯窩に残るとインプラントに感染を起こす危険性がある．埋入後の骨量不足，唇（頬）側骨頂部吸収が予想される場合は骨造成法を併用することが多い．軟組織が不足している場合，フラップの形成が困難になる．
▶インプラント待時埋入，インプラント遅延埋入

73 インプラント体 ——たい
implant body
〔同義語〕フィクスチャー

骨の中に植立する人工歯根のことで，**上部構造とアバットメントは含まない**．形態はシリンダー型，スクリュー型のものがあるがスクリュー型が一般的である．初期固定のためにはインプラント体と骨とのオッセオインテグレーションが重要である．

74 インプラント待時埋入 ——たいじまいにゅう
delayed implant placement
〔同義語〕抜歯後待時埋入

軟組織の十分な治癒後，**インプラント体**を埋入すること．通常，抜歯4〜8週以降に埋入する．即時埋入と比べ治療期間はやや長くなるが，軟組織の治癒が得られているため，フラップのマネージメントを行いやすい．
▶インプラント即時埋入，インプラント遅延埋入

75 インプラント遅延埋入 ——ちえんまいにゅう
late implant placement
〔同義語〕抜歯後遅延埋入

軟組織，骨組織の十分な治癒後，**インプラント体**を埋入すること．通常，抜歯6か月後に埋入する．
▶インプラント即時埋入，インプラント待時埋入

76 インプラントの成功率 ——せいこうりつ
implant success rate
〔類義語・関連語〕累積成功率

ある時期の検査時に，**インプラント体**もしくは上部構造が，ある特定の成功基準を満たしている割合．国際インプラント学会トロント会議（1998）において，**インプラント**の成功基準として以下の4項目があげられている．①疼痛，不快感，知覚異常，感染がない．②個々のインプラント体に動揺がない．③負荷1年経過後の垂直的骨吸収量が年 0.2 mm 以下．④患者および術者の双方が機能的，審美的に満足している．
▶インプラントの生存率

77 インプラントの生存率 ——せいぞんりつ
implant survival rate

ある時期の検査時に，**インプラント体**もしくはその**上部構造**が存在する割合．一般的には，インプラントの成功基準を満たさなくても，撤去には至らないインプラントを含めて残存しているインプラントの割合を算出している．

▶インプラントの成功率

78 インプラントの動揺 ——どうよう
implant mobility

オッセオインテグレーションの喪失によりインプラント体が動くこと．動揺の有無がインプラント体を撤去する判断基準の一つとなる．また，疼痛や不快症状は，インプラント体の動揺と関連している．

79 インプラントの表面処理 ——ひょうめんしょり
surface treatment of implant

インプラント体表面を構造的あるいは化学的に修飾し，その特性を変化させること．表面形状・性状を改質することにより，オッセオインテグレーションの早期獲得や獲得率の向上が図られると考えられている．表面処理にはサンドブラスト，エッチング，ワイヤー放電加工，陽極酸化処理，ハイドロキシアパタイトコーティングなどがある．

80 インプラントプラスティ
implant plasty

インプラント周囲炎などにより骨縁上に露出したインプラント体の形態を回転切削器具などで修正すること．主な目的は清掃性の向上や感染源の除去，再感染の防止である．

81 インプラント補綴 ——ほてつ
implant prosthodontics

〔同義語〕インプラント修復

オッセオインテグレーションの概念に基づく歯科用インプラントを活用した欠損補綴治療の総称．欠損補綴の治療オプションの一つとして位置づけられている．

82 インレーグラフト法 ——ほう
inlay graft procedure

〔同義語〕インレー型グラフト

遊離歯肉移植片あるいは結合組織移植片を用い，歯槽堤の増大を図る移植術．術式は，増大を図る部位を剥離するように切開を行い，剥離した部位に移植片を挟み込むように縫合固定する．移植片と歯肉弁との段差ができないように注意する．
▶歯槽堤増大術

う

83 ウィドマン改良フラップ手術
——かいりょう——しゅじゅつ
modified Widman flap surgery (operation)

〔同義語〕Widman改良法，ウィドマン改良法，ウィドマン変法手術

組織付着療法の一つ．Ramfjörd（1974）らによる，ウィドマン原法を改良したフラップ手術の一手法．一次切開として歯槽骨頂に向けた内斜切開，二次切開として歯肉溝切開，三次切開として水平切開を行い，骨面の露出を最小限にするように全層弁にて歯肉を剥離後，肉芽組織の除去とデブライドメントを行う．歯肉弁と歯根面が密接するように歯肉弁を縫合し，一次閉鎖を図る．組織を極力保存し，術後の不快症状も少なく，審美性に優れているなどの利点があり，広く臨床に用いられている．

84 ウェッジ手術 ——しゅじゅつ
wedge operation (surgery)

〔同義語〕くさび型切除手術

〔類義語・関連語〕遠心ウェッジ手術，ディスタルウェッジ手術

最後臼歯遠心部や歯の欠損部と隣接する歯に生じた歯周ポケットを除去することを目的に行われるくさび型切開による歯周外科手術．とくに上顎結節部や臼後三角部などの結合組織が厚い部位に応用され，遠心部にくさび型の切開を入れることで余分な結合組織塊を除去し，歯周ポケットを除去する．

85 ウォーキングプロービング
walking probing

歯周ポケットの深さを測定するとともにポケット底部の形態を知るために行うプロービング方法．歯周プローブでポケット底部を少しずつ探るように連続移動することで，深い部分の見落としが少なくなり，エックス線画像だけでは不明な部分や歯石の付着状況も把握できる．

86 後向き研究 うしろむ——けんきゅう
retrospective study

〔類義語・関連語〕患者-対照研究，症例-対照研究

研究開始時点より前に発生した，疫学研究の対象となる事象を過去にさかのぼって調査し，原因など特定要因を探究する方法．観察的研究，患者調査，症例研究，症例-対照研究などが行われている．記録や記憶が不正確な場合はデータの正確性に欠けることがあるが，時間・労力・経費などの点で利点を有

する．
▶コホート研究，前向き研究

え

87 エアアブレージョン
air abrasion
〔類義語・関連語〕エアアブレイシブ，エアポリッシング

酸化アルミニウム，重炭酸ナトリウム，β-TCP などの微粒子を圧縮空気を利用して歯面に強力に吹き付ける治療法．歯面清掃，**歯石**の除去，初期齲蝕の除去に用いる．また，**インプラント周囲炎**で汚染された**インプラント体**表面の汚染物質を適切な微粒子の選択とアブレージョンによって除去しうることが報告されている．

88 エアスケーラー
air scaler
〔同義語〕音波スケーラー

圧縮された空気をハンドピース内で振動に変え，チップに伝える**スケーラー**．ハンドピース部は通常のエアタービンとほぼ同型，チップはステンレス鋼製で，使用部位に適した各種形態のものが用意されている．先端からは器械の冷却ならびに局所洗浄のため水を噴出する．**超音波スケーラー**よりも振動が弱く歯石除去効果はやや劣るが，患者への不快感は少ない．
▶スケーラー

89 永久固定　えいきゅうこてい
permanent splint

口腔機能回復治療の段階で行われる最終補綴処置による固定．咬合力の分散，**歯周組織**の安静，歯の**病的移動**の防止，咬合の安定，咀嚼機能回復を目的とする．多数歯を連結して咬合機能の回復を図る処置であり，大きく分けて**外側性固定**，**内側性固定**に分かれ，また可撤式と固定式の固定装置がある．通常は，永久固定の前に**暫間固定**，あるいはプロビジョナル固定が施される．
▶暫間固定

90 HIV関連歯周炎
えいちあいぶいかんれんししゅうえん
HIV-related periodontitis

HIV（human immunodeficiency virus，**ヒト免疫不全ウイルス**）感染者では，非感染者よりも**慢性歯周炎**に罹患しやすいという報告もあるが，まだ一致した見解は得られていない．高頻度で**歯肉**の壊死や骨吸収など急速な歯周組織破壊を伴う**壊死性潰瘍性歯周炎**を生じる．骨露出が生じることがしばしばある．**壊死性潰瘍性歯肉炎**から移行するものもある．

91 HbA1c　えいちびーえーわんしー
hemoglobin A1c
➡ヘモグロビン A1c

92 鋭匙型スケーラー　えいひがた——
curette type scaler
➡キュレット型スケーラー

93 栄養障害関連歯肉炎
えいようしょうがいかんれんしにくえん
gingivitis modified by malnutrition

栄養障害によって生じる**歯肉炎**．とくにアスコルビン酸（ビタミンC）の不足によって生じる歯肉炎はアスコルビン酸欠乏性歯肉炎という．
▶壊血病性歯肉炎

94 EVAチップ　えゔぁ——
EVA tip

プロフェッショナルメカニカルトゥースクリーニング（**PMTC**）に使用する，断面が三角形のプラスチック製器具．往復運動のプロフィンコントラアングルハンドピースに装着して使用する．チップが 1.0～1.5 mm の往復運動をすることで隣接面プラークが除去できる．チップに角度をつけて挿入すると，少なくとも歯肉縁下 2～3 mm のプラーク除去が期待できる．

95 ANUG　えーえぬゆーじー
acute necrotizing ulcerative gingivitis
➡壊死性歯周疾患

96 A-スプリント　えー——
A-splint
➡ワイヤーレジン固定

97 Ehlers-Danlos症候群
えーらすだんろすしょうこうぐん
Ehlers-Danlos syndromes

皮膚，関節，血管などの全身的結合組織の脆弱性に基づく遺伝性疾患．コラーゲン分子またはコラーゲン成熟過程に関与する酵素の遺伝子変異による．古典型，類古典型，血管型，歯周型など13型に病型分類されており，全病型を合わせた頻度は約5,000人に1人とされている．歯周型は稀ではあるが，小児期や思春期など早期に**歯周炎**が発症して永久歯の喪失に至る．

98 疫学　　えきがく
epidemiology

個人ではなく集団を対象とした疾病の研究．疾病の頻度とその分布に影響する因子を対象とする．さらにその疾病の原因を究明する学問である．

99 壊死性潰瘍性歯周炎
えしせいかいようせいししゅうえん
necrotizing ulcerative periodontitis
➡壊死性歯周疾患

100 壊死性潰瘍性歯肉炎
えしせいかいようせいしにくえん
necrotizing ulcerative gingivitis
➡壊死性歯周疾患

101 壊死性口内炎　　えしせいこうないえん
necrotizing stomatitis

米国歯周病学会・欧州歯周病連盟分類（2018）における**壊死性歯周疾患**の一つ．壊死病変が**歯肉歯槽粘膜境**を越えて舌，頰，口蓋などの口腔の他の部位にまで波及したもの．慢性的に重度の全身的易感染状態の患者では壊死性歯肉炎，壊死性歯周炎から壊死性口内炎へと進行するリスクが高くなる．

102 壊死性歯周疾患　　えしせいししゅうしっかん
necrotizing periodontal diseases

〔類義語・関連語〕**壊死性潰瘍性歯肉炎（NUG），壊死性潰瘍性歯周炎（NUP），急性壊死性潰瘍性歯肉炎（ANUG），急性壊死性潰瘍性歯周炎（ANUP），ワンサン口内炎**

歯肉の壊死と**潰瘍**，**歯肉出血**，疼痛を特徴とする**歯周疾患**．日本歯周病学会分類（2006）では病変が歯肉に限局される**壊死性潰瘍性歯肉炎**および歯肉症状とともに**歯根膜**および**歯槽骨**の破壊を特徴とする**壊死性潰瘍性歯周炎**に分類されている．通常，急性症状を呈する．口腔内症状として，**歯間乳頭**に壊死と潰瘍が生じ（続いて**辺縁歯肉**に広がる），その表面は灰白色の偽膜で覆われており，歯肉の易出血性や疼痛が認められる．また口臭が頻繁にみられる．口腔外症状として，リンパ節腫脹や発熱などを伴うこともある．発症原因として口腔清掃不良，**ストレス**や免疫不全などが考えられ，**紡錘菌**や**スピロヘータ**などの細菌の関与が示されている．米国歯周病学会・欧州歯周病連盟分類（2018）では，"潰瘍"は"壊死"に伴って生じるものと考えられることから，壊死性潰瘍性歯肉炎と壊死性潰瘍性歯周炎は病名がそれぞれ壊死性歯肉炎と壊死性歯周炎に変更され，さらに**壊死性口内炎**が追加された．

103 壊死セメント質　　えし――しつ
necrotic cementum
➡病的セメント質

104 SPT　　えすぴーてぃー
➡サポーティブペリオドンタルセラピー

105 エッチング
etching

〔類義語・関連語〕クエン酸処理，EDTA処理，アクロマイシン（テトラサイクリン）処理，コンディショニング

歯の表面を酸処理すること．歯周外科手術の際，歯根面をクエン酸でエッチングすると，**スミヤー層**が除去され，**コラーゲン線維**が露出し，結合組織性付着に有効であるとされている．また，**エナメルマトリックスタンパク質**を用いた**歯周組織再生療法**では，リン酸やEDTAなどが用いられている．

106 エナメル真珠　　――しんじゅ
enamel pearl

〔同義語〕エナメル滴，エナメル小滴
〔類義語・関連語〕エナメル突起

セメント－エナメル境より根尖側の歯根面に形成された異所性エナメル質の塊．典型的には球状であるが，斑点状など様々な形態を呈することがある．大臼歯の1.1〜5.7%に発現するとの報告があるが，とくに退化傾向の大臼歯にみられることが多く，下顎よりも上顎に多い．ポケット内に露出すると，**プラーク蓄積因子**あるいは**根分岐部病変**の誘因となりうる．

107 エナメル－象牙境　　――ぞうげきょう
dentino-enamel junction

エナメル質と象牙質との境界部．一般に波状を示す．他のエナメル質部に比べて，この部分の石灰化は個体差がある．

108 エナメル突起　　――とっき
enamel projection

〔同義語〕エナメルプロジェクション，**根間突起**
〔類義語・関連語〕**エナメル真珠**，エナメル滴

上下顎大臼歯の頰側あるいは舌側などのエナメル質が**セメント－エナメル境**から根分岐部に向かって伸びる突起．日本人の多くは頰側に生じる．結合組織性付着が生じないため，**根分岐部病変**の原因となりうる．Mastersら（1964）は突出の程度によりⅠ級（セメント－エナメル境から根分岐部への軽度な突出），Ⅱ級（中等度の突出），Ⅲ級（根分岐部に達する突出）の3つに分類している．

109 エナメルボンディングレジン固定 ——こてい
enamel bonding resin splint
〔同義語〕ダイレクトボンディングシステム固定，接着性レジン固定

外側性固定による**暫間固定**の一つ．接着性レジンで歯の切縁部付近から**接触点**下までを隣在歯とともに接着させることにより，**動揺歯**を固定するもの．主として前歯部に用いる．歯を切削する必要がないこと，審美性がよいこと，操作が簡単であるなどの利点がある．

110 エナメルマトリックスタンパク質 ——しつ
enamel matrix protein
〔同義語〕エナメル基質タンパク質
〔類義語・関連語〕エナメルマトリックスデリバティブ（EMD），エムドゲイン®

ヘルトヴィッヒ上皮鞘の内エナメル上皮細胞が分泌するタンパク質．主成分はアメロジェニンであるがアメリン，エナメリン，タフトプロテインなどの多くのタンパク質が含まれている．単にエナメル質形成に関与するだけでなく，多彩な生理活性を有し，**歯周組織（セメント質，歯根膜，歯槽骨）**の再生を促すと考えられている．

111 エナメルマトリックスデリバティブ
enamel matrix derivative
〔同義語〕エナメルマトリックスプロテインデリバティブ，EMD，エムドゲイン®
〔類義語・関連語〕エナメルマトリックスタンパク質，エナメル基質タンパク質

幼若ブタの**歯胚**から抽出，精製された酸性抽出物．アメロジェニンを主成分とするエナメルマトリックスタンパク質を含む．プロピレングリコールアルジネートを溶媒に製剤化したエナメルマトリックスデリバティブ（**エムドゲイン®**）は，無細胞性セメント質の形成をはじめ，上皮の深部増殖抑制，**歯根膜**や**歯槽骨**の再生を促す生理活性物質として再生療法に広く用いられている．

112 NSAIDs　えぬせいず
nonsteroidal anti-inflammatory drugs
➡非ステロイド性抗炎症薬

113 エビデンスベースドメディシン/エビデンスベースドデンティストリー
evidence based medicine/evidence based dentistry
〔同義語〕EBM/EBD

根拠に基づいた医療/歯科医療のこと．エビデンスベースドデンティストリーはエビデンスベースドメディシンに含まれる場合もある．術者の経験や勘に頼らずに，過去に発表された論文など科学的な根拠に基づいて治療効果・副作用・予後などを評価し，治療方針の決定に役立てる．

114 エプーリス
epulis

歯肉などに生じる有茎の良性の限局性腫瘤．多くは炎症性ないし反応性に増殖したものである．一般に男性よりも女性に多く，**歯間乳頭**部に好発する．主なものに，**妊娠性エプーリス**，肉芽腫性エプーリス，線維性エプーリス，血管腫性エプーリスなどがある．

115 Fc レセプター　えふしー——
Fc receptor
〔同義語〕Fc 受容体

免疫担当細胞の細胞膜上にあり，**抗体**のFc 部分と結合する受容体．抗体と免疫担当細胞の調節機構の一つとして働く．Fc レセプターの遺伝子多型と**歯周病感受性**の関連性が研究されている．

116 エマージェンスプロファイル
emergence profile

歯冠補綴装置，インプラントの上部構造における**辺縁歯肉**周辺の形態．補綴装置の製作に際して，**歯周組織**には生物学的および審美的な調和がとれた正しい形態を与える必要があり，とくに歯肉縁下から歯肉縁上の部分での立ち上がり角度，**カントゥア**に配慮する必要がある．

117 MTM　えむてぃーえむ
minor tooth movement
〔同義語〕部分矯正，**小矯正**，限局矯正
➡歯周-矯正治療

118 エムドゲイン®
Emdogain®
➡エナメルマトリックスデリバティブ

119 エルビウムヤグレーザー
Er：YAG laser

YAG（イットリウム，アルミニウム，ガーネットからなる結晶）にエルビウムを混ぜたものを励起させた**レーザー**．2.94 μm の波長を有し，水に吸収されやすい特徴があり，硬組織だけでなく軟組織の切削にも用いられる．**歯周治療**への応用として，ポケット内照射，**歯石除去**，**肉芽組織**の除去などがある．

▶ネオジムヤグレーザー，炭酸ガスレーザー

120 エレクトロサージェリー
electric surgery

高周波電流により発生した熱エネルギーで生体組織の切開や止血などの操作を行う手術．**電気メス**を用いた**歯肉整形術**や**歯肉切除術**，歯肉息肉除去などが行われている．

121 塩基性線維芽細胞増殖因子
えんきせいせんいがさいぼうぞうしょくいんし
basic fibroblast growth factor
➡ 線維芽細胞増殖因子

122 炎症性サイトカイン　えんしょうせい──
inflammatory cytokine
➡ サイトカイン

123 炎症性細胞浸潤
えんしょうせいさいぼうしんじゅん
inflammatory cell infiltration

生体の局所的防御反応として，血管から白血球が滲出すること．好中球，リンパ球，形質細胞，マクロファージなどが病巣の組織間隙中に浸潤性に集簇（しゅうぞく）する．炎症の経過に伴い浸潤する細胞の構成が変化し，急性期には好中球，慢性期にはリンパ球や形質細胞が多くなる．

124 炎症性メディエーター　えんしょうせい──
inflammatory mediator

局所に侵害刺激が加わると産生・放出される起炎性物質の総称．血管拡張，血管透過性亢進，白血球遊走，細胞傷害作用などにより炎症反応を惹起する．ヒスタミン，セロトニン，ブラジキニン，**プロスタグランジン E_2**，**炎症性サイトカイン**（インターロイキン-1，インターロイキン-6，インターロイキン-8，腫瘍壊死因子-α など），エラスターゼ，コラゲナーゼ，活性酸素などがある．

125 延伸ポリテトラフルオロエチレン膜
えんしん──まく
expanded polytetrafluoroethylene membrane
➡ ePTFE 膜

126 エンドトキシン
endotoxin
➡ リポ多糖

127 エンベロープテクニック
envelope technique

歯肉溝から結合組織内に封筒状の**部分層弁**を形成し，結合組織移植によって根面被覆を行う方法．歯間乳頭を残すことができるため，治療後の形態がスムーズである．しかし，部分層弁の形成に繊細な技術を必要とすること，部分層弁の歯冠側への移動ができないなどの欠点がある．
▶トンネルテクニック

128 エンベロープフラップ法　──ほう
envelope flap technique

縦切開を用いずに，横切開のみで封筒状にフラップを開く手術法．
▶歯周形成手術

お

129 オーシャンビンチゼル
Ochsenbein chisel

Ochsenbein が考案した歯周外科用の**骨ノミ**．**歯槽骨整形術**や**歯槽骨切除術**のほか，歯肉弁の翻転や歯根面上の残存組織の除去などにも用いる．#1〜4 の 4 種類があり，#1 と 2 は片頭で大型，#3 と 4 は両頭で小型の刃部をもつ．#1, 2, 4 の刃部両側には半円形の切れ込みがあり，歯根面に沿って操作できる．

130 オーバーカントゥア
overcontour
➡ カントゥア

131 オーバージェット
overjet, horizontal overlap
〔同義語〕水平的被蓋

咬頭嵌合位における上顎中切歯切縁と下顎中切歯唇面との水平的な距離．反対咬合の場合はマイナスをつけて表す．重度の**歯周炎**では下顎前歯の突き上げにより上顎前歯が離開・唇側傾斜し，オーバージェットが増大することが多い．
▶オーバーバイト

132 オーバーバイト
overbite, vertical overlap
〔同義語〕垂直的被蓋

咬頭嵌合位における上下顎中切歯切縁の垂直的な距離．オーバーバイトは 2〜3 mm 程度被蓋するのが正常範囲とする報告がある．**オープンバイト**の場合はマイナスをつけて表す．重度の**歯周炎**では咬合

高径が低下し，オーバーバイトが増大（過蓋咬合）することが多い．
▶オーバージェット

133 オーバーハングマージン
overhang margin
➡不適合修復・補綴装置

134 オープンバイト
open bite
〔同義語〕開咬
　咬頭嵌合位において上下顎の歯の間に空隙のある（オーバーバイトがマイナス）状態．前歯部にみられる（vertical open bite）のが一般的であるが，側方歯部にのみ（lateral open bite）現れることもある．歯槽性と骨格性に分けられる．口呼吸が生じることがある．

135 オーラルスクリーン
oral screen
〔同義語〕マウススクリーン
　ビニールシート，軟性レジン，シリコーンゴムなどで製作された口腔前庭部に入れる装置．口呼吸や口唇閉鎖不全の患者において歯肉の乾燥による歯肉炎あるいは上顎前突などの予防および治療に用いられる．また，小児における吸唇癖や咬唇癖の習癖是正指導に用いることもある．

136 オーラルフレイル
oral frailty
〔類義語・関連語〕口腔機能低下症
　老化に伴う様々な口腔の状態（歯数・口腔衛生・口腔機能など）の変化に，口腔健康への関心の低下や心身の予備能力低下も重なり，口腔の脆弱性が増加し，食べる機能障害へ陥り，さらにはフレイル（虚弱・衰弱）に影響を与え，心身の機能低下にまでつながる一連の現象および過程．"oral"と"frailty"の造語．

137 オクルーザルスプリント
occlusal splint
〔同義語〕バイトガード，ナイトガード，バイトスプリント
　ブラキシズム（とくにグラインディング）や顎関節症の治療目的で装着するプラスチック製あるいはレジン製の咬合床．上顎用として製作されることが多い．ブラキシズムに対しては，就寝中に用いることが多く，強い持続性の咬合力を分散させ，歯周組織の損傷を防ぐ．また，動揺歯の可撤性固定装置として暫間固定にも用いられる．

138 オステオエクトミー
osteoectomy
➡歯槽骨切除術

139 オステオカルシン
osteocalcin
〔同義語〕骨Glaタンパク質
　骨組織中の非コラーゲン性マトリックスタンパク質の10～20%を占めるビタミンK依存性のアパタイト結合性タンパク質．骨特異性がきわめて高く，その血中濃度は骨代謝疾患診断の生化学的指標とされる．象牙質やセメント質中にも存在する．

140 オステオトーム
osteotome
　上顎洞底挙上術に用いる円錐状の骨槌打用器具．上顎にインプラント体を埋入するための骨の高さが十分にない場合に用いる．

141 オステオネクチン
osteonectin
〔同義語〕SPARC，BM-40
　骨組織中の非コラーゲン性マトリックスタンパク質で，ハイドロキシアパタイトとコラーゲン双方に結合する接着性リン酸化糖タンパク質．SPARC（secreted protein acidic and rich in cysteine），BM-40（basement membrane 40 kDa molecule）ともいう．石灰化調節因子として骨芽細胞の分化および形態変化に関与すると考えられている．胎盤や体液中，象牙質にも存在する．

142 オステオプラスティ
osteoplasty
➡歯槽骨整形術

143 オステオポンチン
osteopontin
　骨組織中の非コラーゲン性マトリックスタンパク質の一つで，ハイドロキシアパタイトと高い親和性を示すリン酸化糖タンパク質．

144 オッズ比　──ひ
odds ratio
　ある疾患のリスクファクターを有する者が，有さない者に比べ，その疾患を発症する可能性を示す指標．症例－対照研究でリスクファクターと発症に関する2×2分割表を作成し，発症群でのリスクファクターを有する者と有さない者との比（オッズ）を，健常群のオッズで除した値をいう．

145 オッセオインテグレーション
osseointegration

〔同義語〕骨結合，骨接合

インプラント体表面と骨との結合様式．組織学的に骨とインプラント体表面が直接接触している状態で，生活を営む骨組織と，荷重を受け機能しているインプラント体表面との間の構造的かつ機能的結合．なお，インプラント体表面がハイドロキシアパタイトでコーティングされたインプラントでは，カルシウムを介したバイオインテグレーションが生じる．

146 オドントプラスティ
odontoplasty

〔同義語〕歯の整形術

〔類義語・関連語〕ファーケーションプラスティ

根分岐部付近の清掃性の向上や**再付着**を目的として，歯の形態を歯質の削合により修正すること．根分岐部に適応することが多い．根分岐部の狭い入口，歯頸部付近の強すぎる豊隆歯面，**エナメル突起**などが対象となる．歯質を削るために**象牙質知覚過敏**や齲蝕の発生に注意が必要である．

147 オプソニン
opsonin

微生物や異物に働いて食細胞の食作用を促進する体液性物質の総称．主体は，**抗体**と補体であり，他の血清タンパク質も関与する．オプソニンが異物に付着することにより（オプソニン化），食細胞のFcレセプターとC3bレセプターに結合しやすくなる．

148 オベイト型ポンティック ——がた——
ovate pontic

〔同義語〕ブリット型ポンティック

〔類義語・関連語〕ポンティック形態

補綴前処置により歯槽堤歯肉に入り込んだ卵型の基底面をもつポンティック．天然歯と同じようなエマージェンスプロファイルを付与できる．審美性に優れているが，清掃に注意を要する．

149 オルバンメス
Orban knife

〔同義語〕オルバン型メス，オルバンナイフ

槍状の刃部形態で，両縁に刃先をもつ歯肉切除用のメス．とくに歯間部の歯肉切除に有効である．歯肉切除には，他にゴールドマン-フォックス型メスなどもある．

150 音波歯ブラシ　おんぱは——
sonic toothbrush

〔同義語〕音波電動歯ブラシ

1990年代に開発された微振動タイプの**電動歯ブラシ**．リニアモーターの技術を使用し，N極とS極を1秒間に約500回というスピードで切り替えることにより，ブラシを約3万回転/分振動させて音波（周波数20〜20,000 Hz）を生じさせ，この音波振動でプラークを除去する．
▶歯ブラシ

151 オンレーグラフト法　——ほう
onlay graft procedure

垂直的な**歯槽堤**の増大を目的に欠損部にブロック骨や粘膜骨膜を含む**遊離歯肉**を移植して，歯槽堤の高さを獲得する方法．これにより歯肉辺縁の位置，**カントゥア**をそろえ，審美的な補綴処置が行えるようになる．

か

152 カークランドメス
Kirkland knife

〔同義語〕カークランド型メス，カークランドナイフ

刃部の外周が3つの刃先からなり，イチョウの葉の形をしている歯肉切除用の**メス**．カークランド型外科用セット器具の一つ．左右一対のメスであり，両頭および片頭の2種がある．近年では刃部先端を鋭端にし，歯間部切開が容易になるよう改良されている．

153 カーテンサージェリー
curtain surgery

〔同義語〕カーテン手術法

フラップ手術のうち，上顎前歯部の審美性と発音に配慮した手術法．唇側では**歯間乳頭部**に近遠心方向から刃を歯面に直角に向けて交差するように切開を行い，歯間乳頭の唇側1/3を分離する（歯肉組織のカーテン）．口蓋側では**歯槽骨整形術**の必要性の有無により**歯肉切除術**かフラップ手術を選択する．欠点としては，唇側のある程度の**退縮**は避けられないこと，クレーターができるため歯間部の清掃が困難になることがあげられる．

154 外縁上皮　がいえんじょうひ
external marginal epithelium

〔同義語〕歯肉口腔上皮

歯槽突起の外面の歯肉辺縁から**歯肉歯槽粘膜境**までの角化した重層扁平上皮．咀嚼粘膜上皮に属し，

角化歯肉の一部．角化層と上皮稜がよく発達している．下層の緻密な結合組織と接している．
▶内縁上皮，付着歯肉

155 壊血病性歯肉炎　かいけつびょうせいしにくえん
scorbutic gingivitis
〔同義語〕アスコルビン酸欠乏性歯肉炎
　ビタミンCの欠乏による壊血病の局所の病変として生じる**歯肉炎**．歯肉の腫脹や易出血が認められ，歯は動揺する．人工栄養の乳幼児に生じたものはMoller-Barlow（モラー・バロウ）病とよばれ，エックス線画像で骨の粗鬆化がみられる．わが国では稀である．

156 外斜切開　がいしゃせっかい
external bevel incision
　歯肉外側の根尖側から歯冠側へ斜めに加えられる切開．創面が歯肉，**歯槽粘膜**の表面に対して斜面となるように切除する．とくに**歯肉切除術**や**歯肉整形術**の施術時によく用いられる．**内斜切開**の対語である．
▶内斜切開

157 外傷性潰瘍性歯肉病変
がいしょうせいかいようせいしにくびょうへん
traumatic ulcerative gingival lesions
　歯ブラシやデンタルフロスの不適切な使用による過度の外傷を原因とする，**歯肉**表面の裂傷や潰瘍などを指す．組織の欠損が広範囲に及ぶと**歯肉退縮**を引き起こす．壊死性歯肉炎・壊死性歯周炎との鑑別が重要である．

158 外傷性咬合　がいしょうせいこうごう
traumatic occlusion, traumatizing occlusion
　歯周組織に外傷性損傷を引き起こす咬合．**歯根膜**と**歯槽骨**に変性・壊死・吸収などの病変を引き起こす．外傷性咬合だけでは**歯肉**に炎症を惹起せず，プラーク由来の**歯肉炎**に併発すると歯周組織破壊の増悪因子となる．**早期接触**や**ブラキシズム**，悪習癖などがその原因となる．
▶咬合性外傷，過重負担

159 開窓　かいそう
fenestration
〔同義語〕フェネストレーション
　歯槽骨唇頬舌面における開窓状骨欠損．歯槽骨の厚さが薄いために歯根相当部の歯槽骨が部分的に欠如し，歯根の一部が線維性結合組織に接している．歯の位置異常によっても引き起こされる．日本人における出現頻度は上顎では頻度順に犬歯（27%），第一小臼歯（12%）第一大臼歯近心根（10%）であり，下顎では側切歯（17%），犬歯（14%），第一小臼歯（12%）との報告がある．
▶裂開，ディヒーセンス

160 外側性固定　がいそくせいこてい
external splint
〔同義語〕外式固定
　歯冠外側に維持を求める固定法．可撤式のものにはHawley（ホーレー）タイプ床固定，連続鋳造鉤固定など．固定式には連続冠固定，**接着性レジン固定**，**舌面板-接着性レジン固定**，**メッシュレジン固定**，ワイヤー結紮固定（Barkann固定法）などがある．
▶内側性固定

161 改変歯肉出血指数
かいへんしにくしゅっけつしすう
modified sulcus bleeding index
〔同義語〕mSBI
　Mombelliら（1987）によって提唱された**インプラント周囲粘膜**の炎症状態を評価する指標．Mühlemann & Son（1971）のSulcus bleeding indexを基本として改変したもの．スコア0：インプラントに隣接した粘膜縁に沿ってプロービングした際に出血がない．スコア1：孤立した出血点がみられる．スコア2：プロービング時にインプラント周囲粘膜縁に線状の出血がある．スコア3：プロービング時に著しい出血がある．

162 改変プラーク指数　かいへん——しすう
modified plaque index
〔同義語〕改良プラーク指数，mPlI
　Mombelliら（1987）によって提唱された**インプラント**に付着した**プラーク**量を評価する指標．Silness & Löe（1964）の**プラーク指数**（PI）を基本として改変したもの．スコア0：プラークが認められない．スコア1：インプラント辺縁へのプローブによる擦過により検知されるわずかなプラーク．スコア2：肉眼的に確認されるプラーク．スコア3：多量の軟性物質．

163 潰瘍性歯肉炎　かいようせいしにくえん
ulcerative gingivitis
➡壊死性歯周疾患

164 改良型マットレス縫合
かいりょうがた——ほうごう
modified mattress suture
　歯周組織再生療法において，隣接面切開部の**縫合**時に用いられる．インターナルマットレス縫合と単

純縫合を組み合わせた縫合法．Laurellが1993年に発表した．

165 Cairoの歯肉退縮分類　かいろ——しにくたいしゅくぶんるい
Cairo's classification of gingival recession

歯肉退縮の深さや歯間部組織の喪失の有無に基づいたCairo（2011）による歯肉退縮の分類．Type 1（RT1）：隣接歯間部の**アタッチメントロス**を伴わない歯肉退縮．隣接歯間部の**セメント-エナメル境**は近遠心ともに検知されない．Type 2（RT2）：隣接歯間部のアタッチメントロスを伴う歯肉退縮．隣接歯間部のアタッチメントロス（隣接歯間部のセメント-エナメル境～ポケット底部）は，頰側中央のアタッチメントロス以下である．Type 3（RT3）：隣接歯間部のアタッチメントロスを伴う歯肉退縮．隣接歯間部のアタッチメントロスは，頰側中央のアタッチメントロスよりも大きい．

▶ Millerの歯肉退縮分類，Maynardの歯肉退縮分類

166 過蓋咬合　かがいこうごう
deep overbite

上下顎歯列弓における垂直関係の異常の一つで，正常被蓋を越えて深く咬合する咬合異常．原因は，齲蝕や歯の喪失による臼歯部の崩壊，乳臼歯の早期喪失，臼歯部歯槽骨の垂直的発育不全，上下顎前歯の挺出などである．上顎前歯の口蓋側で**歯肉炎，歯周炎**を悪化させる要因ともなる．

167 下顎安静位　かがくあんせいい
rest position

〔同義語〕安静位

上体を起こして安静にしているときの下顎の姿勢位．下顎安静位では上下顎の歯は接触せず，前歯部では1～3 mmの空隙（安静空隙）がみられる．ブラキシズムのある患者では，筋が常に緊張し，下顎安静位が不安定となる．

168 化学的プラークコントロール　かがくてき——
chemical plaque control

〔同義語〕化学的清掃法

抗菌薬，消毒薬，酵素剤などの薬物により，化学的にプラーク形成を抑制する，あるいはすでに付着しているプラークを除去する方法．薬物の効果が**バイオフィルム**により低下する，薬物の連用による**耐性菌**が出現するなどの問題点があるため，通常はスケーリングやブラッシングなどの**機械的プラークコントロール**と併用する．

▶プラークコントロール

169 角化歯肉　かくかしにく
keratinized gingiva

歯肉辺縁から**歯肉歯槽粘膜境**までの**歯肉**．その表層が角化していることから角化歯肉という．その幅は個体差や部位差がある．角化歯肉の上皮細胞は約12日間で基底層から角質層へ分化しながら移行し脱落する．

170 角化粘膜　かくかねんまく
keratinized mucosa

〔類義語・関連語〕角化歯肉，付着歯肉

表層の上皮が角質化している粘膜組織．天然歯周囲においては**角化歯肉**であるが，インプラント周囲の軟組織は**歯肉**ではなく粘膜であるため，角化粘膜とよぶ．臨床的には，インプラント周囲に非可動性の角化粘膜が存在することにより，外力や細菌の刺激に対する周囲組織の抵抗性が増し，**インプラント体**がより安定することが期待されている．

171 顎関節症　がくかんせつしょう
temporomandibular disorder,
arthrosis of temporomandibular joint,
temporomandibular joint arthrosis

〔同義語〕TMD

顎関節痛，関節雑音，顎運動異常を示す一連の慢性疾患．その他に頭痛，肩こり，難聴などを伴うことがある．炎症症状はほとんどなく，骨構造にも異常は認められないことが多い．原因として**ブラキシズム**などの**悪習癖**，過度の咀嚼や開口，**不適合修復・補綴装置**，咬合異常，咀嚼筋の異常緊張，精神的ストレスなどがある．

172 顎堤造成術　がくていぞうせいじゅつ
alveolar ridge augmentation,
ridge augmentation

〔同義語〕顎堤増生術，**歯槽堤増大術**，歯槽堤造成（増生）

歯周病や外傷などが原因で生じた顎堤吸収により不良となった残存顎堤の形態を水平方向（幅）あるいは垂直方向（高さ）に再建する方法．**骨移植術，GBR法**，仮骨延長術などが行われる．

173 獲得被膜　かくとくひまく
acquired pellicle
➡ペリクル

174 獲得免疫　かくとくめんえき
acquired immunity

〔同義語〕後天性免疫，後天免疫

免疫システムの一つ．生後に感染・予防接種など

によって得た免疫．自ら**抗体**を作る能動免疫と他個体の作った抗体による受動免疫とがある．獲得免疫反応では，抗原に対する反応性は始めからは準備されておらず，抗原に反応したことが経験として残り，2回目以降にはより強い反応が起こる．獲得免疫には，主としてTリンパ球とBリンパ球が関与する．これらの細胞は抗原をレセプターで認識して，抗原を処理する分子（抗体など）を分泌する．
▶自然免疫

175 仮骨延長術　かこつえんちょうじゅつ
distraction osteogenesis
〔類義語・関連語〕骨延長術
　病的に著しく陥凹した骨欠損部を修復するための外科的手法．外科的に骨折させた骨片と母床骨にディストラクターを装着し，段階的にコントロールしながら欠損部方向へ骨片を移動させ，軟組織と骨量の増大を同時に図ることが可能である．骨折の治癒過程において骨折線に形成される仮骨が石灰化し強度を持った骨組織に成熟する．欠点としては長期間を要する，組織の伸展方向の制御が困難，装置が高価であることなどがあげられる．

176 過重負担　かじゅうふたん
overload
　歯，**歯周組織**，インプラントに負担能力を超えた力が加わること．**ブラキシズム**などの**悪習癖**，**早期接触**，歯列異常，咬合面形態の異常，**歯冠歯根比**の不良，残存歯の減少，**不適合修復・補綴装置**，部分床義歯の設計不良，過剰な矯正力および**支持歯槽骨**の減少などが原因となり，歯，歯周組織，インプラント，顎関節などの咀嚼系器官に障害を及ぼす．
▶外傷性咬合

177 カスピッドプロテクテッドオクルージョン
cuspid protected occlusion（articulation）
➡犬歯誘導咬合

178 仮性口臭症　かせいこうしゅうしょう
pseudohalitosis
　宮崎ら（1999）の国際分類による口臭症の一つ．口臭を訴えるが，社会的許容限度を超える口臭は認められず，検査結果などの説明やカウンセリングにより訴えが改善できるもの．治療法は，説明と**口腔清掃指導**，カウンセリング（結果の提示と説明），（専門的）指導・教育である．
▶口臭恐怖症，真性口臭症

179 仮性ポケット　かせい——
false pocket, pseudopocket
➡歯肉ポケット

180 カッティングエッジ
cutting edge
　スケーラーのラテラルサーフェイスとフェイスで構成されるスケーリング・ルートプレーニングに使用されるエッジ．ユニバーサル型キュレットは両側，グレーシー型キュレットは片側のみにある．

181 活動性病変　かつどうせいびょうへん
active lesion
➡歯周病活動性

182 カポジ肉腫　——にくしゅ
Kaposi sarcoma
　皮膚の多発性特発性出血性肉腫．アフリカ南部に多い悪性腫瘍であったが，近年は**ヒト免疫不全ウイルス（HIV）**感染者が**後天性免疫不全症候群（AIDS）**を発症した場合に多くみられる．皮膚には小結節が多発し，口腔には血管腫様の境界明瞭な病変が生じる．口腔内病変の発現頻度は70〜100％と高く，硬口蓋に好発し**歯肉**にも出現する．

183 鎌型スケーラー　かまがた——
sickle type scaler
➡シックル型スケーラー

184 ガミースマイル
gummy smile
　笑ったときに上顎前歯の**歯肉**が過度に露出する状態．臨床的歯冠長が短いことが多く，審美性低下の原因となりうる．臨床的歯冠長，**角化歯肉幅**，セメント-エナメル境〜歯槽骨頂間距離などを検査し，**歯肉切除術**，**歯冠長延長術**，矯正治療のいずれかの治療法を選択する．
▶スマイルライン

185 かみしめ
clenching
➡クレンチング

186 カルシウム拮抗薬　——きっこうやく
calcium antagonist, calcium channel blocker
〔類義語・関連語〕降圧薬
　筋の収縮に関与するCa^{2+}の細胞内への流入を阻害して，血管平滑筋や心筋を弛緩させる作用を有する薬剤．冠状血管の血流量増加，末梢血管拡張による血圧降下，心筋の酸素需要量の減少をもたらし，

高血圧症や狭心症の治療に用いられる．代表的なカルシウム拮抗薬であるニフェジピンの服用者では約20〜40％に歯肉増殖の副作用が発現する．
▶ニフェジピン歯肉増殖症

187 カルシトニン
calcitonin

甲状腺の傍濾胞細胞において産生，分泌される分子量約3,600で32個のアミノ酸からなるペプチドホルモン．カルシウム調節ホルモンとして機能する．主に骨に作用し，**破骨細胞**の活動を抑制し，骨形成を促進する．また，腎臓にも作用し，カルシウムとリン酸の排泄を調節する．

188 環境因子　かんきょういんし
environmental factor

〔同義語〕環境要因
〔類義語・関連語〕細菌因子，宿主因子，リスクファクター

歯周病のリスクファクターの一つとなる生活習慣や外部環境の要因．環境因子には，**喫煙**，精神的ストレス，飲酒，栄養，食生活，社会経済環境などがあげられる．

189 幹細胞　かんさいぼう
stem cells

〔類義語・関連語〕間葉系幹細胞，未分化間葉系幹細胞，骨髄幹細胞，ES細胞，iPS細胞

自己増殖能および各種細胞への分化能（多分化能）を有する細胞．発生時の胚性幹細胞（ES細胞：embryonic stem cell），各臓器に存在している組織幹細胞（間葉系幹細胞，造血性幹細胞など），体細胞に遺伝子を導入して作製した人工多能性幹細胞（iPS細胞：induced pluripotent stem cells）がある．現在，**歯周病学**の領域においても，幹細胞を用いた再生治療について研究がなされている．

190 カンジダ症　——しょう
candidiasis, candidosis
➡口腔カンジダ症

191 患者報告アウトカム　かんじゃほうこく——
patient reported outcome

〔同義語〕PRO
〔類義語・関連語〕患者報告アウトカム評価

臨床医や他の誰の解釈も介さず，患者から直接得られる患者の健康状態に関する結果．臨床試験において，一つ以上の概念に対する医療介入の効果を測定するために使用する．症状や症候群，特定機能や機能群に対する効果または健康状態の重症度を示す症候群や機能群などを測定対象とする．

192 感受性　かんじゅせい
susceptibility
➡歯周病感受性

193 冠状動脈心疾患　かんじょうどうみゃくしんしっかん
coronary artery heart disease

〔同義語〕虚血性心疾患，心臓血管系疾患
〔類義語・関連語〕冠状動脈硬化症，アテローム性動脈硬化症

狭心症および心筋梗塞などの虚血性心疾患．冠状動脈内膜におけるアテローム形成が引き起こす閉塞が原因となる．近年では病巣のアテローム状部から**歯周病原細菌**が検出されることから**歯周病**との因果関係も指摘されている．
▶ペリオドンタルメディシン

194 関節リウマチ　かんせつ——
rheumatoid arthritis

〔同義語〕リウマチ

慢性で進行性に経過する多発性関節炎．**自己免疫疾患**である膠原病の一つ．関節リウマチと歯周炎は共通する点が多く，その関連性が報告されている．
▶ペリオドンタルメディシン

195 感染性心内膜炎　かんせんせいしんないまくえん
infectious endocarditis

〔同義語〕細菌性心内膜炎
〔類義語・関連語〕心内膜炎

細菌などの感染を原因として，心内膜に炎症性病変が形成された状態．心臓に器質的障害を有する場合，抜歯や**歯周治療**などにより生じた**菌血症**によって発症することがあるため，**抗菌薬予防投与**を行う．

196 含嗽剤　がんそうざい
gargle

口腔内および咽喉の殺菌・消毒・防臭・洗浄を行うためのうがい用薬剤．医薬品に分類される．アクリノール液，ポビドン溶液，アズレン液などが用いられている．口腔内清掃，口臭防止，口腔粘膜炎症部位や歯周外科手術部位の消毒・殺菌のための補助療法として使用される．
▶洗口剤

197 カントゥア
contour
〔同義語〕歯冠豊隆形態
〔類義語・関連語〕アンダーカントゥア，オーバーカントゥア

歯冠修復物軸面形態の頰舌面の豊隆．天然歯と同程度のものをノーマルカントゥア，少ないものをアンダーカントゥア，多いものをオーバーカントゥアとよぶ．歯肉辺縁への食片衝突防止のためノーマルカントゥアを付与すべきとする説，歯頸部付近のプラーク沈着を抑えるためアンダーカントゥアが望ましいとする説がある．

198 *Campylobacter rectus*
かんぴろばくたーれくたす

Campylobacter 属に属する**グラム陰性細菌**．鞭毛を有し運動性．カタラーゼ陰性，微好気性．**プラーク**や感染根管中より検出される．**歯周病の発症に関与する**とされるが，近年，血管内への移行が確認され，**冠状動脈心疾患**との関連も指摘されている．

199 間葉系幹細胞
かんようけいかんさいぼう
mesenchymal stem cell

骨髄，臍帯血などに存在し，歯科領域では，歯髄や**歯根膜**に存在が明らかにされている．間葉系幹細胞を用いた再生療法が開発されている．
▶幹細胞

き

200 機械的プラークコントロール
きかいてき——
mechanical plaque control
〔同義語〕機械的清掃法，メカニカルプラークコントロール

ブラッシングや**スケーリング**などにより，**プラーク**を物理的に除去，あるいは抑制すること．**歯周病**の初発因子であるプラークを効果的に除去できることから，**歯周治療**の基本となる．一方，薬剤による**化学的プラークコントロール**だけでは，現時点ではプラーク除去効果が低く，本法の補助療法として併用するのが一般的である．
▶プラークコントロール

201 規格荷重プローブ
きかくかじゅう——
pressure sensitive probe
〔同義語〕定圧プローブ，グラムプローブ
〔類義語・関連語〕フロリダプローブ

20〜25 g 重（約 0.2〜0.25 N）の適正な挿入圧で歯周ポケットの深さを測定できる**プローブ**．プローブ先端と把持部の間に介在させたスプリングや，荷重センサーであるストレインゲージなどを用いて，ポケット底部に向かう荷重が定量的に制御される．代表的なものにフロリダプローブがある．
▶プロービング圧

202 危険因子
きけんいんし
risk factor
➡リスクファクター

203 喫煙
きつえん
smoking

タバコ煙の吸引行為．口腔内への為害作用として**ニコチン**，**タール**，**一酸化炭素**による歯の審美障害や口腔粘膜の血管収縮，局所温度低下，免疫力の低下，歯肉の**色素沈着**などを引き起こす．**歯周病**の主要な**リスクファクター**（環境因子）である．
▶喫煙関連性歯周炎

204 喫煙関連性歯周炎
きつえんかんれんせいししゅうえん
periodontitis associated with smoking

病態の発症と進行に**喫煙**が大きく関わっていると考えられる**歯周炎**．喫煙は歯周病の発症と進行において大きな**リスクファクター**であると認められている．1日1箱半の喫煙者は，非喫煙者に比べて6倍以上，2日で1箱の喫煙者は，約3倍歯周炎になりやすいと報告されている．そのメカニズムは，ニコチン，タール，一酸化炭素などによる局所での血管収縮と免疫力の低下などが考えられている．

205 機能咬頭
きのうこうとう
functional cusp
〔同義語〕粉砕咬頭，セントリックカスプ，支持咬頭

咀嚼運動時に対合歯の咬合面窩あるいは辺縁隆線に嵌合して，食物を粉砕し，臼磨する役割をもった咬頭．正常咬合者では，上顎臼歯の口蓋側咬頭と下顎臼歯の頰側咬頭をいう．咬合関係を維持して**咬頭嵌合位**を保持安定させるので，セントリックストップあるいは支持咬頭ともいう．

206 揮発性硫黄化合物
きはつせいいおうかごうぶつ
volatile sulfide compound
〔同義語〕VSC，揮発性硫化物
〔類義語・関連語〕揮発性窒素化合物

口臭の主な原因物質．口腔内に口臭の原因がある場合，揮発性硫黄化合物である硫化水素，メチルメルカプタン，ジメチルサルファイドの3種類が主に関係する（呼気中に**インドール**などの揮発性窒素化合物や酪酸などの低級脂肪酸なども検出されるがわ

ずかである).舌苔やプラーク中の口腔細菌が脱落上皮細胞や血球成分などに含まれる含硫アミノ酸を代謝して産生する.とくにメチルメルカプタン,ジメチルサルファイドは,歯周病の発症・進行に伴って増加する.生理的口臭では硫化水素濃度が高く,歯周病由来の口臭では硫化水素とともにメチルメルカプタンが高濃度で検出される.

207 逆行性歯髄炎　ぎゃっこうせいしずいえん
retrograde pulpitis
➡上行性歯髄炎

208 キャビテーション
cavitation
〔同義語〕空洞現象
　液体中で周波数が 20 kHz 以上の超音波振動により生じる負圧によって液中に溶けていた気体が気化し,発生した気泡が,続いて生じる正圧によって収縮,破裂するときに衝撃波が放射される現象.超音波スケーラーの使用時にはキャビテーション効果によりプラークや歯石の破砕片の除去も期待できる.

209 キャリア
carrier
➡担体

210 吸収性膜　きゅうしゅうせいまく
absorbable membrane, resorbable membrane
〔同義語〕吸収性メンブレン,**生体吸収性膜**
　生体内で分解・吸収される GTR 膜.乳酸-グリコール酸共重合体膜とアテロコラーゲンを主成分とする**コラーゲン膜**などがある.加水分解あるいはコラゲナーゼなどの酵素によって分解される.手術回数が 1 回ですみ,二次手術を必要としないため,患者および術者の負担は少ないが,肉眼による組織再生状態の把握ができない.
▶非吸収性膜

211 臼歯離開咬合　きゅうしりかいこうごう
molar disclusion, posterior disocclusion
〔同義語〕ディスクルージョン
　偏心運動時にすべての臼歯が離開する**咬合様式**.
▶犬歯誘導咬合

212 急性壊死性潰瘍性歯周炎
きゅうせいえしせいかいようせいししゅうえん
acute necrotizing ulcerative periodontitis
➡壊死性歯周疾患

213 急性壊死性潰瘍性歯肉炎
きゅうせいえしせいかいようせいしにくえん
acute necrotizing ulcerative gingivitis
➡壊死性歯周疾患

214 急性歯周疾患　きゅうせいししゅうしっかん
acute periodontal diseases
〔類義語・関連語〕急性歯周病変
　歯周組織や関連する口腔組織に急性発症し,痛みや違和感,組織破壊,感染を主徴候とする臨床症状を呈する場合がある病変.**歯肉膿瘍,歯周膿瘍,壊死性歯周疾患**,ヘルペス性歯肉口内炎,歯冠周囲膿瘍,歯冠周囲炎,歯内-歯周病変があてはまる.

215 急性歯周膿瘍　きゅうせいししゅうのうよう
acute periodontal abscess
➡歯周膿瘍

216 急性発作（歯周炎の）　きゅうせいほっさ
acute symptom
〔同義語〕急発
〔類義語・関連語〕急性歯周膿瘍
　一般に無症状に経過している慢性の**歯周炎**が,何らかの外来性刺激,疲労やストレスなど内因性原因により急性炎症の症状を呈すること.外来性原因としては**細菌感染**,機械的刺激,薬物的刺激などがある.症状は,歯の挺出,咬合痛,打診痛,自発痛,**歯肉の腫脹・排膿**,膿瘍形成,発熱などが生じる.治療は局所的外来刺激の除去,**抗菌薬の投与**,浸潤麻酔下における切開・排膿などを行う.

217 急速進行性歯周炎
きゅうそくしんこうせいししゅうえん
rapidly progressive periodontitis
　1989 年の米国歯周病学会の分類で定義された,20 歳代前半から 30 歳代半ばの若年成人層にみられる進行した**歯周炎**.短期間に**歯周組織の破壊**が進み,**骨吸収**は限局的で垂直性に進行する場合が多い.*Aggregatibacter actinomycetemcomitans* や *Porphyromonas gingivalis* が多く検出される.好中球やその他の免疫細胞の機能低下との関連が報告されている.1999 年の米国歯周病学会の分類では**侵襲性歯周炎**に含まれる.
▶若年性歯周炎,早期発症型歯周炎

218 急速破壊性歯周炎
きゅうそくはかいせいししゅうえん
aggressive periodontitis
➡侵襲性歯周炎

219 キュレッタージ
curettage
➡歯周ポケット搔爬

220 キュレット型スケーラー ——がた——
curette type scaler
〔同義語〕鋭匙型スケーラー，キュレットスケーラー
〔類義語・関連語〕グレーシー型キュレット，ユニバーサル型キュレット

　鋭匙型のスケーラー．歯肉縁上および歯肉縁下の**歯石**の除去，歯根面の滑沢化に使用される．軟組織の**搔爬**にも用いられる．ユニバーサル型とグレーシー型がある．汎用されるのは部位特異型のグレーシー型である．
▶シックル型スケーラー

221 供給側　きょうきゅうそく
donor site
〔同義語〕供給床，供給部位，ドナーサイト

　遊離歯肉移植術，結合組織移植術，骨移植術など，移植の際に必要な組織を供給する個体あるいは部位をいう．一方，移植を受ける側を**受容側**という．遊離歯肉移植術や結合組織移植術の場合，主に上顎口蓋側が供給側となる．

222 矯正的整直　きょうせいてきせいちょく
uprighting
➡アップライト

223 矯正的挺出　きょうせいてきていしゅつ
forced eruption

　歯肉縁下に及ぶ齲蝕による歯冠崩壊や**歯根破折**の修復前に**生物学的幅径**を適切な状態に修正することや，歯周ポケットや**骨縁下欠損**の改善を目的として矯正的に歯の**挺出**を図ること．また，低位にある歯を咬合に関与させる際や，スピーの彎曲のレベリング，オープンバイトの治療などの際にも行われる．

224 共同破壊層　きょうどうはかいそう
zone of co-destruction

　歯間水平線維より根尖側の**歯周組織**部分．歯周病への**咬合性外傷**の影響を説明するために，Glickman (1967)が提唱した概念．プラークによる炎症が**刺激層**（辺縁歯肉と歯間乳頭）に限局している場合は，咬合性外傷の影響を受けないが，共同破壊層まで波及すると，咬合性外傷が存在する場合には炎症経路が**歯根膜**へ進み，**骨縁下欠損**を伴う**骨縁下ポケット**が形成されるとしている．

225 局所性修飾因子
きょくしょせいしゅうしょくいんし
local modified factors
〔同義語〕局所性増悪因子

　歯周病の発症・進行に関与する口腔内の因子．炎症性因子と外傷性因子からなる．炎症性因子には**プラーク**，微生物，**歯石**，**食片圧入**，**口呼吸**，不良補綴装置，歯列不正，食物の性状，歯および口腔内の形態異常などがある．外傷性因子には**外傷性咬合**，ブラキシズム，舌や口唇などの悪習癖，職業的習慣などがある．

226 局所薬物配送システム
きょくしょやくぶつはいそう——
local drug delivery system
〔同義語〕局所薬物デリバリーシステム，局所薬物搬送システム，局所薬物送達システム，ローカルドラッグデリバリーシステム，LDDS
〔類義語・関連語〕ポケット内抗菌薬投与

　局所の病巣で薬効を長時間維持するために開発されたシステム．**歯周治療**では**歯周病原細菌**を抑制する目的で，徐放性の薬物（ミノサイクリン塩酸塩など）を**歯周ポケット**に注入する．経口投与に比較して，少ない投与量で薬効濃度が長時間維持でき，**耐性菌**の出現，副作用，腸内細菌への影響がきわめて少ないという利点をもつ．

227 虚血性心疾患　きょけつせいしんしっかん
ischemic heart disease
〔同義語〕IHD
➡冠状動脈心疾患

228 禁煙支援　きんえんしえん
smoking cessation support
〔類義語・関連語〕禁煙支援プログラム

　歯周病のリスクファクターである**喫煙**をやめたい者がやめられるように支援すること．禁煙支援の方法として「5 Aアプローチ」(Ask, Advise, Asses, Assist, Arrange) などがある．

229 禁煙支援プログラム　きんえんしえん——
smoking cessation support program
〔同義語〕禁煙サポートプログラム

　公共の場，職域および個人に対する禁煙・分煙対策．ニコチン依存者に対する禁煙治療薬も使用可能となり，各地で**禁煙支援**が行われるようになってきている．現在，利用可能な禁煙支援プログラムとして，保健所が行う禁煙支援，職域における禁煙支援，医療機関の禁煙外来・禁煙教室などがある．

230 禁煙誘導　きんえんゆうどう
smoking cessation
　直接的または間接的な方法により，禁煙意欲を高めて禁煙行動を誘発させる方法．

231 筋機能訓練法　きんきのうくんれんほう
myofunctional therapy
　Rogers（1918）により提唱された不正咬合の治療法．舌や口腔周囲筋を訓練して機能異常を治療する方法．口腔周囲筋の弛緩や異常緊張を取り除き，上下顎歯列弓内外に存在する筋の均衡を回復させることを目的としている．通常は他の矯正治療と併用し，主に**保定**期間に用いられることが多い．

232 菌血症　きんけつしょう
bacteremia
　血流中に細菌が一過性に検出されるが，増殖せずにすみやかに消失する状態．検出される細菌はレンサ球菌が多い．臨床症状はほとんどない．原因が歯に関係している場合を歯性菌血症といい，**歯周炎**患者では，ブラッシング，プロービング，スケーリング，抜歯，**歯周外科治療**などを行った際に**歯周病原細菌**が血中に入り菌血症を起こす可能性がある．

233 菌交代現象　きんこうたいげんしょう
microbial substitution
〔類義語・関連語〕日和見感染
　宿主の抵抗力の減弱や**抗菌薬**の長期投与によって，正常菌叢が減少する一方，通常では存在しない，あるいは少数しか存在しない菌が異常に増殖を起こす現象のこと．例として抗菌スペクトルの広い抗菌薬を使用した場合，薬剤感受性の高い正常菌が減少し，非感受性菌あるいは**耐性菌**が異常に増殖する．この結果，臨床症状を示す状態を菌交代症とよぶ．

234 金属アレルギー（口腔内の）　きんぞく──
metal allergy
　アマルガムやパラジウムなどの金属によって引き起こされるアレルギー．口腔内装着直後だけでなく，数十年経過してから発症することがある．接触性粘膜炎，**扁平苔癬**，**掌蹠膿疱症**などに関係する場合がある．

235 くいしばり
clenching
➡クレンチング

236 偶発症　ぐうはつしょう
accident
　医療時突然起こった異常な状態．歯科治療に伴う偶発症の中で，局所麻酔や抗生物質などによるアナフィラキシーショックは重篤な症状をきたす．その他，器具あるいは補綴装置の誤嚥，切削器具による軟組織の裂傷，抜歯に伴う**歯根破折**，上顎洞穿孔，歯槽骨骨折，歯の上顎洞内迷入などがある．

237 クエン酸処理　──さんしょり
citric acid etching
➡エッチング

238 クオラムセンシング
quorum sensing
　細菌間のコミュニケーション機構．周囲の細菌密度により変化するシグナル物質オートインデューサーを感知して遺伝子発現を変化させる．重要な環境要因である集団密度をコントロールすることにより環境の変化に柔軟に対応できる．

239 くさび状欠損（歯の）　──じょうけっそん
wedge-shaped defect
〔同義語〕WSD
〔類義語・関連語〕アブフラクション
　歯頸部根面に生じるくさび状の歯質欠損．歯ブラシの誤用や粗い研磨材の使用，あるいは過度の咬合力によって生じると考えられる．典型的な欠損では歯冠側では直角に近く，根尖側では鈍角となる形態の欠損を示す．**象牙質知覚過敏**を引き起こすこともあり，重度の場合には歯根が破折する場合もある．

240 くさび状骨欠損　──じょうこつけっそん
wedge-shaped bone defect,
vertical bone defect
➡骨縁下欠損

241 グラインディング
grinding
　口腔内に食物のない状態で，無意識に上下顎の歯を接触させながら強くこすりあわせること．ブラキシズムの一つで**咬合性外傷**の原因となる．狭義の**歯ぎしり**をさす．精神的因子，咬合性因子などが発症の原因と考えられている．臨床症状は，**咬耗**，歯の動揺，キリキリなど歯の摩擦音，**骨隆起**などが認められる．また頭痛，頭頸部の関連痛，顎関節障害などを起こすことがある．
▶クレンチング，タッピング

242 クラウディング
crowding
➡叢生

243 クラウン-インプラント・レシオ
crown-implant ratio（CI ratio）
〔同義語〕CI レシオ

クラウンの長さと骨内に埋入された**インプラント体**の長さとの比率．クラウンの長さは，骨と接触する**インプラント**の最歯冠側部からクラウンの最歯冠側部までの距離をさす．また，骨内に埋入されたインプラント体の長さは，インプラント体の根尖側先端から骨と接触している歯冠側部までの距離をさす．最も理想的なクラウン-インプラント・レシオは，1：2 から 1：1.5 であり，必要最小限値は 1：1 とされている．

244 グラム陰性細菌　——いんせいさいきん
Gram-negative bacteria

Gram（1884）によって考案された細菌染色法（グラム染色）により薄い赤色に染まる細菌群．グラム陰性細菌の細胞壁の成分である**リポ多糖**は，**歯周組織**の破壊に関与する．**歯周病原細菌**の多くは，嫌気性のグラム陰性桿菌である．

245 クリーピングアタッチメント
creeping attachment

露出歯根面に対する**遊離歯肉移植術**などの術後に生じる歯肉辺縁の歯冠側方向への移動．この歯冠側方向への移動は，ある一定のレベルに達するまで持続し，かなりの長期間にわたる．遊離歯肉移植術後に 1 mm 前後のクリーピングアタッチメントが生じることは，これまでに多数報告されているが，有茎歯肉弁移動術ではクリーピングアタッチメントは起こらないとされている．

246 Glickman の根分岐部病変分類
ぐりっくまん——こんぶんきぶびょうへんぶんるい

Glickman's classification of furcation involvement

Glickman（1953）による**根分岐部病変**の臨床的分類．1～4級に分類されている．1級：初期の根分岐部病変で，ポケットは骨縁上であり，通常はエックス線画像上に異常を認めない．2級：根分岐部の一部に**歯槽骨**の破壊と吸収が認められるが，**歯周プローブ**を挿入しても根分岐部を貫通しない．3級：根分岐部直下の骨が吸収し，頰舌的あるいは近遠心的に歯周プローブが貫通するが，根分岐部は歯肉に覆われている．4級：根分岐部が口腔内に露出しており歯周プローブが貫通する．

▶ Hamp らの根分岐部病変分類，Lindhe と Nyman の根分岐部病変分類，Tarnow と Fletcher の根分岐部病変分類

247 クリニカルアタッチメントレベル
clinical attachment level
➡アタッチメントレベル

248 グループファンクションドオクルージョン
group functioned occlusion
〔類義語・関連語〕片側性平衡咬合

Schuyler（1961）により提唱された理想咬合3種類のうちの一つ．**側方運動**時に作業側の複数の歯が一群として接触滑走し，非作業側の歯の接触がない**咬合様式**．作業側では，咬合圧が複数歯に分散され，特定の歯に負担が集中しない．また，非作業側では，離開することで**咬頭干渉**による障害を防止している．

249 グレーシー型キュレット　——がた——
Gracey type curette
〔類義語・関連語〕キュレット型スケーラー

部位特異的に設計された**キュレット型スケーラー**．刃部（ワーキングエンド）は片刃であり，第 1 シャンクに対してフェイス（内面または上面）の角度が 70°になっている（オフセットブレード）ため，第 1 シャンクを歯面と平行にすると適正角度で**スケーリング**や**ルートプレーニング**操作ができる．スタンダードタイプの他に，シャンクの長さが長いものや刃部の幅が狭く長さが短いものがある．ポケットの深さや形態によって使い分ける．

250 クレーター状骨欠損　——じょうこつけっそん
crater of alveolar bone
〔同義語〕骨クレーター

歯槽骨吸収の一形態．頰側と舌側の歯槽骨壁に囲まれた歯間部歯槽骨の陥凹．前歯部に比較して，臼歯部で 2 倍以上の頻度で認められる．多くの場合，頰側と舌側の歯槽骨壁の高さは同じであるが，高さの異なる場合もある．

251 Crane-Kaplan のポケットマーカー
くれーんかぷらん——

Crane-Kaplan pocket marking forceps
〔同義語〕ポケットマーカー

Crane と Kaplan により考案された歯周ポケット底描記用ピンセット．左側用と右側用があり 2 本で 1 組である．一方は**プローブ**の形態をしておりプロービングデプスを測定し，もう一方は鉤が付いており，その位置を歯肉あるいは**角化歯肉**上に出血点

として印記する．**歯肉切除術や新付着術（ENAP）を行う場合，この出血点は切開線のガイドとなる．**

252 クレフト（歯肉の）
cleft
〔同義語〕Stillman のクレフト，裂開

Stillman（1921）により最初に報告された，**辺縁歯肉に生じた V 字型の裂け目．通常，唇頬側に生じる．歯ブラシの誤用，咬合性外傷**との関連が考えられているが，その確実な根拠はない．

253 クレンチング
clenching
〔同義語〕くいしばり，かみしめ

口腔内に食物を介在しない状態で，上下顎の歯を接触させて強くかみしめること．**ブラキシズムの一つ**で，**咬合性外傷**の原因となる．生理的なもの（肉体的，精神的緊張時の一過性のもの）と精神性因子などによる病的なものがある．歯ぎしり音がなく，**咬耗**などもほとんど認められない．舌や頬粘膜に歯の圧痕，**骨隆起**が認められることがある．
▶グラインディング，タッピング

254 クローン病　――びょう
Crohn's disease

大腸および小腸の粘膜に慢性の炎症または潰瘍を引き起こす原因不明の疾患の総称である炎症性腸疾患の一つ．主として若年者にみられ，口腔に始まり肛門に至るまでの消化管のどの部位にも炎症や潰瘍がみられる．口腔内に線状アフタ性潰瘍，敷石状粘膜，粘膜垂，**歯肉歯槽粘膜境に達する歯肉炎**（mucogingivitis）などの症状が現れることがある．

255 クロスアーチスプリント
cross-arch splint

固定範囲が左右の両側に及ぶ**固定装置**．側方圧に対する安定と支台歯を間接的に**固定**する目的で，反対側に維持を求める固定方法．両側性維持が図られるため安定し，側方圧による支台歯への為害性が少なくなる．

256 クロルヘキシジン
chlorhexidine

グラム陽性細菌，陰性細菌のいずれにも強力な殺菌作用を有する**抗菌薬**．一般には高水溶性のグルコン酸塩であるグルコン酸クロルヘキシジンが用いられている．細胞膜の負に荷電した部分とイオン性の相互作用を起こし，細胞膜に傷害を与える．また，界面活性作用もあり殺菌作用に関与している．手指，器具の消毒殺菌に 0.02～0.05％ 液が用いられる．毒性は比較的弱いが過敏症を呈することがある．海外では，洗口にクロルヘキシジン濃度 0.12～0.2％ で用いられているが，アナフィラキシー様のショックを起こすことがあるため，日本ではさらに低濃度のものが使用されている．長期使用により歯面の着色などが生じる．
▶化学的プラークコントロール

け

257 形質細胞歯肉炎　けいしつさいぼうしにくえん
plasmacytosis
〔類義語・関連語〕形質細胞歯肉口内炎，形質細胞性口唇炎，開口部形質細胞症

歯肉に生じる形質細胞の高度浸潤像を呈する原因不明の慢性炎症性疾患．臨床症状として**辺縁歯肉**から**付着歯肉**に及ぶ歯肉の発赤や腫脹などを伴う．チューインガムや**歯磨剤**などのある種の抗原に対する過敏症によるものと考えられている．

258 形質転換増殖因子
けいしつてんかんぞうしょくいんし
transforming growth factor
➡トランスフォーミング増殖因子

259 傾斜移動　けいしゃいどう
tipping movement

歯軸上の一部分を軸として傾斜するような歯の移動．傾斜移動では主に歯冠部を動かすため回転軸は歯根の 1/3 近い部分となり，逆に主に歯根部を動かす場合は回転軸は歯冠部付近となる．
▶歯体移動

260 軽度歯周炎　けいどししゅうえん
slight periodontitis
〔類義語・関連語〕中等度歯周炎，重度歯周炎

進行程度が軽度の**歯周炎**．日本歯周病学会分類（2006）では，**プロービングデプス**が 4 mm 未満，歯槽骨吸収度が 15％ 未満，あるいは**アタッチメントレベル**が 3 mm 未満であり，**根分岐部病変**がないものをいう．米国歯周病学会・欧州歯周病連盟分類（2018）ではステージ分類 I に相当し，アタッチメントロス 1～2 mm，プロービングデプス 4 mm 以内，主に**水平性骨吸収**で歯根長 1/3 未満の**歯槽骨吸収**（15％ 未満），歯周炎による歯の喪失のないものをいう．

261 血管新生　けっかんしんせい
angiogenesis

既存の血管から新たな血管枝が分岐して血管網を構築する現象．病的血管新生と生理的血管新生とがある．慢性炎症や悪性腫瘍の進展において重要な役割を担い，また組織の**創傷治癒**や再生においても重要な過程である．血管新生のメカニズムは血管内皮細胞の活性化に始まり，内皮細胞のプロテアーゼ亢進による基底膜をはじめとした**細胞外マトリックス**の分解，細胞の遊走，増殖，そして再分化と周皮細胞による血管壁の再構築からなる．

262 血管新生因子　けっかんしんせいいんし
angiogenic factor

血管新生を促進・誘導する因子．血管新生因子として，血管内皮増殖因子（VEGF），**線維芽細胞増殖因子（FGF）**，アンジオポエチン1，アンジオポエチン2，**血小板由来増殖因子（PDGF）**，**トランスフォーミング増殖因子（TGF-β1）** などがある．

263 血球凝集素　けっきゅうぎょうしゅうそ
hemagglutinin

種々の動物血球に対して凝集能を有する化学物質の総称．*Porphyromonas gingivalis* など**歯周病原細菌**の多くは血球凝集素を有しており，細胞への付着因子の一つとして考えられている．

264 結合組織移植術　けつごうそしきいしょくじゅつ
connective tissue graft

〔同義語〕歯肉結合組織移植術，上皮下結合組織移植術

結合組織を移植する**歯周外科治療**の総称．通常，口蓋あるいは顎堤部から結合組織を採取し，**受容側（移植床）** に移植する．付着歯肉幅の増大，根面被覆，歯槽堤増大，GTR膜やGBR膜除去時の新生組織の保護などの目的に用いられている．

▶遊離歯肉移植術

265 結合組織性付着　けつごうそしきせいふちゃく
connective tissue attachment

〔同義語〕線維性付着

歯肉線維や歯根膜線維の**セメント質**への埋入によって生じる付着．骨縁上では，**上皮性付着**とともに**骨縁上組織付着**を構成している．

▶上皮性付着，新付着

266 血小板濃厚血漿　けっしょうばんのうこうけっしょう
platelet-rich plasma

➡多血小板血漿

267 血小板由来増殖因子　けっしょうばんゆらいぞうしょくいんし
platelet-derived growth factor

〔同義語〕血小板由来成長因子，PDGF

血小板の顆粒内から同定された分子量30,000の塩基性ペプチド．ヒト血小板由来増殖因子（PDGF）はA鎖とB鎖のホモまたはヘテロなダイマーの2量体構造をとり，3種類のアイソフォーム（PDGF-AA，AB，BB）が存在する．**創傷治癒**の初期に創傷部位に認められ，線維芽細胞や**骨芽細胞**などの様々な細胞を活性化させ，創傷治癒の促進作用を有する．PDGF-BBは歯周組織再生療法剤として用いられる．

268 血清抗体価検査　けっせいこうたいかけんさ
serum antibody titer (level) test

血清中の細菌などの抗原に結合するIgG量を測定する検査．歯周病領域では，**歯周病原細菌**に対する血清抗体価を酵素免疫測定法（enzyme-linked immunosorbent assay；ELISA）によって測定する検査が行われている．

269 血糖　けっとう
blood sugar, blood glucose

血液中に遊離した糖であるグルコース．各種組織細胞の主要なエネルギー源となる．とくに脳細胞はエネルギー源をグルコースに依存するので，血糖低下により顕著な中枢神経症状が現れる．ヒトでは通常，血糖値（血液中のグルコース濃度）は空腹時70～100 mg/dLに保たれている．

▶糖尿病

270 原因除去療法　げんいんじょきょりょうほう
cause-related therapy

病態を引き起こしている原因を除去する療法．**歯周治療**の基本であり，主たる原因である**プラーク**，**プラークリテンションファクター**，**外傷性咬合**などを取り除くことが重要である．

▶歯周基本治療

271 嫌気性細菌　けんきせいさいきん
anaerobic bacteria, anaerobes

酸素の有無にかかわらず増殖するが，無酸素のほうが増殖良好な通性嫌気性細菌と，無酸素のみで増殖し，有酸素では死滅する偏性嫌気性細菌とがある．**歯周ポケット**内にみられる**歯周病原細菌**の多くはグラム陰性の通性あるいは偏性嫌気性細菌である．

272 限局型若年性歯周炎　げんきょくがたじゃくねんせいししゅうえん
localized juvenile periodontitis
➡若年性歯周炎

273 犬歯誘導咬合　けんしゆうどうこうごう
cuspid protected occlusion (articulation), cuspid guidance, cuspid protection
〔同義語〕犬歯誘導，カスピッドプロテクテッドオクルージョン
　下顎の**側方運動**時，作業側の上下顎犬歯のみの咬合接触によって下顎を誘導する**咬合様式**．犬歯誘導時，臼歯部は離開する．

274 懸垂縫合　けんすいほうごう
(suspensory) sling suture
　歯肉弁を，歯の周囲に回した**縫合糸**によって懸垂した状態で**固定**する縫合法．片側のみ行う片側懸垂縫合，両側に行う両側懸垂縫合，連続的に行う連続懸垂縫合などがある．

275 減張切開　げんちょうせっかい
release incision, releasing incision
　一般的には，皮下または粘膜下組織圧の上昇を防ぐため，隔たった部位に加える切開．歯周外科手術では歯肉弁を移動しやすいように，有茎部付近に加える切開が行われている．**粘膜骨膜弁**形成の際，歯肉弁の伸展を図るための骨膜（減張）切開などがある．

276 研磨材（歯面の）　けんまざい
polishing material, abrasive
　歯面清掃および**スケーリングやルートプレーニング**後の歯根面の滑沢化に用いる．浮石末，酸化ジルコニウムなどの研磨成分を含み，粗研磨から微細な研磨ができる種々のタイプがある．さらに，香料や染色剤を加えペースト状にしたものが市販されている．**象牙質知覚過敏**を防止する目的でフッ化物が配合されているものもある．

こ

277 Koisの分類　こいす――ぶんるい
Kois's classification
　前歯部におけるクラウンマージンの位置設定のための歯頸歯肉複合体（dentogingival complex）を考慮したガイドライン（Kois, 1998）．歯肉辺縁から歯槽骨頂までの距離に基づいて分類．normal crest：3 mm，high crest：<3 mm，low crest：>3 mm．

278 降圧薬　こうあつやく
hypotensive drug, depressor
　高血圧（収縮期血圧 140 mmHg 以上あるいは拡張期血圧 90 mmHg 以上）治療などにおいて血圧を低下させる目的で投与される薬剤．カルシウム拮抗薬，アンジオテンシンⅡ受容体拮抗薬（ARB）を中心として利尿剤，β遮断薬，α遮断薬，$\alpha\beta$遮断薬，アンジオテンシン（ACE）阻害薬，合剤などが使用されている．
　この中でカルシウム拮抗薬の副作用として歯肉増殖が起こることが知られている．
▶カルシウム拮抗薬

279 広域可動性フラップ　こういきかどうせい――
widely mobilized flap
　フラップデザインの一つ．数歯にわたる範囲で，自由度の高い歯肉弁の形成を目的に行う．

280 口蓋裂溝　こうがいれっこう
palatogingival groove
〔類義語・関連語〕根面溝，斜切痕，口蓋溝，発育溝
　上顎前歯，とくに側切歯の口蓋側辺縁隆線に始まり，歯根面にかけてみられる縦の溝．斜切痕と連続している場合もあり，日本人における上顎前歯での出現頻度は約2〜3％である．**局所性修飾因子**の一つで，口蓋裂溝に沿って深い**歯周ポケット**が形成されやすい．

281 硬化性骨炎　こうかせいこつえん
condensing osteitis
　骨髄部に多量の骨質が形成され硬化性変化した病変．若年者の下顎第一大臼歯部にみられ，エックス線画像で根尖部に限局性の不透過像を認める慢性巣状硬化性骨炎と，中高年者の下顎無歯顎部にみられ，エックス線画像でび漫性の不透過像を呈する慢性び漫性硬化性骨炎とがある．自覚症状はなく，組織学的に線維骨梁や層板骨の新生が著明である．

282 抗菌薬　こうきんやく
antibacterial agent, antimicrobial drug
〔同義語〕抗菌薬物，抗菌薬剤
〔類義語・関連語〕抗生物質
　微生物に対する発育抑制作用や殺菌作用を有する薬剤．細胞壁，細胞膜，細胞質，リボゾーム，核（核酸）などに作用して，その合成あるいは機能を阻害することで，殺菌的あるいは静的作用をもたらす．
▶マクロライド系抗菌薬，テトラサイクリン系抗菌薬，ペニシリン系抗菌薬

283 抗菌薬感受性試験
こうきんやくかんじゅせいしけん
antimicrobial sensitivity test

抗菌薬に対し，病原微生物が**感受性**なのか耐性なのかを調べる試験．その微生物に対して有効な抗菌薬を選択するために行われる．希釈法（液体希釈法および寒天培地希釈法）と拡散法が最も一般的である．

▶薬物感受性試験

284 抗菌薬予防投与
こうきんやくよぼうとうよ
antibiotic prophylaxis,
prophylactic antibiotics administration

術後感染予防のため術前に**抗菌薬**を処方すること．各種療法に広く使用されているが，日常的に使用するコンセンサスは存在しない．**感染性心内膜炎**のリスクを有する患者，人工股関節置換患者では経口または経静脈による抗菌薬の術前投与が推奨されている．術後感染や創傷治癒不全が予想される免疫不全患者や**糖尿病**患者においても術前投与が求められる．

285 抗菌療法（歯周治療における）
こうきんりょうほう
periodontal antimicrobial therapy,
systemic anti-infective periodontal therapy

〔類義語・関連語〕経口抗菌療法，局所抗菌療法，フルマウスディスインフェクション（FMD）

歯周治療の際に，**機械的プラークコントロール**に**抗菌薬**を併用し，歯周治療効果の増強や宿主免疫機能を補助すること．**細菌検査**に基づいた投与が望ましい．

286 口腔衛生指数
こうくうえいせいしすう
oral hygiene index

〔同義語〕口腔清掃指数，OHI

Greene と Vermillion（1960）により考案された，歯に付着する**プラーク**と**歯石**の存在範囲を数量化し，評価するための指数．**プラーク指数**と**歯石指数**からなる．全顎を6群に分割し（第三大臼歯を除く），各群のプラーク指数と歯石指数の最高値を代表値として用い，プラーク指数と歯石指数を算出し，その和を口腔衛生指数（OHI）とする．簡易型として代表歯6歯（$\frac{6\ |\ 6}{\ \ \ \ 1}$唇頬側面と$\overline{6|6}$舌側面）を測定する oral hygiene index-simplified（OHI-S）がある．

287 口腔カンジダ症
こうくう——しょう
oral candidiasis, oral candidosis, thrush

〔同義語〕カンジダ症，カンジダ性口内炎

真菌の一種である *Candida albicans* による口腔内の感染症．主として乳幼児，高齢者にみられ，抵抗力低下，口腔清掃不良，不潔な義歯などが原因となる．頰粘膜，舌，口蓋，口唇粘膜に白色，乳白色の点状，帯状，斑状の偽膜を形成する．治療薬にはアムホテリシンB，ナイスタチンなどがある．

288 口腔乾燥症
こうくうかんそうしょう
xerostomia, dryness of mouth, dry mouth

〔同義語〕唾液減少症，ドライマウス

唾液分泌量の減少により口腔が乾燥する状態．原因として，唾液腺あるいは唾液腺管の傷害，分泌関連神経の傷害，全身疾患，薬物および精神的因子があげられる．乾燥感，灼熱感，疼痛閾値の低下，粘膜の出血，易感染性，びらん，潰瘍形成などが症状としてあげられ，齲蝕の多発，義歯の保持困難などを継発する．Sjögren症候群にも認められる．

289 口腔関連QOL
こうくうかんれんきゅーおーえる
oral health-related quality of life

QOLは生活の質，生命の質と訳され，口腔関連QOLは，口腔機能の低下や疾患の治療を行うことで，苦痛の軽減，精神的，社会的活動を含めた総合的な充実度を示す．臨床における患者報告アウトカム（patient-reported outcome；PRO）の一つである．

290 口腔機能回復治療（歯周治療における）
こうくうきのうかいふくちりょう
oral rehabilitation

歯周病によって失われた口腔の機能を回復するため，**歯周外科治療**後に行う治療の総称．咬合治療，**修復・補綴治療**，**歯周補綴**，**歯周-矯正治療**，インプラント治療が含まれる．

291 口腔機能低下症
こうくうきのうていかしょう
oral hypofunction

〔類義語・関連語〕オーラルフレイル

加齢だけでなく，疾患や障害など様々な要因によって，口腔の機能が複合的に低下している疾患．進行すると咀嚼機能不全，摂食嚥下障害が常態化し，全身的な健康が損なわれるようになる．

292 口腔筋機能療法
こうくうきんきのうりょうほう
oral myofunctional therapy（MFT）

舌や口輪筋，頰筋，咀嚼筋などの口腔周囲の筋の機能を改善し，筋圧のバランスを整える治療法．咀嚼，嚥下，舌の位置，**口呼吸**などの改善に役立つ．

293 口腔ケア　こうくう――
oral health care, oral care

日本歯科医師会の定義（2018）では，多職種，介護者および本人・家族などにより実施される口腔清掃，義歯の清掃・着脱・保管，嚥下体操指導，舌・口唇・頬粘膜のストレッチ訓練，唾液腺マッサージ，食事介助などを行うこと．口腔ケアは「口腔健康管理」の一つとされ，「口腔健康管理」には，さらに歯科専門職が主に実施する，口腔清掃を中心とし，口腔衛生環境の改善を目的とした「口腔衛生管理」と，口腔機能の回復や摂食嚥下機能の維持・増進を目的とした「口腔機能管理」を含む．

294 口腔清掃指導　こうくうせいそうしどう
oral hygiene instruction

〔類義語・関連語〕口腔衛生指導，TBI

口腔内を清潔にするために，口腔清掃を指導すること．**プラーク**を除去するために，**プラークコントロール**のモチベーションを高め，個々の患者に適した歯ブラシによる**ブラッシング法**や補助的清掃用具（**デンタルフロス**，**歯間ブラシ**，**タフトブラシ**など）の使用法についての**ブラッシング指導**（**TBI**）を行い，さらにモチベーションの維持・強化により継続できるようにする．また，舌清掃，義歯清掃，あるいは抗菌剤や酵素製剤などを含む**洗口剤・含嗽剤**や**歯磨剤**などを用いた**化学的プラークコントロール**などを指導することもある．

295 口腔洗浄器具　こうくうせんじょうきぐ
oral irrigation device

歯ブラシや補助的刷掃具の届きにくい歯面の清掃を水流によって行う器具．軟らかい歯面沈着物の除去には効果が期待できるが，**プラーク**の除去効果は低い．

296 口腔前庭　こうくうぜんてい
oral vestibule, vestibule of mouth

口唇と頬の内側で歯列弓との間にできる馬蹄形の空間．口唇および頬粘膜と**歯槽粘膜**との移行部は前庭円蓋とよばれる．口腔前庭が狭いと食物残渣が停滞しやすくなる．

297 口腔前庭拡張術　こうくうぜんていかくちょうじゅつ
vestibular extension procedures

〔類義語・関連語〕口腔前庭形成術

付着歯肉がない，またはその幅が狭い場合，あるいは**口腔前庭**が浅い場合に行われる．口腔前庭を拡張することを目的とした手術．**歯周形成手術**の一つ．口腔清掃を容易にし，補綴装置の維持・安定に有利となる．Edlan-Mejchar 法，歯槽骨露出法，スプリットフラップ法（骨膜保存），骨膜開窓法などがあるが，術後の疼痛が強い，後戻りが生じるなどの欠点があるため，現在はほとんど行われていない．**歯肉弁根尖側移動術**，**遊離歯肉移植術**，**結合組織移植術**などが応用されている．

298 口腔内エックス線写真（歯周病の所見）
こうくうない――せんしゃしん
intraoral x-ray photograph,
intraoral radiograph

〔類義語・関連語〕デンタルエックス線写真（歯周病の所見）

口腔内にエックス線フィルムを設置して撮影した写真．歯の長軸とエックス線フィルム面とのなす角度の違い，エックス線照射の角度の違いなどにより種々の撮影方法がある．代表的な撮影方法としては，二等分法，平行法，歯頸部投影法，咬翼法などがある．エックス線画像より，**歯槽骨**の吸収程度，**歯根膜腔**の拡大，**歯槽硬線**の肥厚などの所見を確認できる．

299 抗痙攣薬　こうけいれんやく
anticonvulsant, antiepileptic drug

〔同義語〕抗てんかん薬

発作性脳律動異常に基づく意識消失，痙攣，自律神経症状などからなる痙攣発作の発現を抑制する薬物．過去には抗てんかん薬ともよばれた．これらの薬物のうちフェニトイン（ジフェニルヒダントイン）は，長期間投与した場合，副作用として高頻度で線維性の**歯肉増殖症**を引き起こす．

▶フェニトイン歯肉増殖症

300 咬合干渉　こうごうかんしょう
occlusal interference

調和のとれた安定した咬合接触を妨げるあらゆる歯の接触．**咬頭干渉**，**早期接触**，偏心運動における歯の接触滑走の不調和や，不安定な**咬頭嵌合位**などが含まれる．

301 咬合性外傷　こうごうせいがいしょう
occlusal trauma

〔類義語・関連語〕原発性咬合性外傷

適応能力を超える咬合力によって**歯根膜**，**歯槽骨**および**セメント質**からなる付着器官に組織変化が生じる損傷．一次性と二次性に分類される．**一次性咬合性外傷**とは，健全な歯周支持組織を有する歯に過度な咬合力が加わることによって外傷が生じたものである．**二次性咬合性外傷**とは，歯周炎の進行により**支持歯槽骨**が減少して咬合負担能力が低下した歯

に生理的なあるいは過度な咬合力が加わることによって生じた外傷である．歯の動揺，エックス線画像における**垂直性骨吸収**と**歯根膜腔**の拡大などが認められる．

▶**外傷性咬合**

302 咬合調整　こうごうちょうせい
occlusal adjustment, occlusal equilibration

〔同義語〕選択的咬合調整

咬合力を多数歯に均一に分散させ，さらに歯軸方向へ力が伝わるようにすることで，より正しい歯の接触関係を保ち，安静を図るように歯を削合すること．歯周病での咬合調整は，**外傷性咬合**を是正することにより，咬合時の**歯周組織**に加わる有害な咬合力を取り除くために行われる．

▶**歯冠形態修正**

303 咬合様式　こうごうようしき
occlusal pattern, occlusal scheme

偏心運動時の臼歯部の接触関係．フルバランスドオクルージョン（両側性平衡咬合），グループファンクションドオクルージョン（片側性平衡咬合）および**犬歯誘導咬合**（カスピッドプロテクテッドオクルージョン）がある．

304 口呼吸　こうこきゅう
mouth breathing, oral respiration, oral breathing

鼻呼吸が種々の障害により妨げられ，その代償として口腔を介して行う呼吸．睡眠時には口唇が開いて口呼吸しやすい．口唇乾燥，**口呼吸線**や堤状隆起（テンションリッジ）などが臨床所見として認められる．**自浄作用**の低下により**プラーク**が停滞しやすい．口呼吸は以下のように分類される．①鼻閉塞や鼻咽腔の疾患による通気障害がある鼻性口呼吸．②上下顎の前突や**オープンバイト**などにより口唇閉鎖が困難な場合に生じる歯性口呼吸．③症状が改善しても習慣として残る習慣性口呼吸．

305 口呼吸線　こうこきゅうせん
mouth breathing line

口呼吸により発赤・腫脹した前歯部唇側歯肉と健康な**歯肉**との境界に生じた線．

306 口臭　こうしゅう
halitosis, oral malodor, bad breath

本人あるいは第三者が不快と感じる呼気の総称．口臭症は，生理的・器質的（身体的）・精神的な原因により口臭に対して不安を感じる症状である．宮崎ら（1999）の国際分類では，口臭症は以下のように分類されている．①**真性口臭症**：社会的容認限度を超える明らかな口臭．器質的変化や原因疾患のない生理的口臭と，口腔疾患や耳鼻咽喉科疾患など全身疾患に由来する病的口臭に分類される．②**仮性口臭症**：社会的容認限度を超える口臭は認められず，検査結果などのカウンセリングにより訴えの改善が期待できるもの．③**口臭恐怖症**：真性口臭症，仮性口臭症に対する治療では，訴えの改善が期待できないもの．

307 口臭恐怖症　こうしゅうきょうふしょう
halitophobia

〔類義語・関連語〕自臭症

宮崎ら（1999）の国際分類による口臭症の一つ．口臭を主訴として訴えるが，検査結果の説明，カウンセリング，その他口臭の治療によっても訴えの改善が期待できない状態．社会的許容限度を超える口臭は認められないことが多く，心因的・精神的要因が大きく関与する．そのため，治療法としては精神科や心療内科などへの紹介を要する．

▶**仮性口臭症，真性口臭症**

308 口唇閉鎖不全　こうしんへいさふぜん
lip incompetence

前歯が前突していて口唇が閉じにくい状態．**下顎安静位**をとらせたときに口唇が開くかどうか，口唇を閉じさせたときにオトガイ部に筋緊張（梅干し状のしわ）ができるかどうかを検査する．歯性口呼吸の原因となる．

309 咬唇癖　こうしんへき
lip biting habit

口唇を前歯切縁でかみ込む**悪習癖**の一種．下唇をかむことが多く，著しくなると口唇周囲の皮膚にうっ血斑が生じ，いわゆる二重口唇を呈することがある．心因性によるものが大部分であるが，上顎前突の症例で下唇が自然にかみ込まれるものもある．

310 光線力学的治療法　こうせんりきがくてきちりょうほう
photodynamic therapy

光が当たると化学反応を起こす薬剤（光感受性物質）を患部に集積させ，そこにレーザー光線を照射し，活性酸素の一つである一重項酸素を産生させることで病巣を選択的に破壊する治療方法．**歯周治療**においては，細菌に選択的に集積する色素（メチレンブルーなど）を応用し，**歯周ポケット**内の細菌を死滅させる**抗菌療法**として応用されてきている．

311 抗体　こうたい
antibody
➡細菌特異的抗体

312 抗体検査（歯周病原細菌の）　こうたいけんさ
antibody test
　歯周病原細菌に対して生体が産生した血清中の抗体量を測定すること．歯周病は細菌性感染症であることから，生体は細菌由来の抗原に対して免疫応答を生じ抗体を形成する．この抗体量を測定することで歯周病原細菌の感作の程度を知ることができる．
▶血清抗体価検査

313 好中球減少症　こうちゅうきゅうげんしょうしょう
neutropenia
〔類義語・関連語〕周期性好中球減少症
　血液の好中球の絶対数が 1,500/μL 以下に減少した状態．好中球減少により易感染性となるため，皮膚，耳，口腔粘膜，呼吸器，消化器，血液，尿路などの感染を起こすほか，歯周組織の進行性破壊を生じることがある．原因としては，先天的，遺伝的なものと，二次的なものとに大別される．

314 好中球病変　こうちゅうきゅうびょうへん
neutrophil lesion
〔同義語〕多形核白血球病変
　歯周病の比較的急性期にみられる病理組織像．炎症性細胞浸潤に占める好中球（多形核白血球）の割合が高いことからこのようによばれる．種々の走化性因子により炎症局所へ好中球が集積し，酵素やサイトカインを放出し，歯周組織の構成成分を分解する．

315 後天性免疫不全症候群　こうてんせいめんえきふぜんしょうこうぐん
acquired immunodeficiency syndrome
〔同義語〕エイズ，AIDS
　レトロウイルス科に属するヒト免疫不全ウイルス（human immunodeficiency virus；HIV）の感染によってヘルパー T 細胞が傷害されて生じた免疫不全状態．潜伏期間は平均 8～10 年と長く，各種の日和見感染，カポジ肉腫などの悪性腫瘍，歯周炎などを発症する．
▶HIV 関連歯周炎

316 咬頭嵌合位　こうとうかんごうい
intercuspal position, centric occlusion
〔類義語・関連語〕中心咬合位，セントリックオクルージョン
　上下顎歯列の咬合面が，最も広い面積で接触嵌合し安定した状態にあるときの下顎位．上下顎歯列の咬合面形態によって決まる咬合位で，再現性が高い下顎位である．
▶中心位

317 咬頭干渉　こうとうかんしょう
cuspal interference
　咬合干渉の一つ．下顎の開閉口運動や偏心運動に際して発生する上下顎の歯の咬頭の接触またはその現象．

318 行動変容　こうどうへんよう
behavior modification
〔類義語・関連語〕モチベーション
　効果的な保健指導の継続により，患者が健康のためによいとされるセルフケア行動を行い維持すること．健康のために悪いとされる行動を修正し，維持することも指す．

319 広汎型若年性歯周炎
こうはんがたじゃくねんせいししゅうえん
generalized juvenile periodontitis
➡若年性歯周炎

320 後方運動　こうほううんどう
backward movement
　咬頭嵌合位から上下顎間の歯の接触を保った状態で行われる最後方咬合位までの下顎の基本運動の一種．側頭筋後腹および咬筋深層の収縮によって行われる．

321 咬耗　こうもう
attrition
　上下顎の歯が繰り返し咬合接触することによって，エナメル質や象牙質が摩耗すること．切歯の切縁，犬歯の尖頭，小臼歯と大臼歯の咬頭は上下顎の歯の咬合により対合歯と接触する機会が多く，早く咬耗する．過度の咬耗は咬合性外傷の症状の一つである．

322 抗 RANKL モノクローナル抗体製剤
こうらんくる——こうたいせいざい
anti RANKL antibody
〔同義語〕デノスマブ
〔類義語・関連語〕ビスホスホネート関連顎骨壊死
　関節リウマチ，骨粗鬆症やがんの治療に用いられる骨吸収抑制薬の一つ．破骨細胞分化誘導因子である RANKL に対する抗体製剤で，RANKL とその受容体の RANK との結合を阻害することで骨吸収を抑制する．ビスホスホネート系薬剤と同様に骨吸収

抑制関連顎骨壊死を引き起こす可能性がある．

323 誤嚥性肺炎　ごえんせいはいえん
aspiration pneumonia
〔同義語〕嚥下性肺炎

嚥下機能の低下による誤嚥が原因で引き起こされる肺炎．嘔吐や逆流により胃・口腔の分泌物や食物を誤嚥する場合（マクロアスピレーション）と，睡眠時など無意識に口腔内常在菌や上気道分泌物が下気道に侵入する不顕性誤嚥（マイクロアスピレーション）に分かれる．なお，**歯周病がコントロールされていない高齢者**では，**プラーク中の細菌と歯周病原細菌**が肺炎を引き起こすことがある．
▶ペリオドンタルメディシン

324 コーヌステレスコープデンチャー
Konus telescopic denture
〔同義語〕コーヌス義歯

Körber（1969）によって考案されたテーパーのある二重金属冠を支台装置にもつ義歯．支台装置は，咬合面に向かって円錐形をしている内冠とそれに適合する外冠から構成される．維持力は内冠と外冠の接触による摩擦力，あるいはくさび効果と外冠の金属弾性による．

325 コーンスーチャープライヤー
corn suture plier
〔同義語〕コーン（の）プライヤー

縫合用プライヤーの一つ．作業部先端には，縫合用糸針を通すための孔が開いている．**GTR膜**を把持して**縫合**する作業などに適している．

326 黒色色素産生嫌気性桿菌　こくしょくしきそさんせいけんきせいかんきん
black-pigmented anaerobic rods
〔同義語〕黒色色素産生性 Bacteroides，黒色色素産生 Bacteroides

血液寒天培地にて嫌気培養を続けると黒色の滑沢な集落を形成する嫌気性桿菌群．ヘマチンを形成することにより黒色を呈する．**歯周病原細菌**である *Porphyromonas gingivalis*，*Prevotella intermedia* などが相当する．以前はこの色素の産生の有無でBacteroides属が分類されていた．

327 鼓形空隙　こけいくうげき
embrasure
➡歯間鼓形空隙

328 コチニン
cotinine

タバコに含有されているニコチンが体内で代謝され生成される代謝産物．半減期が約20時間と長く，生物学的指標として適していることから喫煙習慣のマーカーとして使用されている．**喫煙から1～2日後に尿などによって排出される．**

329 骨移植材　こついしょくざい
bone graft material
〔類義語・関連語〕骨補填材

骨移植術に用いる材料．採取方法，製造方法の違いにより，**自家骨，他家骨**（**同種骨，異種骨**），**人工骨**に分類される．移植部位との生着は，自家骨が最もよい．

330 骨移植術（歯周病の）　こついしょくじゅつ
bone graft

歯周病によって生じた**歯槽骨**の欠損に対して，骨を移植し，再構成することを目的として行われる手術法．使用する**骨移植材**により，**自家骨移植**，他家骨（同種骨，異種骨）移植，人工骨移植に分類される．とくに**骨縁下欠損**の治療に用いられる．

331 骨-インプラント接触　こつ——せっしょく
bone-implant contact

光学顕微鏡レベルで骨内インプラントの表面と骨が直接，接している状態．

332 骨鋭匙　こつえいひ
bone curette
〔同義語〕ボーンキュレット

歯周外科治療時に**肉芽組織**の**掻爬**などに用いる匙状の器具．歯根面や骨面に残った肉芽組織の除去に用いるが，形状は様々で，用途や部位により使い分ける．

333 骨縁下欠損　こつえんかけっそん
infrabony defect, intrabony defect, angular bone defect
〔同義語〕骨内欠損，垂直性骨欠損，くさび状骨欠損
〔類義語・関連語〕垂直性骨吸収

歯根に隣接する**歯槽骨**がくさび状に吸収している状態．欠損の底部は周囲の歯槽骨よりも根尖側に位置している．エックス線画像上で，両隣在歯の**セメント-エナメル境**を結んだ仮想線に対して，骨縁が角度をもってスロープを形成し，**骨縁下ポケット**を伴っていることが多い．
▶骨縁下欠損の分類

334 骨縁下欠損の分類　こつえんかけっそん——ぶんるい
classification of infrabony defect

骨縁下欠損の周囲の骨壁の数によって，1壁性骨欠損から4壁性骨欠損に分類される．さらに組み合わさった複合性骨欠損もある．4壁性骨欠損を除き，一般に骨壁の数が多いほど歯周治療の予後はよいとされる．intrabony defect は，かつて1壁性骨欠損を指したが，現在はどのタイプの骨欠損にも使用される．
▶ヘミセプター状骨欠損

335 骨縁下ポケット　こつえんか——
infrabony pocket

ポケット底が歯槽骨頂より根尖側に存在する歯周ポケット．骨縁下ポケットでは，骨破壊の型は垂直性骨吸収を呈し，骨縁下欠損がみられる．

336 骨縁上組織付着　こつえんじょうそしきふちゃく
supracrestal tissue attachment
〔類義語・関連語〕生物学的幅径

歯槽骨縁より歯冠側の歯面にみられる上皮性付着と結合組織性付着からなる組織付着．その幅径は上皮性付着約1mmと結合組織性付着約1mmを合わせた約2mmであり，生物学的幅径とよばれている．

337 骨縁上ポケット　こつえんじょう——
suprabony pocket

ポケット底が歯槽骨頂より歯冠側に存在する歯周ポケット．骨縁上ポケットでは，骨破壊の型は水平性骨吸収を呈する．歯周ポケットは，骨縁上ポケットと骨縁下ポケットに分類される．

338 骨延長術　こつえんちょうじゅつ
distraction osteogenesis, osteodistraction
〔類義語・関連語〕仮骨延長術

延長装置を用いて骨を徐々に延長していくことにより，骨膜，神経，血管を損傷することなく新生骨を形成させ，骨の延長を図る方法．主に矯正，口腔外科領域において行われる治療であるが，歯周治療にも応用されつつある．

339 骨芽細胞　こつがさいぼう
osteoblast

骨組織において骨を形成する細胞．破骨細胞とのカップリングにより骨のリモデリングを担う．骨形成部位の間葉系幹細胞に由来し，その大きさは20〜30μmで，立方体または円柱形の形状をしている．細胞周囲にコラーゲンなどの骨基質タンパク質を分泌し，分泌した骨基質にリン酸カルシウム（ハイドロキシアパタイト）の結晶が沈着して石灰化が起こると，細胞自身が閉じ込められ，やがて骨細胞となる．
▶アルカリホスファターゼ

340 骨吸収　こつきゅうしゅう
bone resorption
➡歯槽骨吸収

341 骨クレーター　こつ——
bony crater
➡クレーター状骨欠損

342 骨形成タンパク質　こつけいせい——しつ
bone morphogenetic protein
〔同義語〕BMP，骨誘導タンパク質
〔類義語・関連語〕骨形成因子，骨誘導因子

骨形成を誘導するタンパク性因子であり，トランスフォーミング増殖因子（TGF）-β スーパーファミリーに属する．多くのBMPファミリーが同定されているがBMP-2が最も骨形成能が高い．臨床応用時に単体では代謝されるため，コラーゲンなどの担体を用いる．骨の積極的な再生に重要な役割をもつとされている．

343 骨形態修正　こつけいたいしゅうせい
osseous resection
➡歯槽骨整形術

344 骨結合　こつけつごう
osseointegration
➡オッセオインテグレーション

345 骨減少症　こつげんしょうしょう
osteopenia
➡骨粗鬆症

346 骨再生　こつさいせい
bone regeneration

歯周炎などにより欠損した骨組織が，生理的な構造や機能を完全に回復すること．骨再生が生じるメカニズムには，骨形成能，骨伝導能，骨誘導能の条件が必要であるとされている．また，骨再生を獲得するために骨移植術が行われた場合，移植材料がこれらの条件を満たすための足場として働く．

347 骨再生誘導法　こつさいせいゆうどうほう
guided bone regeneration method
➡GBR法

348 骨シアロタンパク質　こつ——しつ
bone sialoprotein
〔同義語〕BSP

　骨の非コラーゲン性タンパク質の約10％を占め，象牙質の含有量は少なく，**セメント質**中に多く存在する．重量で約12％のシアル酸と少量のリン酸を含む糖タンパク質（分子量約57,300）である．アミノ酸配列中にRGD配列（Arg-Gly-Asp）およびグルタミン酸連続配列をもち，RGD配列で**インテグリン**を介して細胞に，グルタミン酸連続配列でカルシウムおよびアパタイトに結合する．接着タンパク質としての機能，さらに骨の初期石灰化に深く関係すると考えられている．

349 骨髄幹細胞　こつずいかんさいぼう
mesenchymal stem cell
➡ 間葉系幹細胞

350 骨スウェージング法　こつ——ほう
bone swaging

　骨縁下欠損が認められる部位に対して，欠損を構成する**歯槽骨**に**骨ノミ**によってスリット状のきざみを入れ，骨基底部を中心に移動させ，歯根表面に接触させる方法．骨欠損部に隣接する部位が無歯顎である場合などに適応となる．高度な技術が要求されるため，適応となる症例は限定される．

351 骨整形術　こつせいけいじゅつ
osteoplasty
➡ 歯槽骨整形術

352 骨性癒着　こつせいゆちゃく
osseous ankylosis
〔同義語〕アンキローシス

　歯根膜組織が何らかの原因により変性消失し，**セメント質**や象牙質の吸収と骨組織の新生添加により，歯根が結合組織を介さずに**歯槽骨**と直接癒着した状態．原因として，歯根膜組織への外傷や咬合圧による過剰な外力，代謝障害，骨の代謝障害，全身疾患などがあげられる．

353 骨切除術　こつせつじょじゅつ
ostectomy, osteoectomy
➡ 歯槽骨切除術

354 骨造成　こつぞうせい
bone augmentation
〔同義語〕骨増生
〔類義語・関連語〕歯槽堤増大

　様々な外科的手法を用いて骨欠損部位の骨量を水平的，垂直的方向に増やすこと．**インプラント体**埋入予定部位の骨量が不足している場合に行う．手法に**骨移植術**，**GBR法**，**上顎洞底挙上術**，**ソケットリフト**，**リッジエクスパンション**，**仮骨延長術**などがある．

355 骨粗鬆症　こつそしょうしょう
osteoporosis
〔同義語〕骨多孔症
〔類義語・関連語〕骨減少症

　骨の化学的，形態的変化なしに石灰化減少を起こす状態で，骨髄腔などの空間が増し，骨が脆くなる疾患．腰背部痛，骨折などを主症状とし，カルシウム摂取不足，タンパク質の摂取不足あるいは過剰，運動不足，日光不足などで促進される．高齢者や閉経後の女性に多くみられ，病的骨折の発症頻度が高い．**歯周病**のリスクファクターの一つと考えられている．また，近年治療薬として用いられているビスホスホネートによる顎骨壊死などの副作用が報告されている．

▶ 薬剤関連顎骨壊死，ビスホスホネート関連顎骨壊死

356 骨伝導　こつでんどう
osteoconduction, bone conduction

　骨移植材が，足場として隣接する既存（母床）骨に由来する**骨芽細胞**あるいは前駆細胞の遊走・増殖を促し，新生骨形成が生じること．

▶ 骨誘導

357 骨内欠損　こつないけっそん
intrabony defect
➡ 骨縁下欠損

358 骨ノミ　こつ——
bone chisel

　骨を削除するノミ状の器具．**歯周外科治療**では刃が片側のみにあり部分的に骨を削る板状片刃ノミを多く用いる．**歯槽骨整形術**や**歯槽骨切除術**に用いる代表的なものにオーシャンビンチゼルがある．

359 骨ファイル　こつ——
bone file
〔同義語〕骨ヤスリ

　歯槽骨整形術に用いるヤスリ状の器具．鋭利な歯槽骨辺縁あるいは骨削除後の鋭利な部分の骨整形に用いる．先端形状は板状，円錐状，蕾状などがあり，用途により使い分ける．代表的なものとしてシュガーマンファイルがある．

360 骨プロービング　こつ——
bone probing
➡ボーンサウンディング

361 骨補塡材　こつほてんざい
alloplastic material
➡骨移植材

362 骨膜剝離子　こつまくはくりし
periosteum elevator
〔類義語・関連語〕粘膜剝離子
　外科手術の際，骨膜を骨面から剝離し，**全層弁（粘膜骨膜弁）**の形成に用いる先端が鋭利な器具．先端の形態が異なる種々の剝離子がある．

363 骨膜縫合　こつまくほうごう
periosteal suture
　部分層弁（粘膜弁）の剝離を行った後，部分層弁を骨膜と**縫合**し固定する縫合法．**歯肉弁根尖側移動術**などで部分層弁を根尖側に移動させた後，骨膜縫合によって固定する．骨膜を確実に縫合することで死腔，内反を防ぐ．

364 骨密度　こつみつど
bone density
〔同義語〕bone mineral density
　骨の強さを示す指標．g/cm^{2}の単位で示される．評価方法には，エックス線画像による判定からmicrodensitmetry（MD）法，quantitated computed tomography（QCT）法などがある．全身の骨密度減少と口腔の骨密度減少の関連性は現在のところ明確でない．**インプラント体**埋入部位の骨密度は，埋入結果に影響する．

365 骨誘導　こつゆうどう
osteoinduction, bone induction
　移植材中の**増殖因子**が**未分化間葉系細胞**に作用して前骨芽細胞あるいは**骨芽細胞**に分化を促し，新生骨の形成を促進あるいは誘導すること．
▶骨形成タンパク質，骨伝導

366 骨隆起　こつりゅうき
bone torus
〔類義語・関連語〕外骨症
　骨が非腫瘍性に局所的に過剰発育したことにより生じた膨隆．顎骨では，主に下顎小臼歯部舌側の**歯槽骨**部に対称性に発生する下顎隆起や，硬口蓋正中部に発生する口蓋隆起などがある．**ブラキシズム**が関連することがある．**修復・補綴治療**の障害となる場合は，**骨整形術**を行う．

367 固定　こてい
splint, fixation, anchorage
　歯周炎，脱臼，歯根破折などにより**歯周組織**が損傷を受けた動揺歯を，正常な隣接歯と連結して安定を図ること．固定様式によって，**外側性固定**，**内側性固定**に分かれる．また，可撤式，固定式がある．固定期間や目的によって，**暫間固定**，**永久固定**，プロビジョナル固定にも分類される．

368 固定装置　こていそうち
fixed appliance
　動揺歯を**固定**するための装置．暫間固定装置と永久固定装置がある．固定式と可撤式に分類される．
▶クロスアーチスプリント

369 固定縫合　こていほうごう
anchor suture
　Morris（1965）により提唱された**歯間乳頭を固定**する縫合法．縫合部から離れた歯に固定源を求める方法で，固定する頰側歯肉に隣接する歯間部および舌側歯肉が**縫合**できない場合に用いる．方法は，頰側歯肉に針を通した後，歯間を通し舌側から1歯離れた歯の歯頸部を一周し，再び同歯間を通して縫合する．

370 コホート研究　——けんきゅう
cohort study
　同じ職業，同じ世代など何らかの共通特性を持った集団（コホート）を追跡して，その集団から発生する疾病や死亡を観察し，発生した疾病（死亡）と要因との関連を明らかにする**疫学的研究方法**の一つ．追跡開始から一定期間観察する**前向き研究**と，過去にさかのぼって調査する**後向き研究**がある．

371 固有歯槽骨　こゆうしそうこつ
cribriform plate
〔同義語〕篩状板
　歯槽の内壁を形成する薄い篩状の骨板．層板骨と，シャーピー線維を埋入している線維束骨からなり，歯を直接支持している部分である．エックス線画像で，**歯槽硬線**として認められる．
▶支持歯槽骨

372 コラーゲンスポンジ
collagen sponge
　天然コラーゲン，動物（ウシ・ブタ）由来Ⅰ型アテロコラーゲンを処理して作製されたスポンジと，化学的に合成した高分子で，天然のコラーゲンに類似した性質をもつポリペプチドから作製されたスポンジとがある．通常，物理的強度，生体内安定性に

優れた線維化アテロコラーゲンと，生体内で分解吸収しやすい熱変性アテロコラーゲンからなる．ポリエチレンテレフタレート繊維を入れて補強されたコラーゲンスポンジも市販されている．創傷の被覆や再生療法における細胞の**足場**などに用いられる．

373 コラーゲン線維　——せんい
　　　　collagen fiber
〔同義語〕膠原線維

　人体のタンパク質の3割を占め，結合組織，骨，象牙質など生体内に最も普遍的に存在する太さ1〜10 nmの結合組織線維．歯肉固有層では結合組織のおよそ56%がコラーゲン線維である．Gly-X-Yの繰り返し構造を有するペプチドが三重らせんを形成し，**コラゲナーゼ**により分解される．

374 コラーゲン膜　——まく
　　　　collagen membrane
　➡アテロコラーゲン膜

375 コラゲナーゼ
　　　　collagenase

　コラーゲンを特異的に分解するメタロプロテアーゼの総称．動物性コラゲナーゼは，三本鎖のままN末端側から3/4の位置で切断する．細菌性コラゲナーゼは，グリシン残基のN末端側のペプチド結合を加水分解し，Gly-X-Yのペプチド断片を生成する．間質型コラゲナーゼ，好中球コラゲナーゼ，コラゲナーゼ3と歯周組織破壊との関連が示されている．

　▶マトリックスメタロプロテアーゼ

376 コル（歯間乳頭の）
　　　　col
〔同義語〕鞍部（歯間乳頭の）

　歯間乳頭部は唇（頬）舌的にみると，唇（頬）側と舌側にピラミッド型に高く突出し，**接触点**下の中間部がへこんだ鞍状を形成している．この部分をコルという．コル部の上皮は非角化であり，**プラーク**の刺激に対する抵抗性が低いため，この部分から**歯周病**の初期変化が起こりやすい．

377 根間中隔　こんかんちゅうかく
　　　　interradicular septum
〔類義語・関連語〕槽間中隔

　上下顎の多（複）根歯の歯根間部分を満たす**歯槽骨**の部分．歯周病がこの部位に進行すると**根分岐部病変**を形成する．

378 根間突起　こんかんとっき
　　　　interradicular projection
　➡エナメル突起

379 根尖性インプラント周囲炎
　　　　こんせんせい——しゅういえん
　　　　periapical peri-implantitis
〔同義語〕逆行性インプラント周囲炎
〔類義語・関連語〕インプラント周囲炎

　エックス線画像において，インプラントの根尖側先端部に透過像が認められる疾患．インプラント周囲粘膜に，発赤，腫脹，**排膿**，あるいは膿瘍形成を伴う場合もある．一般的にはインプラント埋入後8週間以内に発症し，その多くは隣在歯あるいはインプラント埋入前の**根尖性歯周炎**が関連しているとされている．

380 根尖性歯周炎　こんせんせいししゅうえん
　　　　apical periodontitis

　根尖部歯周組織の炎症性変化を主体とした病変．その大半は根管を経由した物理化学的刺激や細菌性刺激（感染）が根尖孔を経て根尖周囲組織に波及することによって生じる．とくに感染根管に起因するものが多い．治療は感染根管治療を行う．
　▶辺縁性歯周炎

381 コンタクトエリア
　　　　contact area
〔同義語〕接触域

　隣接する2歯が近心面もしくは遠心面で接触している領域．コンタクトエリアの条件としては，緊密，点状，滑沢な接触となるようにすることが望ましい（Pichlerの3条件）．また，健康歯周組織の場合，歯槽骨頂から5 mm以内にコンタクトエリアを設定すれば，審美的に問題がないとされている．

382 コンタクトゲージ
　　　　contact gauge

　歯間離解度（隣接歯間の接触強さ）を検査するための金属製器具．一般的に50, 110, 150 μmの厚さの金属板が**接触点**を通過するかどうかで接触強さを調べる．110 μm以上の接触強さの場合，**食片圧入**が生じやすく，50〜110 μmの接触強さが望ましい．

383 コンプライアンス
　　　　compliance
〔類義語・関連語〕アドヒアランス，インフォームドコンセント

　患者が医療者側の提示した治療方針を理解して受け入れ，治療上必要とされる指示や自己管理などを

守り，実践すること．すなわち，患者の治療に対する協力度をいう．**歯周治療においては口腔衛生指導**に則った**セルフケア（プラークコントロール）の実行**，定期的な**メインテナンス**の受診など治療の進行や**再発**の**予防**にコンプライアンスの獲得は不可欠である．

384 根分岐部円蓋　こんぶんきぶえんがい
furcation fornix
根分岐部のアーチ状の頂部．

385 根分岐部形態修正
こんぶんきぶけいたいしゅうせい
furcation plasty, furcaplasty
➡ファーケーションプラスティ

386 根分岐部病変　こんぶんきぶびょうへん
furcation involvement
〔同義語〕分岐部病変

歯周病や歯髄疾患による病変が多（複）根歯の**根間中隔**に波及した状態．上顎の大臼歯や小臼歯，下顎の大臼歯にみられ，2根分岐部の病変と3根分岐部の病変がある．進行程度によって臨床的分類があり，治療法が異なる．治療として，**ファーケーションプラスティ**，**トンネリング**，**歯根切除**，**歯根分離**，**ヘミセクション**，フラップ手術，GTR法，エナメルマトリックスタンパク質を応用した方法などを適用する．
▶Glickmanの根分岐部病変分類，Hampらの根分岐部病変分類，LindheとNymanの根分岐部病変分類，TarnowとFletcherの根分岐部病変分類

387 根面齲蝕　こんめんうしょく
root caries
歯肉退縮により露出した歯根面に発生する齲蝕．通常は**セメント質**の表層から脱灰と基質の崩壊が始まる．歯根面はエナメル質よりも耐酸性が低く，露出歯根面は齲蝕になりやすい．

388 根面溝　こんめんこう
groove of the root
歯の形態異常の一種．上顎前歯（とくに側切歯）の口蓋側，上顎小臼歯隣接面部などにみられる歯頸部から根尖部に向かって伸びる歯根面の溝をいう．発生学的には歯根の癒合不全である．根面溝はプラークを蓄積しやすいため溝に沿って**歯周ポケット**が形成されやすく，また深化しやすい．
▶口蓋裂溝

389 根面被覆術　こんめんひふくじゅつ
root coverage
部分的に**歯肉退縮**が生じ，露出した歯根面を**歯肉**で被覆するために行う外科手術．審美性の回復以外に歯肉退縮の防止，予防，**プラークコントロール**を容易にするなどの目的がある．術式には**有茎弁歯肉移植術**，**結合組織移植術**，**遊離歯肉移植術**，GTR法などがある．

さ

390 サージカルテンプレート
surgical template
〔同義語〕外科用ガイドプレート，外科用テンプレート，サージカルガイド

インプラント体の理想的な埋入位置と配置をもとに作成したプレート（ガイド）．インプラント体埋入時に使用する．骨支持型，歯牙支持型，粘膜支持型があり，欠損部位の状況によって使い分ける．

391 細菌感染　さいきんかんせん
bacterial infection
細菌が生体内に侵入して増殖した結果生じる宿主内での病的変化．歯科の二大疾患である**歯周病**と**齲蝕**は，ともに細菌感染性の疾患である．

392 細菌検査　さいきんけんさ
bacterial test
〔類義語・関連語〕微生物検査

細菌を検出するための検査．歯周病診断・治療方針決定のために行われる．**歯周病原細菌**の検査法として，塗抹標本を暗視野顕微鏡あるいは**位相差顕微鏡**により観察する方法，細菌培養による方法，酵素反応を測定する方法，DNAプローブを用いる方法，**ポリメラーゼチェーンリアクション（PCR）（法）**を利用する方法などがある．

393 細菌性プラーク　さいきんせい──
bacterial plaque
➡プラーク

394 細菌叢　さいきんそう
bacterial flora
〔類義語・関連語〕バイオフィルム，デンタルプラーク，プラーク

皮膚や粘膜に常在する細菌の集団．細菌叢は一定の菌叢成立後では外来菌の定着を許さず，拮抗作用を示す．口腔内は微生物の増殖条件を満たす環境であるため，口腔細菌叢は他の常在菌叢と比較してき

きわめて多様な様相を呈する．最近では微生物叢（microbiome：マイクロバイオーム）と表現されることが多い．

395 細菌特異的抗体　さいきんとくいてきこうたい
bacteria-specific antibody

細菌特異的に結合する構造を有する**抗体**．一般に**歯周病**の重症度と**歯周病原細菌**に対する抗体価は比例する傾向にある．
▶血清抗体価検査

396 最終糖化産物　さいしゅうとうかさんぶつ
advanced glycation end product
〔同義語〕AGE

血液中のヘモグロビンとブドウ糖が反応して生成される最終産物．アミノ基と還元糖のアルデヒド基が反応し，シッフ塩基，アマドリ転位生成物を経由して，脱水，酸化，縮合などを経て形成される．網膜症，腎症，神経障害，動脈硬化症，老化，**歯周病**などとの関連が指摘されており，近年では**糖尿病**の合併症の成因の一つと考えられている．

397 最小発育阻止濃度　さいしょうはついくそしのうど
minimum inhibitory concentration
〔同義語〕MIC
〔類義語・関連語〕最小殺菌濃度

抗菌薬に対する細菌の**感受性**を示す数値．通常，段階的に希釈した薬剤含有培地に被験菌を接種し，一定時間後，肉眼で完全に細菌の発育を阻止した薬剤の最小濃度である．最小発育阻止濃度は**抗菌薬感受性試験**によって示される．

398 再植術（歯の）　さいしょくじゅつ
tooth replantation

脱落した歯を元の歯槽窩に戻して機能の維持を図る治療法．外傷などにより脱落した場合と意図的に抜歯し再植する場合がある．再植歯の予後不良例の多くは歯根の外部吸収に起因するため，**歯根膜**や**セメント質**の活性を保ち，迅速に処置することが必要とされる．

399 再生（歯周組織の）　さいせい
（periodontal）regeneration

喪失組織や損傷組織が，以前と同様の組織で再構成および再構築され機能する機転．**歯周組織**の再生とは，失われた歯周組織，すなわち**歯槽骨**，**歯根膜**，**セメント質**，**歯肉**が再生することをいう．

400 サイトカイン
cytokine
〔類義語・関連語〕炎症性メディエーター，炎症性サイトカイン，ケモカイン，アディポサイトカイン

各種細胞から分泌され，細胞間のシグナル伝達を媒介するタンパク質性因子の総称．標的細胞の受容体に結合し，細胞内活性化機構を発現させ，免疫応答の制御，細胞の増殖・分化の調節などの作用を示す．インターロイキン，インターフェロン，腫瘍壊死因子，種々の増殖因子などが相当する．

401 サイナストラクト
sinus tract
〔類義語・関連語〕フィステル，瘻孔

閉鎖した感染領域から上皮表面への排膿路．口腔内または口腔外にできる開口部より，内圧が放出され形成される．サイナストラクトの例として，**歯周膿瘍**などの歯周病変や根尖膿瘍などの歯内病変が原因で**歯肉**や粘膜に排膿路の開口部がある場合などがあげられる．通常，原因因子の除去により自然に消失する．

402 再発（歯周炎の）　さいはつ
recurrence of periodontitis

歯周治療により**治癒**した後，またはメインテナンス期に入った**歯周炎**が再び発症すること．原因として患者の**コンプライアンス**の低下，**プラークコントロール**の不良，**歯石**の再沈着，不適切な補綴・修復処置，全身的な**宿主因子**の存在などがあげられる．一般的には**歯周ポケット**の深化，**動揺度**の増加，**プロービング時の出血**の増加，**アタッチメントロス**や**歯槽骨吸収**の増加などが生じる．

403 再発性歯周炎　さいはつせいししゅうえん
recurrent periodontitis

歯周治療後，**治癒**した後，またはメインテナンス期の患者に再び発症した**歯周炎**．原因を分析し，口腔衛生指導，**スケーリング・ルートプレーニング**などの歯周治療を再び行う．

404 再評価　さいひょうか
re-evaluation
〔同義語〕再評価検査

歯周治療の各ステージ後に行われる検査．**歯周基本治療**後，**歯周外科治療**後，**口腔機能回復治療**後，メインテナンス・SPTの際に，治療結果についての検査を行い，患者の**コンプライアンス**や治療の達成度を総合的に評価し，治療計画を見直す．

405 再付着　さいふちゃく
reattachment

切開または外傷によって健全な歯根面から離断された歯肉結合組織が，再び歯根面に付着すること．
▶新付着

406 細胞外マトリックス　さいぼうがい――
extracellular matrix

〔同義語〕細胞外基質，ECM，**細胞間基質**，細胞間マトリックス

細胞の外側に存在する安定な生体構造物で，細胞が合成し，細胞外に分泌・蓄積した生体高分子の複合体．細胞膜成分は含まない．結合組織に多くみられ，基底膜も細胞外マトリックスの一種である．細胞接着，細胞骨格の配向，細胞形態，細胞移動，細胞増殖，細胞内代謝，細胞分化を細胞外から調節している．

407 細胞間基質　さいぼうかんきしつ
intercellular matrix
➡細胞外マトリックス

408 細胞性セメント質　さいぼうせい――しつ
cellular cementum
〔同義語〕有細胞セメント質
➡セメント質

409 擦過傷（ブラッシングによる）　さっかしょう
sliding abrasion (by brushing)

ブラッシング時に歯ブラシの毛先が歯肉を擦過することでできる傷．強い力で横みがきを行ったり，歯ブラシの毛先の一部が飛び出ていたりすることで生じる．

410 刷掃法　さっそうほう
tooth brushing method
➡ブラッシング法

411 サドルグラフト
saddle graft

欠損の大きな**歯槽堤**を増大させるため自家骨を鞍（サドル）状に**固定**する外科処置．歯槽堤頂部および唇頬側部の高さや幅を増大させる．

412 サブジンジバルカントゥア
subgingival contour
〔同義語〕歯肉縁下カントゥア

歯肉縁下における歯冠形態の外形．補綴装置のマージンを歯肉縁下に設定した際，歯肉縁上カントゥア（スープラジンジバルカントゥア）との移行部（エマージェンスプロファイル）を考慮することによって，より審美性に優れた歯冠形態を付与することができる．

413 サブトラクション法　――ほう
subtraction method

エックス線写真ネガ画像から作製したポジ画像とネガ画像をシャーカステン上で重ね合わせ，互いのフィルムを少しずつずらし，サブトラクション効果（立体感）が最も強く出現する位置で画像を観察する方法．デジタル画像では**歯槽骨吸収**の程度を強調するために，同一被写体の現在と過去の2枚の画像に対して演算処理を行い，経時的な変化の比較情報を得る画像処理法のことをいう．

414 サポーティブインプラントセラピー
supportive implant therapy

〔同義語〕サポーティブインプラントトリートメント，サポーティブポストインプラントセラピー，インプラントのメインテナンス

〔類義語・関連語〕サポーティブペリオドンタルセラピー

インプラント治療後に，インプラント周囲疾患を予防し，インプラントを長期間維持するために行われるメインテナンスプログラム．定期的なリコール時に，インプラント周囲組織を検査後，プラークコントロールを確認し，必要に応じて機械的なクリーニングなどを行う．

415 サポーティブ治療　――ちりょう
supportive therapy
➡サポーティブペリオドンタルセラピー

416 サポーティブペリオドンタルセラピー
supportive periodontal therapy

〔同義語〕SPT，サポーティブペリオドンタルトリートメント，**サポーティブ治療**，サポーティブセラピー，歯周サポート治療

〔類義語・関連語〕メインテナンス

歯周基本治療，歯周外科治療，口腔機能回復治療（修復・補綴治療）により**病状安定**となった**歯周組織**を維持するための治療．治療内容として，口腔衛生指導，**プロフェッショナルメカニカルトゥースクリーニング（PMTC）**，歯周ポケット内洗浄，スケーリング，ルートプレーニング，**咬合調整**などが主体となる．

417 暫間固定　ざんかんこてい
temporary splint
〔類義語・関連語〕永久固定

歯周病により生じた動揺歯を一時的に隣在歯と連結することにより**歯周組織の安静**および咬合の安定を図る処置法．歯の動揺や移動の防止，咬合力の多数歯への分散，**二次性咬合性外傷**の改善，**食片圧入**の防止，咬合回復，歯周組織の安静，**歯周治療**の操作を容易にするなどの目的で行われる．歯の保存の可否を判定する場合にも適応される．固定源により**外側性固定**と**内側性固定**に大別され，さらに外側性固定は可撤式と固定式に分類される．

418 暫間修復・補綴装置　ざんかんしゅうふくほてつそうち
provisional restoration
➡プロビジョナルレストレーション

419 三次予防　さんじよぼう
tertiary prevention
疾病の再発や重症化の防止，リハビリテーションを行うこと．**口腔機能回復治療，メインテナンス・SPT**が含まれ，**歯周病**の進行を抑制するとともに機能低下を最小限に抑制し回復をはかる．

し

420 CRP　しーあーるぴー
C-reactive protein
〔同義語〕C反応性タンパク質
肺炎球菌の莢膜のC多糖体と反応する血清中のβグロブリン．正常の場合，5μg/mL以下．組織破壊を伴う炎症疾患が存在する場合に増加が認められる急性期反応性物質の一種．分子量は約130,000で5個のペプチドが繰り返されている．C多糖体が結合する部位はホスホリルコリン基で，生物活性は補体の活性化，好中球の刺激などがある．

421 CT　しーてぃー
computed tomography
人体組織を通り抜けたエックス線ビームを様々な検出器で記録し，そのデータをコンピュータで画像再構成する断層写真撮影法．ファンビーム方式による医科用CTとコーンビーム方式による歯科用CT（cone-beam CT；**CBCT**）がある．歯科用CTは照射野を狭くしているため，医科用CTに比較し撮影時間が短く，被曝線量が低い（1/100程度）．歯内治療，**歯周治療**，インプラント治療などの診断に必要な情報を正確に得ることができる．

422 GTR法　じーてぃーあーるほう
guided tissue regeneration method
〔同義語〕組織再生誘導法，歯周組織再生誘導法
GTR膜（非吸収性膜または吸収性膜）を用いて，上皮細胞の根尖側方向への移動を阻止し，歯根膜組織由来の細胞を歯根面へ誘導することで**新付着**を形成する手術法．本術式により歯根膜由来細胞が歯根面へ誘導され，**細胞性セメント質**を伴う**結合組織性付着**が得られると考えられる．

423 GTR膜　じーてぃーあーるまく
barrier membrane
〔同義語〕GTRメンブレン
〔類義語・関連語〕誘導膜，遮蔽膜，保護膜，バリアメンブレン，生体親和性膜
GTR法や**GBR法**で用いられる保護膜．**非吸収性膜**と**吸収性膜**に大別される．非吸収性膜の代表的なものには，ePTFE膜（**延伸ポリテトラフルオロエチレン膜**）があり，吸収性膜には，合成高分子膜や**コラーゲン膜**がある．非吸収性膜は，膜の除去のための**二次手術**が必要となるが，新生組織を明視野下で確認できる．吸収性膜は二次手術を必要としないため，近年，非吸収性膜の使用頻度は減少している．

424 Seibertの分類　しーばーと——ぶんるい
Seibert's classification
Seibert（1983）が提唱した歯の欠損部位の歯槽骨形態の分類．クラスⅠ：頰舌的な骨量の不足（水平的骨吸収）．クラスⅡ：歯槽骨頂部の骨量の不足（垂直的骨吸収）．クラスⅢ：水平的ならびに垂直的な**骨吸収**．

425 GBR法　じーびーあーるほう
guided bone regeneration method
〔同義語〕骨再生誘導法
GTR膜を無歯顎堤部の骨欠損部に応用し，骨の**再生**を目的とした方法．骨欠損部に対して上皮組織および歯肉結合組織の侵入を防ぎ，骨組織のみの誘導を促すための**スペースメイキング**を施す．新生骨の形成には3〜6か月を必要とする．

426 CPI　しーぴーあい
community periodontal index
〔同義語〕地域歯周疾患指数
〔類義語・関連語〕CPITN
集団における**歯周病**の実態を把握する指数．1982年にWHOとFDIの提言により**歯周治療**の必要性を評価するためCPITN（community periodontal index of treatment needs）が発表されたが，1997年に治療の必要性は測れないとの見解からCPIとなった．

歯肉出血，歯石，歯周ポケットの3指標により，歯周組織の健康状態をWHOプローブを用いて評価する．上下顎別に前歯部と左右臼歯部の6歯群に区分して検査する方法と，指定された10歯を対象に検査する方法とがある．

427 CPI modified　しーぴーあいもでぃふぁいど
community periodontal index modified

2013年にWHOによって改変されたCPI．従来のCPIと違い，歯石の検査はなくなり，gingival bleeding scoresとpocket scoresに分けて測定し，代表歯ではアタッチメントロスの測定も加わった．

428 CBCT　しーびーしーてぃー
cone-beam CT
➡ CT

429 歯科衛生ケアプロセス　しかえいせい──
dental hygiene process of care
〔同義語〕歯科衛生過程
〔類義語・関連語〕歯科衛生ケア

歯科衛生士の臨床の基盤となるもので，科学的かつ実践的な問題解決過程の「アセスメント，歯科衛生診断，計画立案，実施，評価」の5段階で構成．歯科衛生士が根拠あるケアを実践するために必要とされる．

430 自家骨移植　じかこついしょく
autogenous graft

移植骨の供給側と受容側とが同一個体である場合の骨移植法．移植免疫による拒絶反応がなく，骨形成能，骨誘導能，骨伝導能を有し，広く臨床で行われている．供給側は口腔内外があるが，口腔内が主流となっている．欠点として供給側への外科的侵襲と骨採取量に制限があることがあげられる．
▶骨移植術（歯周病の）

431 歯科疾患実態調査　しかしっかんじったいちょうさ
survey of dental diseases

5年ごとに実施される全国から抽出された国民を対象とした国の調査統計（平成23年同調査までは6年ごとに実施）．歯科疾患実態調査から得られた歯や口に関する実態は，歯科口腔保健の推進に関する基本的事項および健康日本21（第二次）において設定した目標の評価など，今後の歯科保健医療対策を推進するための基礎資料などとして広く活用され，国民が健康で質の高い生活を営むために役立てられる．

432 歯冠形態修正　しかんけいたいしゅうせい
occlusal reshaping
〔同義語〕歯冠形態修復

外傷性咬合による破壊的咬合力の除去および分散，咀嚼機能や審美性の回復，咬頭ならびに隆線の形態を修正する目的で行う処置．前歯では，水平的切縁を得るために唇舌的彎曲の削合調整を行い，臼歯では，辺縁隆線や歯冠の頬舌径，咬頭斜面あるいは咬頭頂を修正するために削合調整を行う．
▶咬合調整

433 歯間鼓形空隙　しかんこけいくうげき
embrasure
〔同義語〕鼓形空隙

隣接面接触点を中心に形成される歯と歯の間の鼓型の空隙．咬合面側からみて接触点を中心に頬側と舌側に形成される空隙と，唇（頬）側面側からみて接触点を中心に咬合面側（上部）と歯頸側（下部）に形成される空隙がある．鼓形空隙の大きさや形状は，歯間部の自浄性や食片圧入などに影響を与える．
▶ブラックトライアングル

434 歯間刺激子　しかんしげきし
interdental stimulator
〔同義語〕インターデンタルスティムレーター

歯間清掃用具の一つ．主に歯間乳頭のマッサージや刺激を目的としているが，食物残渣やプラークの除去にも使用されることがある．歯間刺激子にはウエッジ，ラバーチップがある．プラーク除去効果は低い．
▶口腔清掃指導

435 歯冠歯根比　しかんしこんひ
crown-root ratio
〔同義語〕歯冠歯根長比，CR比

解剖学的には，歯の長軸方向における解剖学的歯冠と歯根との長さの比．臨床的には，歯槽窩外の部分の歯冠と歯槽窩内の歯根の長さの比をいう．一般に後者をさすことが多いが，区別するため臨床的歯冠歯根比とよぶこともある．支台歯の荷重に対する負担能力と密接な関連がある．

436 歯間水平線維　しかんすいへいせんい
transseptal fiber

歯肉にみられる線維の一つ．隣在歯の歯頸部セメント質間を結んでいる線維．

437 歯間清掃用具　しかんせいそうようぐ
interdental instrument

歯間部の清掃に用いる用具．種類としては，デン

タルフロス，歯間ブラシ，歯間刺激子などがあげられる．
▶口腔清掃指導

438 歯冠長延長術　しかんちょうえんちょうじゅつ
crown lengthening procedure
〔同義語〕歯冠延長術，臨床的歯冠長延長術

　十分な臨床的歯冠長を獲得するために行われる手術法．歯冠側に延長させる方法と根尖側に延長させる方法がある．歯冠側に延長させる方法には，補綴的に延長させる方法，矯正的に挺出させる方法がある．根尖側に延長させる方法は，歯肉切除術，フラップ手術，歯肉弁根尖側移動術，骨切除術などの歯周外科処置により骨組織や軟組織を減少させる．生物学的幅径を保つことが重要である．

439 歯間乳頭　しかんにゅうとう
interdental papilla
〔同義語〕乳頭歯肉，歯間乳頭歯肉，歯間部歯肉

　唇（頬）側からみた際の両隣接面の接触点の下方にある三角形の歯肉．すなわち歯間鼓形空隙を埋めている歯間部の歯肉．歯間乳頭は，歯の隣接面の幅，接触点の位置，歯間部の骨形態などにより形態が異なる．

440 歯間乳頭再建法　しかんにゅうとうさいけんほう
reconstruction of interdental papilla
〔同義語〕乳頭形成術

　歯周病の進行に伴い喪失した歯間乳頭の形態を再建する治療法．主に結合組織の移植などが行われている．
▶審美歯周外科治療

441 歯間乳頭保存フラップ手術　しかんにゅうとうほぞん——しゅじゅつ
papilla preservation flap surgery
➡パピラプリザベーションフラップ手術

442 歯冠破折　しかんはせつ
tooth crown fracture

　歯の破折（フラクチャー）が歯冠部に限局しているもの．①エナメル質に限局した破折，②歯髄の露出を伴わない象牙質に至る破折，③歯髄の露出を伴う破折に分けられる．
▶歯根破折

443 歯間ブラシ　しかん——
interdental brush
〔同義語〕インターデンタルブラシ，歯間清掃ブラシ

接触点下の歯間部隣接面の清掃用具の一つ．中心のワイヤーからブラシが放射状に配列されている．一般にブラシ部分が円錐型のものが多い．太さには数種類のサイズがあり，歯間鼓形空隙の大きさに合わせて使い分けることが望ましい．
▶口腔清掃指導

444 歯間縫合　しかんほうごう
interdental suture

　歯間部の縫合法．一般的に断続縫合と8の字縫合とがある．断続縫合は，縫合糸がループ状を呈し，頻繁に応用される縫合法である．

445 歯冠豊隆形態　しかんほうりゅうけいたい
contour
➡カントゥア

446 歯間離開　しかんりかい
interdental separation

　病的または物理的な外力により歯が移動し，歯間に間隙が生じること．病的なものとして歯周病の進行により歯間離開が生じる．進行した歯周炎では前歯部にフレアーアウトを起こすことがある．矯正治療や修復治療時に治療の一環として行われる物理的な外力を用いた歯間分離とは異なる．
▶正中離開

447 色素沈着（歯肉の）　しきそちんちゃく
pigmentation（gingival）
〔類義語・関連語〕メラノプラキア

　歯肉にみられる色調の変化．上皮の基底細胞層に散在するメラノサイトで生合成されたメラニン色素の沈着により黒褐色を呈することがあり，先天性のものと喫煙による影響のものとがある．また，金属製の修復・補綴装置から漏出した金属イオンが歯肉組織内に定着し黒褐色の変化がみられることがある．

448 ジグリングフォース
jiggling force
〔同義語〕反復性外傷力

　咬合力が一方向からだけではなく，その反対方向からも交互に働くことによって生じる揺さぶりの力．このような力が加わると，歯根の回転中心より歯冠側部と根尖側部それぞれに対して交互に牽引側と圧迫側が生じる．その結果，歯根膜腔の拡大や骨縁下欠損，骨縁下ポケットの形成につながると考えられている．
▶ロート状骨欠損

449 シクロスポリンA ——えー
cyclosporin A

環状ポリペプチドで11個のアミノ酸からなる疎水性の中性物質．主成分であるAが強い免疫抑制作用を有し，腎臓，骨髄などの各種臓器移植時の拒否反応を抑制する．副作用の一つとして，**歯肉増殖症**がみられることがある．その発症率は25～30%とされている．

450 歯頸部知覚過敏　しけいぶちかくかびん
cervical hypersensitivity
➡象牙質知覚過敏

451 刺激層　しげきそう
zone of irritation

辺縁歯肉および歯間部歯肉からなる領域．Glickman (1962) は咬合と**歯周病**との関係を説明するために**歯周組織**を刺激層と共同破壊層に分けている．刺激層は，プラークなどによって**歯肉炎**から始まり**歯周ポケット**が形成されるところであるが，**咬合性外傷**の影響を受けないとされている．

452 自己暗示法　じこあんじほう
autosuggestion method

心理療法の一種．自律訓練法の応用で，暗示により疾患あるいは様々な症状に対して反対の暗示を与え，症状を改善させる治療法．**ブラキシズム**に対する治療法の一つでもある．

453 歯垢　しこう
dental plaque
➡プラーク

454 歯垢指数　しこうしすう
debris index
➡プラーク指数

455 自己免疫疾患　じこめんえきしっかん
autoimmune disease

異物（非自己）に対する生体の防御機構としての免疫が，自己の細胞や組織に対して生じ，それを排除しようと自己抗体を作り，攻撃することによって様々な症状をきたす疾患の総称．代表的なものとして，**関節リウマチ**，Sjögren症候群，**全身性エリテマトーデス**などがある．歯周病原細菌の**病原因子**の一つである**リポ多糖**は，多クローン性にB細胞を活性化し自己反応性抗体を産生させる可能性があることなどから，**歯周病**と自己免疫疾患の関連性も指摘されている．

456 歯根吸収　しこんきゅうしゅう
root resorption

歯根の**セメント質**および象牙質の吸収．セメント質に接する単核または多核の破骨細胞様の細胞（破歯細胞）によって吸収される．歯根吸収は，一般的に歯の近心面および頰側面の根尖1/3に頻繁に認められる．また，歯根セメント質の吸収，添加は生理的現象として観察される．病的歯根吸収として，**外傷性咬合**や過度の矯正力による吸収，再植歯における吸収，**根尖性歯周炎**による吸収，囊胞・腫瘍による吸収などがある．

457 歯根近接　しこんきんせつ
root proximity
➡ルートプロキシミティ

458 歯根切除　しこんせつじょ
root resection

〔同義語〕根切除，ルートリセクション，歯根切断，ルートアンプテーション

〔類義語・関連語〕ヘミセクション，トライセクション，歯根分離，トンネリング

多（複）根歯の保存不可能な歯根を切断除去する治療法．根分岐部で歯冠とともに歯根を分割して除去する場合，3根の上顎大臼歯では**トライセクション**，2根の下顎大臼歯では**ヘミセクション**という．**根分岐部病変**が一つの根周囲に限局し，根尖近くまで波及している歯が適応である．また，予後不良な根尖病変や，根管壁の穿孔，歯根の垂直性破折が一部の歯根に存在する歯に対しても行われる．

459 歯根破折　しこんはせつ
root fracture, fracture of root

外力により歯根に起こる破折（フラクチャー）．歯根の破折は歯の長軸に対し水平方向に破折線が入る水平破折と，歯の長軸方向に沿って起こる垂直破折とがある．垂直破折は無髄歯に多く，破折線の周囲の**歯周組織**に細菌感染による炎症が生じ，**歯周ポケット**が深くなることがある．
▶歯冠破折

460 歯根分割抜去　しこんぶんかつばっきょ
hemisection, trisection
➡ヘミセクション，トライセクション

461 歯根分離　しこんぶんり
root separation

〔同義語〕ルートセパレーション，歯根分割

〔類義語・関連語〕歯根切除，ヘミセクション，トンネリング

根分岐部病変を除去するための処置法の一つ．歯内治療を行った後，歯冠を分割し，**槽間中隔部を掻爬**して歯根をそのまま保存する．一般に**歯根離開度**が大きい下顎大臼歯に行われ，LindheとNymanの**根分岐部病変分類**2度，3度が適応である．歯根分離後の補綴装置は，清掃器具の到達性が容易になるように根間を空ける．

462 歯根膜　しこんまく
periodontal ligament, periodontal membrane
〔同義語〕歯周靱帯

歯根と歯槽骨壁との間の空隙を満たし，両者を結びつける線維性結合組織．**コラーゲン線維**が主線維であり，一端が**セメント質**へ，他端は**歯槽骨**へ埋入されている**シャーピー線維**によって歯を歯槽骨に維持するとともに咬合力の緩衝作用がある．また触覚・圧覚などの機械感覚器官がある．歯根膜組織には，**未分化間葉系細胞**が存在し，**歯周組織の再生**に重要な役割を果たしている．

463 歯根膜腔　しこんまくくう
periodontal ligament space
〔同義語〕歯根膜隙，歯根膜空隙

歯根と歯槽との間の**歯根膜**が存在する部分．エックス線画像上では歯根と**歯槽硬線**の間に透過像として認められる．正常では**歯槽骨**と歯根の間の薄い透過性の線として認められるが，病的状態では拡大，消失がみられる．とくに歯槽骨頂部付近の歯根膜腔の拡大は，**咬合性外傷**の初期の所見であり，エックス線検査において重要である．

464 歯根膜-咬筋反射　しこんまくこうきんはんしゃ
periodontal masseteric reflex

軽くかみしめ閉口筋をわずかに活動させているとき，上顎中切歯をたたくか，周囲歯肉に電気刺激を与えると，咬筋に反射性の誘発筋電位が生じる現象．この反射の受容器は**歯根膜**にあると考えられている．

465 歯根膜細胞　しこんまくさいぼう
periodontal ligament cell

歯根膜に存在する**未分化間葉系細胞**，線維芽細胞の総称．広義には歯根膜に存在するセメント芽細胞，**骨芽細胞**，**破骨細胞**，血管内皮細胞を含むことがある．

466 歯根離開度　しこんりかいど
divergence of roots

多（複）根歯の歯根の離開の程度．歯根離開度は，根分岐部内への器具の到達性と**根分岐部病変**に対する歯根切除，歯根分離，ヘミセクション，トンネリングの適応を判断する目安となる．

467 支持歯槽骨　しじしそうこつ
supporting alveolar bone

歯槽骨の固有歯槽骨より外側を形成している部分．固有歯槽骨に隣接する骨髄内の海綿骨と，その外側に位置して**歯槽突起**の最外層をなす緻密な皮質骨より構成される．海綿骨は通常，上顎より下顎のほうが少ないが，上下顎ともに，前歯部では海綿骨が欠如し，皮質骨と固有歯槽骨が癒合していることが多い．一方，皮質骨は，歯槽骨頂で固有歯槽骨と連続している．また，皮質骨は一般に下顎が上顎より厚く，上下顎ともに前歯部より臼歯部のほうが厚い．

468 歯周医学　ししゅういがく
periodontal medicine
➡ペリオドンタルメディシン

469 歯周炎　ししゅうえん
periodontitis
〔類義語・関連語〕辺縁性歯周炎

上皮性付着の破壊により深部歯周組織に炎症が波及し，**アタッチメントロス**や**歯槽骨吸収**を生じた疾患．細菌因子，環境因子，宿主因子によって歯周炎の発症・進行が影響を受ける．日本歯周病学会分類（2006）では**慢性歯周炎**と**侵襲性歯周炎**，**遺伝疾患に伴う歯周炎**の3つに大別される．米国歯周病学会・欧州歯周病連盟分類（2018）では，**壊死性歯周疾患**，歯周炎，全身疾患の症候としての歯周炎に大別されている．
▶軽度歯周炎，中等度歯周炎，重度歯周炎，歯肉炎

470 歯周炎のグレード（の）分類
ししゅうえん——ぶんるい
periodontitis grade
〔類義語・関連語〕歯周炎のステージ（の）分類

2018年6月に，米国歯周病学会・欧州歯周病連盟より公表された分類．**歯周炎**の進行速度およびリスクを反映するものである．5年間の**骨吸収**，クリニカルアタッチメントロス（CAL）と骨吸収/年齢比，バイオフィルム量に対する破壊度，**喫煙**および**糖尿病**のコントロール状態を考慮し，分類する．

471 歯周炎のステージ（の）分類
ししゅうえん——ぶんるい
periodontitis stage
〔類義語・関連語〕歯周炎のグレード（の）分類

2018年6月に，米国歯周病学会・欧州歯周病連盟

より公表された分類．歯周炎の重症度を反映するものであり，患者のクリニカルアタッチメントロス（CAL）の最大値と骨吸収，喪失歯数および複雑性を基準にⅠ～Ⅳに分類する．それぞれのステージにおいて，病変の広がり（限局型・広汎型・切歯/臼歯型）についても記載する．

472 歯周基本検査　ししゅうきほんけんさ
periodontal initial examination

簡易型の歯周組織検査法．歯周治療に関する保険診療用語．1歯1点以上の歯周ポケット深さの測定および歯の動揺度の測定を行う．
▶歯周精密検査

473 歯周基本治療　ししゅうきほんちりょう
initial periodontal therapy, initial therapy, initial preparation

〔同義語〕イニシャルプレパレーション，初期治療

歯周病の病原因子を排除して歯周組織の病的炎症を改善し，その後の歯周治療の効果を高める基本的な原因除去治療．プラークコントロール，スケーリング，ルートプレーニング，プラークリテンションファクターの除去，咬合調整，暫間固定，不適合修復物の除去，保存不可能な歯の抜去などの処置が主体となる．

474 歯周-矯正治療　ししゅうきょうせいちりょう
perio-orthodontic treatment

〔類義語・関連語〕限局矯正，小矯正，MTM

歯周病患者を対象とした矯正治療．歯周病と歯列不正，不正咬合は密接な関係がある．したがって，歯周-矯正治療ではプラークコントロールを困難とする歯列不正，不正咬合などの炎症性修飾因子の除去，ならびに咬合性外傷を惹起する外傷性修飾因子の除去および改善を目的としている．また，審美障害，発音障害の改善も図る．
▶アップライト

475 歯周形成手術　ししゅうけいせいしゅじゅつ
periodontal plastic surgery

〔同義語〕ペリオドンタルプラスティックサージェリー，歯肉歯槽粘膜形成術，MGS，歯周形成外科手術

歯肉歯槽粘膜部位の形態異常を改善するための外科手術の総称．以前は，歯肉歯槽粘膜形成術とよばれていた．歯周病の治療と再発の防止，プラークコントロールの行いやすい環境の確保および審美性の改善のために行う．小帯の高位付着，歯肉退縮，口腔前庭の狭小，付着歯肉幅の不十分な部位に対して審美性および生理的形態を考慮して行う．小帯切除術，歯肉弁側方移動術，歯肉弁歯冠側移動術，歯肉弁根尖側移動術，遊離歯肉移植術，歯肉結合組織移植術などがある．
▶審美歯周外科治療

476 歯周外科治療　ししゅうげかちりょう
periodontal surgery, surgical periodontal therapy

歯周組織の異常を改善するために行われる外科手術の総称．一般的に歯周基本治療後，深い歯周ポケットが残存する場合，解剖学的な形態異常によりプラークコントロールの不良や歯周炎の再発が起こりやすい場合，修復・補綴装置の装着を妨げる解剖学的形態異常などが認められる場合などに，その改善を目的として行われる．組織付着療法，切除療法，歯周組織再生療法と歯周形成手術に大別される．

477 歯周疾患　ししゅうしっかん
periodontal disease
➡歯周病

478 歯周疾患指数　ししゅうしっかんしすう
periodontal disease index

〔同義語〕PDI

Ramfjörd（1959）により考案された歯肉炎と歯周炎とを同時に評価する指数．特定6歯（16，21，24，36，41，44：Ramfjördの6歯）のそれぞれに対して0～6の評価を与え，合計したものを被検歯数で除したものを個人の歯周疾患指数とする．1～3の評価を歯肉炎，4～6の評価を歯周炎として表す．

479 歯周-歯内病変　ししゅうしないびょうへん
combined periodontic-endodontic lesions

〔同義語〕歯内-歯周病変

歯周，歯内各領域の疾患が，互いの領域に波及した病変．歯髄と歯周組織が根管側枝，髄管あるいは根尖孔で交通していることによって生じる．その主たる分類としてSimonら（1972）の分類やWeine（1996）の分類が多く引用されているが，その発症原因から以下の3つに分類することができる．クラスⅠ：歯内病変由来型．クラスⅡ：歯周病変由来型．クラスⅢ：歯周-歯内病変混合型．

480 歯周精密検査　ししゅうせいみつけんさ
periodontal comprehensive examination

歯周病の進行程度や原因を把握するための精密な歯周組織検査法．歯周治療に対する保険診療用語．1歯4点法以上のポケット深さの測定，プロービング時の出血の有無，歯の動揺度の測定およびプラークチャートを用いたプラークの付着状況を含めた検

査を行う．
▶歯周基本検査

481 歯周組織　ししゅうそしき
periodontal tissue, periodontium

歯肉，歯根膜，セメント質，歯槽骨から構成される組織の総称．歯の支持組織．

482 歯周組織検査　ししゅうそしきけんさ
periodontal tissue examination

〔同義語〕歯周病検査

歯周病の進行状態や原因を把握し診断と治療計画を立案するための検査．再評価時の検査は，歯周組織の反応の評価，治療計画の修正にも用いられる．歯肉の炎症状態の検査，ポケット深さの検査，アタッチメントレベルの検査，口腔衛生状態の検査，歯の動揺度の検査，エックス線画像による検査，根分岐部病変の検査などがある．

▶歯周基本検査，歯周精密検査

483 歯周組織再生誘導法
ししゅうそしきさいせいゆうどうほう

guided tissue regeneration method
➡ GTR 法

484 歯周組織再生療法
ししゅうそしきさいせいりょうほう

periodontal regenerative therapy

〔同義語〕再生療法

歯周病により失われた歯周組織を再生させるために行う治療法．歯周組織の再生治療は，骨移植術，GTR 法，エナメルマトリックスタンパク質を応用した方法（エムドゲイン®），塩基性線維芽細胞増殖因子（FGF-2）を使用した方法（リグロス®）などがあり，歯根膜，セメント質および歯槽骨の再生を伴った歯周組織の治癒が期待される．

485 歯周治療　ししゅうちりょう
periodontal therapy

歯周病（歯周疾患）の検査，診断，治療および予防に関する歯科治療．歯周治療の一般的な流れは，歯周組織検査，診断・治療計画，歯周基本治療，再評価（歯周組織検査），歯周外科治療，再評価，口腔機能回復治療，再評価，メインテナンス（またはサポーティブペリオドンタルセラピー）である．

486 歯周治療学　ししゅうちりょうがく
periodontics

歯の支持組織および周囲組織に生じる疾患の予防，診断，治療を考究し，その健康，口腔機能，審美の維持および回復を目的とする歯科医学の一分野．

487 歯周膿瘍　ししゅうのうよう
periodontal abscess

〔類義語・関連語〕急性歯周膿瘍

歯周組織内に発生した限局性の化膿性炎症により，局所の組織融解と膿の貯留を呈する状態．深い歯周ポケットが存在し，さらに歯周ポケット入口が閉鎖されて限局性の化膿性炎症が深部に存在している場合などに生じる．急性化した場合には，膿瘍部の切開・排膿，抗菌薬の投与などの治療が行われる．

▶歯肉膿瘍

488 歯周パック　ししゅう——
periodontal pack

〔同義語〕歯周包帯，サージカルパック，ペリオドンタルドレッシング

歯周外科治療後の創傷部を保護する包帯材．ユージノール系と非ユージノール系がある．術後出血の防止，術後の不快感・疼痛の緩和，感染の防止，象牙質知覚過敏の抑制，肉芽組織の過剰増殖の抑制，歯肉弁の固定，咀嚼中における外傷の防止などの目的で使用される．

489 歯周病　ししゅうびょう
periodontal diseases

〔同義語〕歯周疾患

歯周疾患ともよばれ，歯肉，セメント質，歯根膜および歯槽骨よりなる歯周組織に起こるすべての疾患．ただし，歯髄疾患の結果として起こる根尖性歯周炎，口内炎などの粘膜疾患および歯周組織を破壊する新生物（悪性腫瘍など）は含まない．歯周病の主なものは歯肉病変と歯周炎に大別される．この他非プラーク性歯肉病変，歯肉増殖症，壊死性歯周疾患，歯周組織の膿瘍，歯周-歯内病変，歯肉退縮および咬合性外傷が含まれる．

490 歯周病学　ししゅうびょうがく
periodontology

健常および異常の生じた歯の支持組織および周囲組織を科学的に考究する歯科医学の一分野．

491 歯周病活動性　ししゅうびょうかつどうせい
periodontal disease activity

〔同義語〕疾病活動性，歯周病活動度，疾病活動度

歯周病の進行速度あるいは歯周組織の破壊速度を表す指標．歯周病には組織破壊が進行する活動期と進行が休止する休止期があり，この両時期が交互に生じながら疾患が進行すると考えられている．この変化は，原因である細菌と宿主の抵抗因子とのバラ

492 歯周病感受性　ししゅうびょうかんじゅせい
susceptibility of periodontal diseases
〔同義語〕疾病感受性

歯周病に罹患しやすいかどうかの個体の体質．生体防御を含む免疫応答に関連した遺伝因子の関与が検討されている．

493 歯周病原細菌　ししゅうびょうげんさいきん
periodontopathic bacteria
〔同義語〕歯周病原性細菌，歯周病原菌，歯周病細菌
〔類義語・関連語〕歯周病関連細菌

歯周炎の発症あるいは進行に関与する細菌．歯周炎の活動部位に多く検出され，その細菌を排除すると歯周炎の進行が停止する．**慢性歯周炎**では，*Porphyromonas gingivalis*，*Tannerella forsythia*，*Treponema denticola* などが，侵襲性歯周炎あるいは若年性歯周炎では，*Aggregatibacter actinomycetemcomitans* などが検出されることが多い．

494 歯周病重症化予防治療　ししゅうびょうじゅうしょうかよぼうちりょう
preventive periodontal therapy
〔類義語・関連語〕サポーティブペリオドンタルセラピー，SPT，メインテナンス

歯周治療により**歯周ポケット**が4 mm未満に改善したが，歯肉に炎症または**プロービング時の出血**を認める場合に，歯周病の重症化を抑制するための継続的管理として行われる治療．口腔衛生指導，プロフェッショナルメカニカルトゥースクリーニング，スケーリングなどの治療が主体となる．2020年に日本歯科医学会より提案され，日本の保険診療に導入された．

495 歯周フェノタイプ　ししゅう――
periodontal phenotype
〔類義語・関連語〕バイオタイプ

歯肉フェノタイプ（歯肉の厚みと角化組織の幅）と頬側骨の厚み（骨形態型）を合わせた**歯周組織**の表現型．フェノタイプは遺伝的特徴と環境要因による多因子性の特徴であり，治療によって変化させることができる．歯肉の厚みは**歯周プローブ**などを用いて検査し，1 mm以下は薄く，1 mmを超えるものは厚いとする．角化組織幅は歯肉辺縁から**歯肉歯槽粘膜境**までの距離を測定する．骨形態型の計測はコーンビームCTによって可能であるが，必ずしも推奨されていない．薄いフェノタイプは**歯肉退縮**のリスクが高い．

496 歯周プローブ　ししゅう――
periodontal probe
〔同義語〕ポケットプローブ，プローブ，ポケット探針

歯肉溝やポケットの深さあるいは歯肉幅などを測定するための器具．目盛り部の断面形態は扁平，卵円形，円形などがある．円形ではおよそ直径0.4〜0.5 mmのものが多い．目盛りの刻みも1 mm刻みのもの，数mmごとに刻みのあるもの，判別しやすいように色分けしてあるもの（カラープローブ）などがある．プローブ圧が制御される**規格荷重プローブ**も開発されている．
▶ファーケーションプローブ

497 歯周包帯　ししゅうほうたい
periodontal dressing
➡歯周パック

498 歯周ポケット　ししゅう――
periodontal pocket
〔同義語〕真性ポケット

歯と歯肉の付着の破壊が生じ，**上皮性付着部**の位置が根尖側に移動して歯肉溝が深くなったもの．歯周炎にみられるポケット．ポケット底と骨頂の位置関係で骨縁上ポケットと骨縁下ポケットに分かれる．
▶歯肉ポケット，アタッチメントロス

499 歯周ポケット搔爬　ししゅう――そうは
periodontal curettage
〔同義語〕キュレッタージ，歯周ポケット搔爬術
〔類義語・関連語〕ルートプレーニング，デブライドメント

細菌，**歯石**，病的セメント質の除去などの歯根面の処置とともにポケット内の上皮，**肉芽組織**の**搔爬**（歯肉搔爬）を行う処置．比較的浅い骨縁上の歯周ポケットに有効であるが，歯周ポケットが深い場合に行うと歯肉組織の搔爬が不十分になりやすい．

500 歯周ポケット内洗浄　ししゅう――ないせんじょう
subgingival pocket irrigation
〔同義語〕ポケット内洗浄，ポケットイリゲーション，歯肉縁下イリゲーション

歯周ポケット内を薬液などを用いて直接洗浄し，ポケット内に浮遊する非付着性プラークの減少を図る治療法．先端を鈍化させた針を歯周ポケット内に挿入し，歯肉縁下細菌叢の最深部まで薬剤を到達させる．

501 歯周補綴　ししゅうほてつ
periodontal prosthetics

歯周炎の進行により生じた動揺歯や欠損歯を含む症例において行われる口腔機能回復のための補綴処置．処置にあたっては，支台歯，残存歯の**歯周組織**の維持を重視し，とくに清掃性の良好な形態や機能時に生じる応力の配分を考慮する必要がある．

502 思春期性歯肉炎　ししゅんきせいしにくえん
pubertal gingivitis

思春期にみられる**歯肉炎**．1989年の米国歯周病学会の分類による．**プラーク**が直接的な原因と考えられ，**プラーク単独性歯肉炎**と臨床所見が共通しているが，比較的少量のプラークの存在でも明白な**歯肉の炎症**が観察され，思春期前後であることがこの病変を特徴づける．性ホルモンの上昇がその進展に影響を与える．男女ともに発現する．
▶プラーク性歯肉炎，複雑性歯肉炎

503 思春期前歯周炎　ししゅんぜんししゅうえん
prepubertal periodontitis
➡前思春期性歯周炎

504 自浄作用　じじょうさよう
self-cleaning action

唾液，咀嚼時の摩擦，舌や頬唇の運動などで，歯の表面が自然に機械的に清掃されること．

505 歯小嚢　ししょうのう
dental follicle, dental sac
〔同義語〕歯嚢

発生初期において間葉細胞がエナメル器と歯乳頭を包む嚢状の結合組織．**歯胚**の構成要素の一つ．歯胚が帽状期に入ると明瞭になり，歯の萌出が始まるまでの期間認めることができる．歯小嚢の細胞は，歯胚が成長するにつれて，**骨芽細胞**，線維芽細胞，セメント芽細胞に分化し，それぞれ**歯槽骨**，**歯根膜**，**セメント質**を形成する．

506 歯石　しせき
dental calculus, tartar

プラークが石灰化したもの．歯肉辺縁より歯冠側にあるものを**歯肉縁上歯石**，根尖側にあるものを**歯肉縁下歯石**という．無機質が約90％，有機質が約10％で，リン酸カルシウムを主成分とし，その他には**ハイドロキシアパタイト**，リン酸オクタカルシウム，ウィットロカイト，ブルシャイトなどで構成される．**プラークリテンションファクター**として為害作用を有する．

507 歯石指数　しせきしすう
calculus index

口腔衛生指数（OHI）における歯石の付着を評価する指数．全顎を上下顎の前歯部と左右臼歯部（第三大臼歯を除く）に分割した各群の唇（頬）側および舌側において，歯石の付着状態を評価し，各群で最も高い値をその群の代表値とする（判定基準0：歯石の付着がない．1：**歯肉縁上歯石**が歯面1/3以下に付着．2：**歯肉縁上歯石**が歯面1/3〜2/3に付着，または**歯肉縁下歯石**が点状に付着．3：歯肉縁上歯石が歯面2/3以上に付着，または歯肉縁下歯石が帯状に付着）．各群の唇（頬）側点数と舌側点数の合計を被検群数で割り，歯石指数を求める．
▶プラーク指数

508 歯石除去　しせきじょきょ
scaling
➡スケーリング

509 自然免疫　しぜんめんえき
innate immunity
〔同義語〕非特異的免疫，先天免疫

感染初期の即時的な生体防御機能．**抗体**やT細胞は関与せず，好中球などの顆粒球，マクロファージがその中心的な役割を果たす．動物の細胞表面にある受容体タンパク質（Toll様受容体，Toll-like receptor；TLR）が，種々の病原体を構造パターン認識受容体で感知するときに，この自然免疫が発動する．異物の認識・排除だけでなく，同時に獲得免疫系を活性化させ，異物に対する免疫記憶の獲得にも重要な働きをする．
▶獲得免疫

510 歯槽硬線　しそうこうせん
lamina dura
〔同義語〕歯槽白線，白線

エックス線画像において，歯根と平行に走る0.3 mm前後の幅の線状のエックス線不透過性の白線．一般には，歯槽窩壁の薄い**固有歯槽骨**が写るものと考えられている．歯の形成時期，年齢によってもその像は異なる．**歯周炎**による消失や，**咬合性外傷**による肥厚もしくは消失がみられる．

511 歯槽骨　しそうこつ
alveolar bone
〔類義語・関連語〕歯槽突起

上・下顎骨のうち，歯槽を構成し歯を支持している部分．解剖学的には上顎骨の**歯槽突起**，下顎骨の歯槽部をさすが，歯槽突起を歯槽骨と同義に扱うことも多い．**固有歯槽骨**と**支持歯槽骨**に分けられる．

▶歯槽堤

512 歯槽骨吸収　しそうこつきゅうしゅう
alveolar bone resorption

〔同義語〕骨吸収

〔類義語・関連語〕くさび状骨欠損，垂直性骨吸収，骨縁下欠損，水平性骨吸収

歯槽骨にみられる吸収．生理的吸収と病的吸収とがある．病的吸収に代表されるものとして歯周炎の際にみられる水平性骨吸収，垂直性骨吸収がある．両隣在歯のセメント-エナメル境を結んだ仮想線に対して，ほぼ平行に吸収が認められるものが水平性骨吸収，角度のある斜めの吸収がみられるものが垂直性骨吸収である．

513 歯槽骨整形術　しそうこつせいけいじゅつ
osteoplasty

〔同義語〕骨整形術，骨整形手術，オステオプラスティ，骨形態修正

〔類義語・関連語〕歯槽骨切除術，歯槽堤整形術

歯を支持している固有歯槽骨を除去することなく，歯槽骨の形態を生理的な形態に整える手術法．固有歯槽骨が除去されないため歯槽骨の高さに変化を生じないことが多い．厚い棚状の歯槽骨辺縁や外骨症などが適応となる．

514 歯槽骨切除術　しそうこつせつじょじゅつ
osteoectomy, ostectomy

〔同義語〕骨切除術，骨切除手術，オステオエクトミー

〔類義語・関連語〕歯槽骨整形術

歯を支持している骨を固有歯槽骨を含めて除去することにより，歯槽骨の形態を生理的な形態に近づける手術法．歯間部のクレーターや骨縁下ポケットを除去する場合に用いられる．歯槽骨の高さが減少し，この結果，歯冠-歯根-歯槽骨の関係が変化する．根分岐部，歯根などを露出させる結果になることもある．

515 歯槽頂　しそうちょう
alveolar crest

〔同義語〕歯槽辺縁，歯槽骨頂

歯槽突起の外板と内板の皮質骨（緻密骨）と歯根に面した固有歯槽骨との接点．歯間部で最も高い位置にある．骨吸収のない場合，通常，解剖学的歯頸線よりおおよそ1〜2 mm根尖側に位置する．

516 歯槽頂硬線　しそうちょうこうせん
crestal lamina dura

〔類義語・関連語〕歯槽硬線

歯槽骨頂部の緻密骨層．

517 歯槽頂切開　しそうちょうせっかい
alveolar crestal incision

〔同義語〕歯槽骨頂切開

フラップ手術を行う際，歯の欠損した歯槽堤の頂部に加える切開．

518 歯槽堤　しそうてい
alveolar ridge

〔類義語・関連語〕歯槽骨

歯の喪失後にみられる歯槽骨の堤状の高まり．歯槽骨は歯の喪失後約6か月まで大きく改造現象（吸収・添加）が起こり，その後の吸収は小さくなるが経時的に持続する．

519 歯槽堤整形術　しそうていせいけいじゅつ
alveoplasty

〔類義語・関連語〕歯槽骨整形術

補綴処置やインプラント体埋入前の外科処置の一つ．歯槽部の骨の鋭縁や異常な骨の突出部を削除して表面を滑らかにし，補綴装置の装着を容易にする．抜歯後の歯槽骨に存在する鋭縁や，上下顎大臼歯部頰側歯槽部に好発する外骨症，下顎小臼歯部の舌側に左右対称性に現れる下顎隆起，硬口蓋正中部に発生する口蓋隆起などにも応用される．

520 歯槽堤増大術　しそうていぞうだいじゅつ
alveolar ridge augmentation, ridge augmentation

〔同義語〕顎堤造成術

歯槽堤部の骨が病的に欠損した場合に歯槽堤の高径あるいは幅径を増大する手術．審美性，発音，清掃性の改善，インプラント適応のための骨造成，義歯の維持・安定などを目的とする．結合組織などを移植する方法（パウチ法，インレーグラフト法，ロール法），GBR法，既存の下顎骨を唇（頰）舌側に分割し拡大するリッジエクスパンション（スプリットクレスト法），骨移植術などがある．

▶歯槽堤保存術

521 歯槽堤保存術　しそうていほぞんじゅつ
alveolar ridge preservation

〔同義語〕抜歯窩保存術，ソケットプリザベーション

抜歯時あるいは抜歯後早期に骨移植材，コラーゲンスポンジなどを填入し，遮蔽膜や遊離歯肉などで閉鎖することにより，抜歯窩の歯槽骨吸収を防ぎ，抜歯後の歯槽堤吸収を防ぐための治療法．

▶歯槽堤増大術

522 歯槽突起　しそうとっき
alveolar process
➡歯槽骨

523 歯槽粘膜　しそうねんまく
alveolar mucosa

付着歯肉と連続する歯槽骨を被覆する可動性の軟組織．付着歯肉との境界を歯肉歯槽粘膜境という．歯槽粘膜は頬粘膜，口唇粘膜または口底粘膜へ続いている．粘膜下組織があり，上皮層は薄く非角化性で上皮突起も短い．このため固有層中の毛細血管が上皮層を透過して認められやすく，暗赤色を呈する．

524 歯体移動　したいいどう
bodily tooth movement

歯の移動に際して，歯冠と同一方向に歯根も平行に移動するような移動様式．歯体移動の場合，歯根が歯槽の内側骨面に平行に移動する．この場合，移動方向の歯根膜は歯根全長にわたって圧迫帯が生じ，反対側の歯根膜には，同様に全長にわたって牽引帯が生じる．
▶傾斜移動

525 シックル型スケーラー　──がた──
sickle type scaler
〔同義語〕鎌型スケーラー

手用スケーラーの一種．主として歯肉縁上歯石の除去に用いる．鎌状で刃先の断面が三角形か台形であり，先端に向かって細くなっている．引く操作を主体に用い，刃部と歯面は 45〜85°の範囲で行う．
▶キュレット型スケーラー

526 執筆状把持法　しっぴつじょうはじほう
pen grasp
➡ペングラスプ

527 執筆状変法把持法　しっぴつじょうへんぽうはじほう
modified pen grasp
➡モディファイドペングラスプ

528 疾病活動性　しっぺいかつどうせい
periodontal disease activity
➡歯周病活動性

529 疾病感受性　しっぺいかんじゅせい
periodontal disease susceptibility
➡歯周病感受性

530 歯内-歯周病変　しないししゅうびょうへん
periodontal lesions combined with endodontic lesions
➡歯周-歯内病変

531 歯肉　しにく
gingiva

歯周組織の構成要素の一つ．歯頸部および歯槽骨を被う粘膜であり，遊離歯肉辺縁から歯肉歯槽粘膜境までをいう．組織学的には，歯肉上皮と結合組織（歯肉固有層）からなる．歯面と付着していない遊離歯肉と，歯面および歯槽骨に付着している非可動性の付着歯肉に分けられる．遊離歯肉のなかで，歯間部のものは歯間乳頭とよばれている．正常な歯肉は，薄いピンク色を呈しており，スティップリングがみられる．
▶角化歯肉

532 歯肉圧排　しにくあっぱい
gingival retraction

辺縁部歯肉に損傷を与えず歯肉縁下の支台歯形成を行い，歯肉縁下の精密な印象を採得するために，一時的に歯面から遊離歯肉を排除すること．即時法には，圧排糸などによる機械的な方法，電気メスなどを用いた外科的な方法などがある．また，緩徐法には，テンポラリークラウンを用いた方法などがある．

533 歯肉炎　しにくえん
gingivitis
〔同義語〕辺縁性歯肉炎
〔類義語・関連語〕プラーク性歯肉炎，プラーク単独性歯肉炎

歯周病の一型で，アタッチメントロスおよび歯槽骨の吸収や歯根膜の破壊を伴わない歯肉に限局した炎症．症状は，歯肉の発赤・腫脹・出血，歯肉溝滲出液の増加，歯肉ポケット形成などがある．局所的原因はプラークである．ホルモンの変調，栄養障害，内分泌異常，薬物など全身的因子が修飾することもある．2006年の日本歯周病学会の分類では，プラーク性歯肉炎，壊死性歯周疾患のなかに壊死性潰瘍性歯肉炎が分類されている．その他，単純性歯肉炎，複雑性歯肉炎，潰瘍性歯肉炎，妊娠性歯肉炎，肥大性歯肉炎，薬物性歯肉炎などとする分類法もある．
▶歯周炎，歯肉疾患，歯肉病変

534 歯肉縁下イリゲーション　しにくえんか──
subgingival irrigation
➡歯周ポケット内洗浄

535 歯肉縁下歯石　しにくえんかしせき
subgingival calculus

歯肉縁下，すなわち**歯肉溝**，**歯肉ポケット**または歯周ポケット内の歯面に沈着する**歯石**．歯肉縁上歯石と比較すると硬く，歯に強固に付着しており除去が困難である．暗褐色，灰緑色を呈するが，化学的組成は歯肉縁上歯石とあまり変わらないとされている．歯肉縁下細菌由来の菌体物質を含むとされ，その形成には血液由来成分が関係する．**歯周病**の重要な局所的修飾因子である．

536 歯肉縁下スケーリング　しにくえんか——
subgingival scaling

歯肉縁下，すなわち**歯肉溝**，**歯肉ポケット**または歯周ポケット内の歯面に沈着する**歯石**を取り除く処置．**超音波スケーラー**やキュレット型スケーラーがよく用いられている．
▶スケーリング，歯肉縁上スケーリング，ルートプレーニング

537 歯肉縁下プラーク　しにくえんか——
subgingival plaque
〔同義語〕歯肉縁下歯垢

歯肉縁下，すなわち**歯肉溝**，**歯肉ポケット**または**歯周ポケット**内に存在する**プラーク**．歯面に付着した（歯面）**付着性プラーク**と，付着していない**非付着性プラーク**，歯肉内縁上皮に付着する上皮付着性プラークに分けられる．歯肉縁上に限局した初期プラークが，成熟とともに根尖方向に伸びて歯肉縁下プラークを形成するようになる．歯肉縁下プラークはポケットの深さ，歯面の形態，**滲出液**などの環境に応じて複雑な**細菌叢**を形成する．ポケット内は酸素分圧が低く，嫌気的環境であるため，嫌気性のグラム陰性菌が定着・増殖しやすい．ポケットが深くなるにつれ嫌気性グラム陰性菌が優勢を占めるようになり，非付着性プラーク中には**歯周病原細菌**である運動性の桿菌やスピロヘータが多く認められる．
▶歯肉縁上プラーク，歯肉縁下プラークコントロール

538 歯肉縁下プラークコントロール
しにくえんか——
subgingival plaque control

歯肉縁下プラークを除去すること．歯肉縁下プラークは患者の行うブラッシングでは部分的にしか除去できないため，**スケーリング・ルートプレーニング**，**歯周外科治療**，プロフェッショナルメカニカルトゥースクリーニング（PMTC）など歯科医師・歯科衛生士が除去することが重要である．また，薬剤を用いた**歯周ポケット内洗浄**などの**化学的プラークコントロール**も応用されることがある．
▶歯肉縁上プラークコントロール

539 歯肉縁下マージン　しにくえんか——
subgingival margin

修復・補綴装置のフィニッシュラインの位置が歯肉縁下すなわち，**歯肉溝**またはポケット内に設定されたもの．**生物学的幅径**を考慮して設定する．
▶歯肉縁上マージン，Koisの分類

540 歯肉炎指数　しにくえんしすう
gingival index
〔同義語〕GI

Löe & Silnessによって1963年に発表された**歯肉炎**の程度を評価する方法．**辺縁歯肉**を頬側，舌側，近心，遠心の4部位に分け，0〜3のスコアで評価する．0：臨床的正常歯肉．1：軽度の炎症，プロービング時の出血なし．2：中等度の炎症，**プロービング時に出血**．3：強度の炎症，自然出血．

541 歯肉縁上歯石　しにくえんじょうしせき
supragingival calculus

歯肉辺縁より歯冠側にある**歯石**．歯肉縁下歯石と比較すると，量が多く軟らかく，形成が速い．色は灰白色，灰黄色などである．歯石の石灰塩の由来は唾液といわれ，**歯肉炎**の原因となる．大唾液腺の開口部付近の下顎前歯舌面，上顎第一・第二大臼歯頬面に沈着しやすく，ときには歯面を覆うほどの大量の歯石形成がみられる．

542 歯肉縁上スケーリング　しにくえんじょう——
supragingival scaling

歯肉辺縁より歯冠側にある**歯石**を取り除く処置．一般に**超音波スケーラー**，音波スケーラー，シックル型スケーラー，キュレット型スケーラーを用いて行う．
▶スケーリング，歯肉縁下スケーリング

543 歯肉縁上プラーク　しにくえんじょう——
supragingival plaque
〔同義語〕歯肉縁上歯垢

歯肉辺縁より歯冠側に存在する**プラーク**．エナメル質あるいは**セメント質**に唾液タンパク質由来のペリクルを介して付着する細菌が層をなして増殖し，厚みを増したもの．歯肉縁上プラークはレンサ球菌が多く，さらに表層では好気性菌が，深層部では嫌気性菌が比較的優勢となる．**歯肉炎**の発症に関わる．
▶化学的プラークコントロール

544 歯肉縁上プラークコントロール
しにくえんじょう——
supragingival plaque control

歯肉縁上の**プラーク**を除去すること．機械的方法と化学的方法とがある．機械的方法が一般的であり，手用歯ブラシ，**電動歯ブラシ**，各種の**歯間清掃用具**が用いられ，**プラークコントロール**に付随してマッサージ効果を期待する場合もある．個人が行う**セルフケア**が主体であるが，歯科医師・歯科衛生士が行うプロフェッショナルケアも必要である．
▶**機械的プラークコントロール**，**歯肉縁下プラークコントロール**

545 歯肉縁上マージン
しにくえんじょう——
supragingival margin

修復・補綴装置のフィニッシュラインの位置が，歯肉辺縁より歯冠側に設定されたもの．歯質の形成，印象が容易であり，修復物による歯肉への刺激は少ないが，審美性や**根面齲蝕**の問題などが生じることがある．
▶**歯肉縁下マージン**

546 歯肉縁切開
しにくえんせっかい
crestal incision
〔同義語〕歯肉辺縁切開，歯肉頂切開

フラップ手術などに用いられる基本的な切開法の一つ．歯肉辺縁部から**歯槽頂**に向けて**内斜切開**を加える．とくに**付着歯肉**の幅がほとんど変化しないため，審美性を重視する部位，付着歯肉の幅が少ない部位などにおいて第一選択となる．

547 歯肉過形成症
しにくかけいせいしょう
gingival hyperplasia
➡**歯肉増殖症**

548 歯肉結合組織移植術
しにくけつごうそしきいしょくじゅつ
gingival connective tissue graft
➡**結合組織移植術**

549 歯肉溝
しにくこう
gingival sulcus, gingival crevice

歯と健康な**歯肉**との間に存在する溝状の V 字形陥凹部で，歯の周囲を取り巻いている浅い溝．歯の萌出に伴い，エナメル質の発生に関与していた退縮エナメル上皮が，エナメル質から部分的に剥離することにより形成される．前歯部で浅く，小臼歯，大臼歯部では深い．平均的深さは 1.8 mm，臨床的に 0.5〜2 mm である．

550 歯肉溝上皮
しにくこうじょうひ
oral sulcular epithelium, sulcular epithelium

歯肉辺縁より内側で**歯肉溝**に面する部分の非角化の上皮．結合組織との境界は平坦で上皮突起はみられない．構造は口腔上皮とほぼ同様である．歯肉溝上皮の透過性は高くはなく，細胞間隙を遊走する白血球は多くはない．

551 歯肉溝滲出液
しにくこうしんしゅつえき
gingival crevicular fluid
〔同義語〕歯肉溝浸出液，GCF，**滲出液**
〔類義語・関連語〕ポケット内容液

歯肉溝上皮や接合上皮を通過して**歯肉溝**内に滲出してきた組織液．**歯肉ポケット**内や歯周ポケット内に滲出してきた組織液もいう．血清成分，好中球，上皮や結合組織成分とその分解産物，歯肉溝中の細菌とその産生物である毒素，酵素が含まれる．歯肉溝内の**自浄作用**，抗菌作用などが役割として考えられている．臨床的には**歯肉**の炎症に伴い，滲出液量の増加がみられる．すなわち歯肉結合組織の炎症の進行とともに増加する．

552 歯肉溝内切開
しにくこうないせっかい
intracrevicular incision, intrasulcular incision
〔同義語〕歯肉溝切開

歯肉がきわめて狭小あるいは薄い場合に，歯肉幅や厚みを温存する目的で**歯肉溝**内あるいはポケット内から歯の根尖方向に加えられる切開．この切開では，**ポケット上皮**の一部が残存する可能性がある．再生療法やウィドマン改良フラップ手術の二次切開などの際に使用されている．

553 歯肉歯槽粘膜境
しにくしそうねんまくきょう
mucogingival junction
〔同義語〕歯肉歯槽粘膜移行部，MGJ

付着歯肉と**歯槽粘膜**との境界．付着歯肉の幅を測定するうえで重要である．可動部と不動部の境界を判別する手段として，唇頬側では口唇や歯槽粘膜を牽引する方法，**歯周プローブ**を利用する方法，ヨード溶液を用いて歯槽粘膜を染色する方法などがある．ただし，上顎口蓋側は非可動性で角化しており，付着歯肉との境界は明確でない．

554 歯肉歯槽粘膜形成術
しにくしそうねんまくけいせいじゅつ
mucogingival surgery
➡**歯周形成手術**

555 歯肉疾患　しにくしっかん
gingival disease

米国歯周病学会の分類（1999）や米国歯周病学会・欧州歯周病連盟分類（2018）で定義されている様々な原因で歯肉に限局して生じた病態の総称．**プラークによって惹起されるプラーク性歯肉炎**と，プラークが関与しない**非プラーク性歯肉病変**に大別される．前者には，**プラーク単独性歯肉炎**，全身因子関連歯肉疾患，薬物関連歯肉疾患などが含まれる．後者には特異細菌，ウイルス，真菌，遺伝あるいは外傷が関連する歯肉疾患などが含まれる．基本的には，プラーク，内因性のホルモンの変動，薬物，全身疾患，栄養不良に関連する．その特徴は，臨床的な炎症症状，歯肉に限局した病変の徴候と症状，プラーク除去による可逆性，当該歯における**アタッチメントロス**の初発になるなどである．

556 歯肉出血　しにくしゅっけつ
gingival bleeding

歯肉から出血すること．原因として，炎症，外傷，血液疾患，腫瘍などによるものがある．**歯肉炎**，**歯周炎**の症状の一つとしてみられる．白血病に伴う歯肉炎などでは自然出血をみることがあるが，それ以外では歯肉に物理的刺激が加わったときに生じる．**プロービング時の出血（BOP）**は臨床的な炎症の徴候が発現する前に現れるので，**歯周病活動性**の指標として用いられる．

557 歯肉出血インデックス　しにくしゅっけつ——
gingival bleeding index
〔同義語〕GBI

歯肉溝やポケット内部，とくに歯肉辺縁部付近の炎症の有無を知るための指数．類似した評価方法が多数発表されているが，Ainamoら（1975）の方法が多く用いられている．被検歯の歯肉溝あるいはポケットの入口辺縁を軽く擦過し，10秒以内に出血した場合を＋，出血しない場合を−として評価し，出血歯面／被験歯面総数×100（％）として算出する．

558 歯肉上皮　しにくじょうひ
gingival epithelium
➡接合上皮，歯肉溝上皮，外縁上皮，内縁上皮

559 歯肉整形術　しにくせいけいじゅつ
gingivoplasty

歯肉の形態異常を生理的な歯肉形態に改善するための手術方法．歯肉に停滞する食片の流れをよくし，**プラークコントロール**の行いやすい歯肉形態を作り出すことが目的である．ロール状の歯肉，棚状の歯肉，不正な**辺縁歯肉**などが適応となる．
▶歯肉切除術

560 歯肉切除術　しにくせつじょじゅつ
gingivectomy

歯肉ポケットや歯周ポケットを形成している**歯肉**を一塊にして切除し，健康で生理的な歯肉形態にする手術方法．適応症は，**仮性ポケット**，**線維性歯肉増殖症**，浅い骨縁上ポケットなどである．禁忌症は，付着歯肉幅が狭い場合，**口腔前庭**が極端に狭い場合あるいは骨縁下ポケットが存在する場合などである．
▶歯肉整形術

561 歯肉切除用メス　しにくせつじょよう——
gingivectomy knife
〔同義語〕歯肉切除用ブレード

歯周外科治療，とくに**歯肉切除術**に用いるメス．様々な部位で操作できるように考案された形態を有しており，通常，左右一対の両頭刃になっている．**カークランドメス**，**オルバンメス**などがある．

562 歯肉線維腫症　しにくせんいしゅしょう
gingival fibromatosis
〔同義語〕歯肉象皮症

高度な歯肉の過形成を呈する稀な病変．**遺伝性歯肉線維腫症**と，原因不明の**特発性歯肉線維腫症**に大別される．歯肉肥大が全顎的あるいは限局的に生じる．歯肉肥大は，乳歯萌出時あるいは永久歯萌出時に始まる．若年者に多く，男性より女性に多く発現する．重度症例では，咬合機能障害，審美障害，歯列不正が生じる．組織学的には上皮突起の伸長と有棘細胞層の肥厚，歯肉固有層のコラーゲン線維束の著明な形成を伴う．
▶遺伝性歯肉線維腫症

563 歯肉増殖症　しにくぞうしょくしょう
gingival hyperplasia, gingival overgrowth
〔同義語〕歯肉過形成症，歯肉肥大症，歯肉増大症
〔類義語・関連語〕線維性歯肉増殖症，増殖性歯肉炎

歯肉組織のコラーゲン線維の過剰増生による歯肉肥大．遺伝的または特発的に発現するものと薬剤によるものがある．薬剤が原因によるものには，フェニトイン（抗痙攣薬），カルシウム拮抗薬（降圧薬），シクロスポリンA（免疫抑制薬）がある．**プラークコントロール**を徹底することで，症状の発現や再発をある程度防止できる．
▶遺伝性歯肉線維腫症，薬物性歯肉増殖症

564 歯肉増大術　しにくぞうだいじゅつ
gingival augmentation
〔同義語〕歯肉増生術

歯の周囲や顎堤部の軟組織欠損部位に対して行われる**歯肉**の増大を図る手術．**付着歯肉**の増大，根面被覆あるいは口腔前庭拡張などのための手術である．

565 歯肉息肉　しにくそくにく
gingival polyp
〔同義語〕歯肉ポリープ

限局性の**歯肉**にみられる増殖組織．齲蝕や歯の破折などにより歯冠部歯質が歯肉辺縁または歯肉縁下まで破壊されたときに生じやすい．機械的刺激や化学的・細菌的刺激などにより歯肉がポリープ状に増殖し，齲窩や歯質欠損部を満たす．治療は原因の除去および歯肉息肉の除去を行う．

566 歯肉退縮　しにくたいしゅく
gingival recession
〔同義語〕退縮
〔類義語・関連語〕歯肉収縮

辺縁歯肉の位置が，セメント-エナメル境より根尖側方向へ移動し，歯根表面が露出した状態．**歯周炎**，加齢，誤ったブラッシングによる機械的刺激などによって生じる．また，歯周炎の治療後に生じやすく，臨床的に問題となる．歯根表面が露出すると，齲蝕，摩耗，**象牙質知覚過敏**が生じることがある．
▶Millerの歯肉退縮分類，Maynardの歯肉退縮分類，Cairoの歯肉退縮分類

567 歯肉膿瘍　しにくのうよう
gingival abscess

歯肉に限局した**膿瘍**．外部からの物理的・機械的刺激（不適切なブラッシング，魚の小骨，爪楊枝の誤用など）により生じた歯肉の外傷部が感染し，歯肉結合組織内に膿瘍が形成される．歯肉に限局性の発赤，腫脹がみられ，疼痛を伴うことが多い．**歯周ポケット**の有無にかかわらず生じる．
▶歯周膿瘍

568 歯肉剝離　しにくはくり
flap reflection, flap elevation

歯面あるいは**歯槽骨**から**歯肉**を剝離すること．剝離された歯肉弁には，歯槽骨から骨膜を含めて剝離した**全層弁**（粘膜骨膜弁）と，歯槽骨上に骨膜と粘膜固有層の一部を残して剝離した**部分層弁**（粘膜弁）とがある．

569 歯肉剝離掻爬術　しにくはくりそうはじゅつ
gingival flap surgery, flap operation, flap surgery
➡フラップ手術

570 歯肉鋏　しにくばさみ
surgical scissors

歯周外科治療の際，歯肉の形態を整えたり，剝離した歯肉弁の内側に付着している**肉芽組織**などを除去したりするときに使用する鋏．

571 歯肉肥大症　しにくひだいしょう
gingival enlargement, gingival hypertrophy
➡歯肉増殖症

572 歯肉病変　しにくびょうへん
gingival lesions

2006年の日本歯周病学会による分類では，歯肉病変を**プラーク性歯肉炎，非プラーク性歯肉病変，歯肉増殖**の3つに分類している．それぞれには小分類があり，プラーク性歯肉炎は，①**プラーク単独性歯肉炎（単純性歯肉炎）**，②**全身因子関連歯肉炎**，③**栄養障害関連歯肉炎**に，非プラーク性歯肉病変は，①プラーク細菌以外の感染（特殊な細菌による感染，ウイルス感染，真菌感染）による歯肉病変，②粘膜皮膚病変（扁平苔癬など），③アレルギー反応，④外傷性病変に，また歯肉増殖は，①**遺伝性歯肉線維腫症**，②**薬物性歯肉増殖症**に分類される．

573 歯肉弁　しにくべん
gingival flap
➡全層弁，部分層弁

574 歯肉弁根尖側移動術　しにくべんこんせんそくいどうじゅつ
apically (re)positioned flap surgery
〔同義語〕APF

付着歯肉の幅の増加および**歯周ポケット**の除去を目的とする手術．付着歯肉の幅が狭い場合や深い歯周ポケットが**歯肉歯槽粘膜境**を越えている場合が適応になる．**全層弁**と**部分層弁**の両方で行われるが，基本的な術式は，部分層弁（粘膜弁）を根尖側方向に移動させ，**骨膜縫合**により歯肉弁を固定し，**歯周パック**で覆う．

575 歯肉弁歯冠側移動術　しにくべんしかんそくいどうじゅつ
coronally (re)positioned flap surgery
〔同義語〕CPF
〔類義語・関連語〕coronally advanced flap sur-

gery，CAP

歯肉退縮などにより露出した歯根表面に対して行われる手術．部分層弁（粘膜弁）を剝離，翻転後，この弁を歯冠側方向へ進展させて露出した歯根表面を被覆する．歯肉弁の歯冠側への移動量は，隣接する歯間乳頭や歯槽骨の高さに依存する．
▶歯肉弁側方移動術

576 歯肉弁側方移動術　しにくべんそくほういどうじゅつ

laterally (re)positioned flap surgery

〔同義語〕側方歯肉弁移動術，LPF

1歯または2歯の比較的限局した歯肉退縮をきたし，周囲組織との色調の調和が必要な場合に行われる手術法．隣接歯の辺縁歯肉に有茎弁を形成し，側方へ移動することにより露出歯根表面の被覆を図る．したがって，隣接歯の歯肉には十分な幅と厚みが必要であり，また隣接歯の歯槽骨が十分存在することが条件となる．
▶歯肉弁歯冠側移動術

577 歯肉ポケット　しにく──

gingival pocket

〔同義語〕仮性ポケット

アタッチメントロスがなく，炎症などにより歯肉が腫脹もしくは増大した結果，辺縁歯肉の位置が歯冠側方向へ移動し，歯肉溝が相対的に深くなったもの．歯肉炎にみられるポケット．
▶歯周ポケット

578 歯胚　しはい

tooth germ

エナメル器，歯乳頭，歯小囊からなる歯の原基の総称．歯列弓の予定領域における口腔粘膜上皮が深部間葉組織に向かって肥厚し，歯堤を形成した後に，蕾状期，帽状期，鐘状期の段階を経て，歯および歯周組織が形成される．

579 ジフェニルヒダントイン

diphenylhydantoin

〔同義語〕フェニトイン，ダイランチン

発作性の脳機能障害の一つであるてんかんの治療に用いられている抗痙攣薬．本薬剤を服用している患者の約50％に歯肉増殖症を認める．組織学的には歯肉結合組織におけるコラーゲン線維の増大と歯肉上皮の肥厚を認める．
▶フェニトイン歯肉増殖症

580 歯磨剤　しまざい

dentifrice

歯ブラシによる口腔清掃作用を助けるとともにその効果を高めるための補助剤．基本成分として，研磨材，湿潤剤，粘結剤，発泡剤，香味剤が含まれ，さらに薬効成分が含まれているものが多い．歯面付着物の除去，歯科疾患の予防や治療，口臭の抑制，美容的効果，象牙質知覚過敏の抑制などを期待している．

581 歯面研磨　しめんけんま

polishing of tooth surface

口腔内に露出した歯の表面をポリッシングブラシやラバーカップなどの器具および研磨材によって滑沢にする操作．歯面研磨の目的は，スケーリング・ルートプレーニング後の歯根表面の滑沢化，歯面沈着物の除去などを行うことである．
▶プロフェッショナルメカニカルトゥースクリーニング

582 シャーピー線維　──せんい

Sharpey fiber

歯根膜中に存在する線維の主成分であるコラーゲン線維が，セメント質および歯槽骨へ埋入したもの．歯と歯槽骨を強固に連結する機能をもつ．歯に加わる様々な方向からの力に対応するために，セメント質と歯槽骨を結ぶ歯根膜主線維は機能的な配列を呈している．

583 シャープニング

sharpening

鈍磨したスケーラーの刃部を鋭利な状態にする操作．刃部が鈍化したスケーラーを用いると効率のよいスケーリング・ルートプレーニングは行えず，必要以上の力により歯面や歯周組織を傷つける可能性がある．通常，アーカンソーストーンのような天然石やインディアストーン，ルビーストーンやセラミックストーンのような人工砥石を用いて行う．また電動式シャープナーなども用いられる．

584 若年性歯周炎　じゃくねんせいししゅうえん

juvenile periodontitis

〔類義語・関連語〕限局型若年性歯周炎（LJP），広汎型若年性歯周炎（GJP），侵襲性歯周炎

1989年の米国歯周病学会の分類における早期発症型歯周炎のうちの一つ．10歳代（思春期）に発症し，急速で著明な歯周組織破壊（アタッチメントロス，垂直性骨吸収）の進行がみられ，プラークや歯石などの沈着が少なく，家族性に認められることを

特徴とする**歯周炎**．限局型と広汎型があり，限局型では第一大臼歯と切歯の垂直性骨吸収が両側性にみられることが多い．原因として，***Aggregatibacter actinomycetemcomitans*** の関与や生体防御機能の低下・異常が報告されている．1999年の米国歯周病学会および2006年の日本歯周病学会の分類における**侵襲性歯周炎**にほぼ相当する．
▶成人性歯周炎

585 シャンク
shank

手用スケーラーの刃部（ワーキングエンド）と把柄部（ハンドル）を連結する部分．ローワーシャンク（第1シャンク）は，歯面と刃部の角度を決定する上で重要である．

586 Jankelson の分類　じゃんけるそん――ぶんるい
Jankelson's classification

Jankelson（1960）によって分類された**咬頭嵌合位（中心咬合位）**における**早期接触**の分類．1級から3級までに分類され，これらの部位に早期接触がみられる場合，上下顎の歯の接触が起こるたびに当該歯は側方力を受けることになるため，接触部位の**咬合調整**が必要となる．

587 周期性好中球減少症
しゅうきせいこうちゅうきゅうげんしょうしょう
cyclic neutropenia

約21日周期で，5日間程度の好中球減少を認める稀な疾患．感染症を合併しやすい．ほとんどの場合好中球エラスターゼ遺伝子の変異が認められる．口腔内症状の一つとして，**歯周病**の進行がみられることがある．好中球が減少している時期は，相対的に単球の増加を認める．
▶好中球減少症

588 周術期等口腔機能管理
しゅうじゅつきとうこうくうきのうかんり
perioperative oral management

医科歯科連携の下で全身麻酔下手術前後，がん治療などにおける化学療法や放射線療法の治療中に行う口腔管理．術後合併症の発生を抑制させ早期社会復帰を図るために実施される．口腔清掃や**周術治療**などにより**誤嚥性肺炎**や術後感染症の発生抑制効果が報告されている．

589 縦切開　じゅうせっかい
vertical incision

フラップ手術などにおける歯肉弁作製の際，歯軸方向に入れる切開．手術視野の確保や歯肉弁の移動が容易となる．

590 重度歯周炎　じゅうどししゅうえん
severe periodontitis
〔類義語・関連語〕軽度歯周炎，中等度歯周炎

重度の進行程度の**歯周炎**．日本歯周病学会の分類（2006）では，**プロービングデプス**が6mm以上，歯槽骨吸収度が33％以上，あるいは**アタッチメントレベル**が5mm以上であり，**根分岐部病変**が2度以上のものをいう．米国歯周病学会・欧州歯周病連盟分類（2018）ではステージ分類ⅢおよびⅣに相当し，ステージⅢは**アタッチメントロス**5mm以上，歯根長1/3以上の**歯槽骨吸収**，歯周炎による歯の喪失が4本以内，プロービングデプス6mm，中程度の歯槽堤の欠損と3mm以上の**垂直性骨吸収**，根分岐部病変が2～3度のもの，ステージⅣはアタッチメントロス5mm以上，歯根長1/3以上の歯槽骨吸収，歯周炎による歯の喪失が5本以上，複雑な**口腔機能回復治療**を要する咀嚼機能障害を有するものをいう．

591 修復（歯周組織の）　しゅうふく
periodontal repair

歯周病に罹患した部位を処置した後に生じる**創傷治癒**形態の一つ．創傷部における**歯周組織**の構造と機能が完全に回復していない状態での**治癒**．通常の**歯周治療**による治癒は，修復の形態をとる．
▶再生（歯周組織の）

592 修復・補綴治療　しゅうふくほてつちりょう
restorative and prosthetic therapy
〔同義語〕補綴治療，最終補綴治療

歯周組織の炎症の改善後に行う，咬合または咀嚼機能の回復を考慮した歯の修復処置や補綴処置．プラークコントロールのしやすい形態と**咬合性外傷**を起こさない咬合関係が必要となる．

593 習癖　しゅうへき
habit
➡悪習癖

594 シュガーマンファイル
Sugarman's bone file

骨の整形に用いるファイル（やすり）．主に歯間部における**歯槽骨**の削合，平滑化に用い，生理的形態に近づける．ファイルを使用する際は，一方向のみの操作とするようにしなければならない．

595 宿主因子　しゅくしゅいんし
host factor

歯周病の発症や進行に大きく関与する**リスクファ**

クターの一つ．全身的因子（生体防御機構の異常，全身疾患，内分泌異常，年齢，性別など）と局所的因子（炎症性因子，外傷性因子など）に分けられる．

596 宿主寄生体相互作用　しゅくしゅきせいたいそうごさよう
host-parasite interaction

〔同義語〕宿主細菌相互作用，ホスト-パラサイトインタラクション

寄生体である細菌と宿主の生体防御機構の相互作用．感染防御メカニズム，すなわち寄生体の病原性の毒力と宿主の防御システムのバランスに左右される．

597 手術用顕微鏡　しゅじゅつようけんびきょう
surgical microscope, operating microscope

拡大された視野のもとで手術を行うために用いられる顕微鏡．マイクロサージェリーでは，この顕微鏡を用いて術野を大きく拡大して見ることで，術野の細部への処置が可能になるとともに，組織侵襲も最小限にすることができる．

598 受動的萌出遅延　じゅどうてきほうしゅつちえん
altered passive eruption

歯が能動的萌出で機能咬合平面に達した後，歯-歯肉接合部が根尖側へ移動し始めセメント-エナメル境付近まで移動することを受動的萌出といい，この過程が正常に進んでいない状態．ガミースマイルや臨床的歯冠長の減少などの審美的障害を引き起こすことが多い．

599 腫瘍壊死因子　しゅようえしいんし
tumor necrosis factor

〔同義語〕TNF

単球，マクロファージ，ナチュラルキラー細胞などが産生するサイトカインの一つ．TNF-α，TNF-β，LT-βの3種類があるが，歯周病領域では，とくにTNF-αとの関連が研究されている．プロスタグランジンE_2，インターロイキン-1などのサイトカインやマトリックスメタロプロテアーゼの産生促進，細胞接着分子の発現亢進，破骨細胞の分化・活性化促進などにより，歯周病の病因との関連が示されている．また，歯周治療による2型糖尿病の改善のメカニズムとしてTNF-αの関与が報告されている．

600 手用スケーラー　しゅよう——
hand scaler
➡スケーラー

601 受容側　じゅようそく
recipient site

〔同義語〕受容床，受容部位，レシピエントサイト

移植手術の際，移植片を受ける部位（被移植側）．遊離歯肉移植術もしくは結合組織移植術において，供給側より採取した移植片を，受容側である部位に適合させる．一般的には，受容側に移植片が生着するには約2週間必要である．

602 上顎洞底挙上術　じょうがくどうていきょじょうじゅつ
sinus augmentation, maxillary sinus elevation

〔同義語〕上顎洞挙上術

〔類義語・関連語〕サイナスリフト，ソケットリフト

上顎洞が歯槽頂に近接している場合，上顎洞粘膜と上顎洞底部骨の間にスペースを作り，インプラント体埋入に必要な骨組織を増大させる方法．上顎骨外側壁から上顎洞に到達する方法のサイナスリフト（側方アプローチ）と，埋入窩から上顎洞に到達するソケットリフト（歯槽頂アプローチ・オステオトームテクニック）の2つの方法がある．ソケットリフトは既存骨が5mm以上存在し，上顎洞底が平坦な場合が適応となる．

603 小矯正　しょうきょうせい
minor tooth movement
➡歯周-矯正治療

604 上行性歯髄炎　じょうこうせいしずいえん
ascending pulpitis

〔同義語〕逆行性歯髄炎

歯髄の感染あるいは炎症が，歯の硬組織疾患（齲蝕，破折など）とは無関係に根尖側方向から歯冠側方向へ上昇性に波及して生じた歯髄炎．深い歯周ポケットを有する歯周炎，隣在歯の根尖病巣，副鼻腔炎などが原因となる．したがって，歯冠部の硬組織欠損がなくても歯髄炎の症状を呈することが特徴である．
▶歯周-歯内病変

605 床固定　しょうこてい
denture splint

可撤式の外側性固定による暫間固定．代表的なものとして，オクルーザルスプリントとHawley（ホーレー）タイプ床固定装置がある．固定力は固定式と比較して弱い．症例によっては，動揺歯の二次固定として用いることもある．

606 蒸散　じょうさん
vaporization

高出力レーザーや電気メスを使用した際にみられる現象で，組織内の水分が気化した際に蒸気が外部に放出されること．炭酸ガスレーザーやエルビウムヤグレーザーなどでは光を物質に照射すると，そのエネルギーが物質内の水分子に吸収され，瞬時に気化し，その際に生じる衝撃により物質が破壊されるため，軟組織の切除や切開，歯石の除去などに用いられている．

607 掌蹠膿疱症　しょうせきのうほうしょう
palmoplantar pustulosis

手掌，足底に膿疱と角化を生じ，頭部，肘部，膝部に乾癬様皮疹を生じる慢性難治性疾患．病因は不明な点が多いが，歯周病や根尖性歯周炎などの慢性感染病巣や金属アレルギーとの関連性が疑われている．歯周治療，感染根管治療，金属を用いた修復・補綴装置の除去などによって治癒した症例が報告されている．

608 小帯切除術　しょうたいせつじょじゅつ
frenectomy

小帯異常の際に行われる歯周形成手術（歯肉歯槽粘膜形成術）の一つ．小帯と歯肉の移行部に切開を加え，小帯付着部を骨から剝離し，剝離した小帯を切除する．小帯の高位付着で付着歯肉が不足している場合やブラッシングが困難な場合，歯間離開が生じているような場合に用いられる．

609 小帯切断術　しょうたいせつだんじゅつ
frenotomy

小帯異常の際に行われる歯周形成手術（歯肉歯槽粘膜形成術）の一つ．小帯を切除せず，一部を切離し移動させる手術．小帯の中央を横に切断し，小帯を伸ばす方向に縫合を行う．付着歯肉獲得のため，遊離歯肉移植術を併用することがある．小帯の高位付着で付着歯肉が不足している場合やブラッシングが困難な場合，歯間離開が生じているような場合に用いられる．また舌小帯高位付着や短小などの改善に用いられる．

610 小帯の異常　しょうたい──いじょう
abnormality of frenulum

小帯（上唇小帯，下唇小帯，頬小帯，舌小帯）の形態的異常および付着位置異常．小帯の肥大や高位付着（小帯の付着が辺縁歯肉や歯間部歯肉に達するか近くまで及ぶ位置異常）により，正中離開，歯間離開，審美障害，発音障害，口腔清掃不良，ポケット形成や深化などが起こりやすい．

611 上皮下結合組織移植術　じょうひかけつごうそしきいしょくじゅつ
subepithelial connective tissue graft
〔同義語〕SCTG
➡結合組織移植術

612 上皮性付着　じょうひせいふちゃく
epithelial attachment
〔同義語〕上皮付着
〔類義語・関連語〕結合組織性付着

歯肉上皮と歯面との付着．基底板とヘミデスモゾームによって歯の表面に付着している．歯周治療後には，長い上皮性付着による治癒がしばしば認められる．
▶接合上皮，深行増殖（上皮の）

613 上皮付着　じょうひふちゃく
epithelial attachment
➡上皮性付着

614 上部構造（インプラントの）　じょうぶこうぞう
(implant) superstructure

インプラント体上部に中間構造物であるアバットメントを介して装着される最終補綴装置．固定式，半固定式，可撤式に分類され，さらに固定式はセメント固定式とスクリュー固定式に分けられる．

615 症例-対照研究　しょうれいたいしょうけんきゅう
case-control study

研究対照とする疾病を有する群と，その疾病を有しない対照群とを用いた観察的疫学研究方法．想定されるリスクファクターや属性と疾病との関連を調べるために，症例群と対照群それぞれについてそれらの要因がどの程度の頻度で存在するのか，あるいはその量がどの程度であるかを比較・解析する．多くの研究は後向き研究で行われることが多い．
▶コホート研究，オッズ比

616 初期固定　しょきこてい
primary stability, primary stabilization
〔同義語〕一次固定

インプラント体埋入時にインプラントが動かないこと．インプラント床の骨壁にインプラント体が密接に接触することにより獲得される．

617 初期歯肉炎　しょきしにくえん
incipient gingivitis
〔類義語・関連語〕プラーク性歯肉炎

浮腫やプロービング時における即時の線状出血ではなく，軽度の発赤やプロービング時の遅発性で破

線状の出血といった軽度の炎症が，わずかな部位に認められる**歯肉**の炎症．

618 初期治療　しょきちりょう
initial preparation, initial therapy
➡歯周基本治療

619 食習慣　しょくしゅうかん
dietary habit, food habit
歯周病における**リスクファクター**のうち環境因子に含まれる因子の一つ．食物の性状は，歯周病の罹患と強い関係がある．軟らかく粘着性の高い食物は，停滞しやすいため**プラーク**の蓄積を招きやすい．

620 食片圧入　しょくへんあつにゅう
food impaction
咬合咀嚼時に食物が歯間部に強く押し込まれる状態．原因として，不良な**接触点**，辺縁隆線の不揃い，**不適合修復・補綴装置**，**プランジャーカスプ**，歯の**咬耗**，**歯肉退縮**などがある．食片圧入により，**歯間乳頭**や辺縁歯肉の損傷や，圧入した食片の停滞によって齲蝕や**歯周組織**の炎症が惹起されることがある．頰舌側から入る**水平性食片圧入**と咬合面側から入る**垂直性食片圧入**がある．垂直性食片圧入のほうが為害性が強い．

621 徐放性薬剤　じょほうせいやくざい
slow-release drug
〔同義語〕徐放性薬物
薬剤からの有効成分の放出を遅くすることにより，局所で有効成分濃度を一定に長時間保つよう調整された薬剤．歯周病分野では局所薬物配送システム（LDDS）として**歯周ポケット**内に応用されている．

622 歯列の異常　しれつ──いじょう
tooth malalignment
歯の捻転，転位，傾斜，**叢生**などによる歯列の乱れが認められること．歯列に異常があると**プラークコントロール**不良の原因となるばかりでなく，口腔内自浄作用が低下し，**プラーク**が蓄積しやすくなる．また，歯列異常の原因歯は，対合関係にある歯と咬合接触関係が不正になり，**咬合性外傷**を引き起こす可能性がある．

623 人工骨　じんこうこつ
artificial bone
➡リン酸カルシウム人工材，バイオガラス，ハイドロキシアパタイト

624 深行増殖（上皮の）　しんこうぞうしょく
down growth (epithelial)
歯周病の発生過程において炎症により接合上皮（**付着上皮**）が歯根側に増殖すること．また，治癒過程において，**治癒**の結果，歯根面との間に長い上皮性付着が形成される場合にもみられる．

625 ジンジパイン
gingipain
Porphyromonas gingivalis の産生するシステインプロテアーゼ．タンパク質をアルギニンで切断するRgpと，リシンで切断するKgpがある．菌の発育に必要なアミノ酸などの獲得に関与するとともに，基質タンパク質の分解，宿主の防御機構の破壊により歯周病原性をもつ．
▶トリプシン様プロテアーゼ

626 侵襲性歯周炎　しんしゅうせいししゅうえん
aggressive periodontitis
〔同義語〕急速破壊性歯周炎
〔類義語・関連語〕早期発症型歯周炎，若年性歯周炎，急速進行性歯周炎，前思春期性歯周炎

1999年の米国歯周病学会の分類および2006年の日本歯周病学会の分類における**歯周炎**の一つ．臨床的には全身的に健康であるが，急速な歯周組織破壊（**歯槽骨吸収**，**アタッチメントロス**）と家族内で多発する傾向がある歯周炎．**慢性歯周炎**に比較して，**宿主因子**および**遺伝的素因**が病態に占める割合が高く，この診断がなされた患者は「易感染性宿主」ととらえられている．プラーク付着量は少なく，10〜30歳代で発症する傾向がある．また，*Aggregatibacter actinomycetemcomitans* の存在比率が高い，生体防御機能，免疫応答の異常が認められるなどの二次的な特徴があるが，どれも統一見解に欠け，慢性歯周炎との明瞭な違いは明らかにされていない．
▶慢性歯周炎

627 滲出液　しんしゅつえき
exudate, effusion
➡歯肉溝滲出液

628 真性口臭症　しんせいこうしゅうしょう
genuine halitosis
宮崎ら（1999）の国際分類による口臭症の一つ．社会的許容限度を超える明らかな**口臭**が認められるものであり，以下に分類される．①生理的口臭：器質的変化や原因疾患がないもの．②病的口臭：口腔由来の病的口臭（口腔内の原疾患，器質的変化，機能変化などによる口腔由来もの）と全身由来の病的

口臭（耳鼻咽喉科疾患や呼吸器疾患などによる全身由来のもの）．治療法として，生理的口臭は**セルフケア支援**，口腔由来の病的口臭は疾患治療と**プロフェッショナルケア**，全身由来の病的口臭は医科との連携が中心となる．
▶仮性口臭症，口臭恐怖症

629 新生セメント質　しんせい——しつ
newly formed cementum
　歯周外科治療後の治癒において，露出した歯根面に形成された**セメント質**．
▶新付着

630 真性ポケット　しんせい——
true pocket
➡歯周ポケット

631 心臓血管系疾患　しんぞうけっかんけいしっかん
cardiovascular disease
〔同義語〕CVD
➡冠状動脈心疾患

632 診断用ワックスアップ　しんだんよう——
diagnostic wax up
　診断のため最終補綴の状態を模型上にワックスで形成すること．全顎に及ぶクラウンブリッジによる咬合再構成や，インプラント治療を行う場合によく用いられる．

633 伸展四フッ化エチレン樹脂膜　しんてんよん——か——じゅしまく
expanded polytetrafluoroethylene membrane
➡ePTFE 膜

634 心内膜炎　しんないまくえん
endocarditis
➡感染性心内膜炎

635 シンバイオーシス
symbiosis
〔同義語〕シンビオーシス
〔類義語・関連語〕相利共生
　腸内細菌や口腔細菌などの常在菌が動物（宿主）と相互に栄養源などを補足し，バランスの取れた相互関係を保ちながら共存して**細菌叢（マイクロバイオータ）**を形成している状態．細菌は共凝集・共接着をし，菌種間シグナル伝達によりコミュニティとして適応し，宿主の健康も保たれている．

636 審美歯周外科治療　しんびししゅうげかちりょう
esthetic periodontal surgery
　歯肉，歯槽粘膜，歯槽骨の欠損に対して行われる審美性の獲得を目的とした外科手術．**歯周形成手術**や**歯肉増大術**などが主として行われる．

637 新付着　しんふちゃく
new attachment
　歯周病によって露出した歯根面に，治療的手段によって**セメント質の新生**を伴う**結合組織性付着**が生じること．新付着は歯根面に対する付着様式のことであり，**歯槽骨再生の有無は言及していない**．
▶再生（歯周組織の），再付着

638 新付着術　しんふちゃくじゅつ
excisional new attachment procedure
〔同義語〕ENAP，新付着手術
　組織付着療法の一つ．浅い骨縁上ポケットが存在する場合などに行う．歯肉辺縁部から**歯周ポケット**底部へ切開を加えることによって歯周ポケット内壁を切除し，露出した歯根表面を**スケーリング・ルートプレーニング**した後，歯肉を縫合し，歯根表面に密着させて**治癒**を図る手術法．炎症の消退による歯肉の**退縮**と**長い上皮性付着**によって歯周ポケットの減少が起こる．新付着は獲得されず，長い上皮性付着の治癒となる．

す

639 垂直性骨吸収　すいちょくせいこつきゅうしゅう
vertical (angular) bone loss, vertical (angular) bone resorption
➡歯槽骨吸収

640 垂直性食片圧入　すいちょくせいしょくへんあつにゅう
vertical food impaction
➡食片圧入

641 垂直的プロービング　すいちょくてき——
vertical probing
➡プロービング

642 垂直マットレス縫合　すいちょく——ほうごう
vertical mattress suture
➡マットレス縫合

643 水平性骨吸収　すいへいせいこつきゅうしゅう
horizontal bone loss, horizontal bone resorption
➡歯槽骨吸収

644 水平性食片圧入
すいへいせいしょくへんあつにゅう
horizontal food impaction
➡食片圧入

645 水平的プロービング　すいへいてき——
horizontal probing
➡プロービング

646 水平マットレス縫合　すいへい——ほうごう
horizontal mattress suture
➡マットレス縫合

647 睡眠時随伴症　すいみんじずいはんしょう
parasomnia

睡眠の経過中に起こる心身機能の異常の総称．夜驚症，覚醒障害として睡眠時遊行症，睡眠・覚醒移行障害として寝言，レム睡眠時に随伴するものとして悪夢などがある．その他，**ブラキシズム（歯ぎしり）**，いびき，**睡眠時無呼吸症候群**，夜尿も含まれる．

648 睡眠時無呼吸症候群
すいみんじむこきゅうしょうこうぐん
sleep apnea syndrome
〔同義語〕SAS

1999年米国睡眠医学会では，睡眠1時間あたり呼吸障害（無呼吸・低呼吸指数）の回数が5回以上かつ日中の傾眠などの症候を伴うものと定義している．本症候群は，①上気道の閉塞型，②中枢型，③混合型に分類される．**肥満**との関連が報告され，**ブラキシズム，口呼吸**を伴う歯周病患者においては，いびきの程度とともに，確認する必要がある．
▶睡眠時随伴症，睡眠障害国際分類

649 睡眠障害国際分類
すいみんしょうがいこくさいぶんるい
the international classification of sleep disorders
〔同義語〕ICSD

睡眠障害の国際分類．①不眠症，②睡眠関連呼吸障害群，③中枢性過眠症候群，④概日リズム睡眠・覚醒障害群，⑤**睡眠時随伴症群**，⑥睡眠関連運動症候群，⑦その他に分類される．

650 スキャフォールド（再生における）
scaffold
〔同義語〕足場

組織が**再生**する際に，効率的に細胞が定着，分化，増殖するために必要な足場．組織再生は，スキャフォールドに細胞および**増殖因子**が持続的に供給されることによって生じる．生体高分子材料（コラーゲン，ゼラチンなど），合成高分子材料（乳酸・グリコール酸など），無機質材料（ハイドロキシアパタイト，リン酸三カルシウムなど）などがある．
▶担体

651 スキャロップ状切開　——じょうせっかい
scallop shaped incision

歯周外科治療時，とくに**フラップ手術**の際に歯肉弁を形成するための切開法の一つ．切開された歯肉弁のデザインが帆立貝の貝殻状（スキャロップ状）になることからこうよばれる．

652 スクラッビング法　——ほう
scrubbing method

歯ブラシの毛先を用いて行う**ブラッシング法**の一つ．**歯肉**にわずかに触れる程度で唇頰側では歯ブラシの毛先を歯面に直角に当て，舌口蓋側では歯軸に対して約45°で当てて，近遠心方向に微振動を与える．一般的には容易で，プラーク除去効果も高い．

653 スクリュー固定式　——こていしき
screw-retained

インプラントの上部構造をスクリューのみで**固定**する方法．アバットメントをスクリューで固定した後，歯冠修復物をさらにスクリューで固定するツースクリュー固定と，アバットメントを含む歯冠修復物を一つのスクリューで固定するワンスクリュー固定がある．スクリュー固定式は術者による取り外しが可能であり，補綴装置の修理や，デザインが変更になった場合にも再治療をしやすい．
▶セメント固定式

654 スケーラー
scaler
〔類義語・関連語〕手用スケーラー，超音波スケーラー，エアスケーラー

歯面に付着したプラーク，歯石，病的セメント質および沈着物の機械的な除去や歯根面の滑沢化のために使用する器具．手用スケーラー，超音波スケーラー，エアスケーラーなどがある．手用スケーラーには，シックル型，キュレット型，ホウ型，ファイル型，チゼル型がある．
▶スケーリング，ルートプレーニング

655 スケーリング
scaling
〔同義語〕歯石除去，除石
　歯面に付着したプラーク，**歯石**，その他の沈着物を機械的に除去する操作．歯周病の**予防**や治療の一手段として重要な位置を占め，**スケーラー**を用いて行われる．歯肉辺縁を境に，歯冠側では**歯肉縁上スケーリング**，根尖側では**歯肉縁下スケーリング**とよぶ．

656 スケーリング・ルートプレーニング
scaling and root planing
〔同義語〕SRP
→スケーリング，ルートプレーニング

657 スタビライゼーションスプリント
stabilization splint
〔同義語〕スタビライゼーション型スプリント
　オクルーザルスプリントの一つ．均等な咬合接触を付与することで下顎の安静を得ることを目的として，上顎か下顎の一方に適合するように製作された全歯列を覆う**スプリント**．

658 Stevens-Johnson 症候群
すてぃーぶんすじょんそんしょうこうぐん
Stevens-Johnson syndrome
〔同義語〕皮膚粘膜眼症候群，重症型多形滲出性紅斑
　発熱・関節痛などの全身症状を伴い，口腔，鼻，眼，外陰部などの粘膜に水疱・びらんを生じる症候群．口腔内びらんにより食事摂取困難になる．さらに全身に水疱，びらんを伴う多形滲出性紅斑様皮疹を多発する．**抗菌薬や非ステロイド性抗炎症薬**などの薬剤，マイコプラズマやウイルスなどの感染などにより誘発されるアレルギー反応．

659 スティップリング
stippling
　健康な**付着歯肉**および**歯間乳頭**の表面にみられる多数の小窩．舌側よりも唇（頬）側に多くみられる．歯肉組織の炎症が進行したり，波及したりすると消失し，健康な状態に回復すると再び認められるようになる．スティップリングの出現は年齢によって異なり，幼少期から現れ成人期まで増加する．
▶歯肉

660 スティルマン改良法　——かいりょうほう
modified Stillman method
〔類義語・関連語〕スティルマン原法
　主に歯ブラシの脇腹を用いて行うブラッシング法の一つ．歯肉組織に対するマッサージ効果は高いが，毛先を使用する方法と比べるとプラーク除去効果は低い．歯ブラシの毛先を根尖側方向に向け，毛先が**辺縁歯肉**と歯面の境界部に接する位置で数回の加圧運動を加えた後に，毛先を歯冠側方向に回転させ歯面を清掃する．

661 Stillman のクレフト　すてぃるまん——
Stillman's cleft
→クレフト（歯肉の）

662 ステント
stent
①止血や患部の保護などの目的で使われる装置．②**臨床的アタッチメントレベルの測定を規格化する**ために，歯冠部に装着するようにレジンなどで製作した装置．③移植片などの組織を安定させるための装置．④**インプラント体**の埋入位置や骨の状態を検査するための装置．⑤インプラント体埋入のためにガイド孔を付与した装置．

663 ストレス（歯周病における）
stress
　歯周病のリスクファクターの環境因子の一つ．歯周病の発症や進行に関与する心理的，社会的緊張．**壊死性歯周疾患**の発症に関して，ストレスとの強い相関関係が報告されている．また，近年では歯周病の罹患程度とストレスとの関連性，ストレスによる歯周組織破壊の機序について研究が進められている．

664 スニップ
single nucleotide polymorphism
→一塩基多型

665 スピロヘータ
spirochetes
　菌体の幅 0.1〜3.0 μm，長さ 5〜250 μm の細長いらせん状の**グラム陰性細菌**．鞭毛をもち活発な運動性を示し，エンベロープで覆われている．ヒトに病原性を示すものの一つとして梅毒を生じさせる *Treponema pallidum* がある．口腔内では，歯の萌出とともに *Treponema* 属が検出されるようになる．スピロヘータは**歯肉溝滲出液**を栄養源とし，歯周ポケットが深くなるとその数が著しく増加する．とくに *Treponema denticola* がよく検出される．

666 スプリント
splint
→固定，スプリント治療

667 スプリント治療 ――ちりょう
splint treatment
〔類義語・関連語〕オクルーザルスプリント，バイトスプリント，ナイトガード

ブラキシズムや顎関節症の治療法の一つ．覚醒時や睡眠時にオクルーザルスプリントを装着し，口腔周囲筋の異常収縮の除去，歯や歯周組織の保護，下顎の安静を保つためなどに用いられる．

668 スペースメイキング
space making

再生療法において，再生のための空間を確保すること．GTR法では，GTR膜を用いて歯根表面との間に歯根膜由来細胞を誘導，増殖させるためのスペースを確保する．この目的から，GTR膜には非吸収性膜，吸収性膜にかかわらず，適度な強度が要求される．

669 スマイルライン
smile line

大きく笑ったときや自力で口唇を挙上もしくは下制した際に上唇下縁と下唇上縁でできる線．審美性を考慮する際，露出歯根面の限界の目安になる．

▶ガミースマイル

670 スミヤー層 ――そう
smear layer
〔同義語〕スメア層，スミア層

象牙質表層の切削時に生じる微細な切削片が，歯面に付着してできる膠着層．通常の厚みは数μmであり，歯の表層はスミヤープラグによって象牙細管が閉鎖している．スミヤー層を除去するために，象牙質表面の酸処理を行う．

671 すれ違い咬合 ――ちが――こうごう
non-vertical stop occlusion

上下顎に残存歯があるにもかかわらず，それらに対合関係がなく顎間距離が不明となった状態．

せ

672 生活習慣病 せいかつしゅうかんびょう
life style-related disease, life style disease
〔類義語・関連語〕非感染性疾患

食習慣，運動習慣，休養，喫煙，飲酒などの生活習慣が，その発症・進行に関与する疾患群．生活習慣の改善により，疾患の進行を予防できる．肥満，2型糖尿病，歯周病，高血圧症，脂質異常症，脳卒中，冠状動脈心疾患（虚血性心疾患）などがある．

673 成人性歯周炎 せいじんせいししゅうえん
adult periodontitis
〔類義語・関連語〕慢性歯周炎

1989年の米国歯周病学会の分類による歯周炎の一つ．35歳前後以降で発症し，緩慢ではあるが持続的に症状が進行する歯周炎．プラークや歯石の沈着と強い相関関係があり，発現頻度と進行程度は年齢とともに増加する．1999年の米国歯周病学会の分類および2006年の日本歯周病学会の分類の慢性歯周炎とほぼ同義である．

▶若年性歯周炎

674 生体吸収性膜 せいたいきゅうしゅうせいまく
absorbable membrane, bioabsorbable membrane

➡吸収性膜

675 生体材料 せいたいざいりょう
biomaterial

生体に埋入もしくは接触させて使用することにより，生体の機能を回復することを目的とする生体適合性材料．インプラント体，歯周組織再生剤，骨補塡材などがある．

676 正中離開 せいちゅうりかい
median diastema, midline diastema

上顎もしくは下顎の中切歯間にみられる歯間離開．一般的には上顎に多い．原因としては，重度の歯周炎，正中部の過剰埋伏歯，中切歯の形態異常，側切歯の先天欠如，上唇小帯の肥大もしくは付着異常，悪習癖，顎骨間結合不全などがあげられる．

677 成長因子 せいちょういんし
growth factor

➡増殖因子

678 生物学的幅径 せいぶつがくてきふくけい
biologic width, biological width
〔同義語〕生物学的幅
〔類義語・関連語〕骨縁上組織付着

良好な歯周組織の確立や維持に必要とされる歯肉溝底部から歯槽骨頂部までの歯肉の付着の幅．上皮性付着（約1mm）と結合組織性付着（約1mm）の幅から成り立っている．この生物学的幅径は，歯周ポケットの深化や歯肉退縮が生じてもあまり変化しないといわれている．この範囲に修復物が入ると歯肉の炎症，歯周ポケットの形成および骨吸収が生じる．

679 セクショナルアーチ（矯正治療の）
sectional arch

〔同義語〕セグメンテッドアーチ

矯正治療を行う際に歯列全体にアーチワイヤーを適合せずに，部分的に用いるアーチ．したがって，症例によっては，数本のセクショナルアーチを同時に用いることがある．アーチは部分的であるため，確実な固定源を求めなければ反作用の力が生じやすく，力のコントロールがむずかしい．

680 セクスタント
sextant

〔同義語〕口腔内6分割，3分の1顎

口腔内を6分割（上下顎の前歯部および臼歯部）した際の最小単位．臨床試験などの研究を行う際に，口腔内での部位による差異を検証するような場合に用いられる．

681 セチルピリジニウム塩化物水和物
——えんかぶつすいわぶつ

cetylpyridinium chloride

〔同義語〕CPC

病原性細菌に対して強力な殺菌作用を有する薬剤．また，**抗菌薬耐性**のブドウ球菌に対しても有効である．刺激性がきわめて少ない．

682 接合上皮　せつごうじょうひ
junctional epithelium

〔同義語〕付着上皮

〔類義語・関連語〕ヘミデスモゾーム

歯の表面，すなわちエナメル質や**セメント質**に付着している部分の**歯肉上皮**．基底細胞と有棘細胞で構成され，角化していない．接合上皮と歯の表面とは，最表層の細胞の基底板とヘミデスモゾームを介して付着している．接合上皮細胞は，少しずつ**歯肉溝**に向かって移動し，歯肉溝から順次剝離して脱落する．

683 舌習癖　ぜつしゅうへき
tongue habit

〔同義語〕弄舌癖

悪習癖の一つ．咬舌癖，舌前突癖，低位舌などがある．舌を無意識のうちに上下顎歯の間に挿入しているような**習癖**である．舌習癖には，異常嚥下癖を有する患者が多く，**オープンバイト**，顎前突，**歯間離開**の原因となりうる．また，舌習癖による舌圧は，歯や**歯周組織**に対して外傷性に働くことがあり，歯周組織の炎症とともに**歯周病**を増悪させることがある．

684 接触点　せっしょくてん
contact point

〔同義語〕コンタクトポイント

個々の歯が隣接面で隣在歯と接している点または面．加齢とともに面積が増大する．位置は前歯部で切縁寄り1/5，臼歯部では咬合面寄り1/4～1/3が理想的である．接触点の強さおよび位置は**食片圧入**に関係する．

685 切除療法　せつじょりょうほう
resective procedure, resective therapy

歯肉ポケットあるいは**歯周ポケット**の除去を目的とする**歯周外科治療**の総称．歯肉ポケットあるいは歯周ポケットを構成する組織を切除することにより，ポケットの除去または減少を図り，**歯周組織**を生理的形態にし，ひいては歯周病の再発防止を図る．切除療法には，**歯肉切除術**，**歯肉弁根尖側移動術**，**骨切除術**，**歯槽骨整形術**などが含まれる．

686 舌側弧線装置　ぜっそくこせんそうち
lingual arch appliance

歯の近遠心的，頰舌的な移動を行うために舌側歯頸部に応用する矯正装置．舌側歯頸部に位置するラウンドワイヤーによる主線と，これを維持する維持部，歯の移動を行う弾線から構成される．種々の矯正装置の中でも，最も適応範囲が広い装置の一つである．

687 舌苔　ぜったい
tongue coating, bacterial coating of tongue, tongue plaque, fur

舌背上に付着した灰白色の偽膜様沈着物．口臭の原因となる．舌苔の成分には，細菌，脱落した上皮細胞，**歯肉溝滲出液**からの白血球などの血球成分，食物残渣などの混合物が含まれている．舌ブラシなどを用いた清掃によって除去できる．

688 接着性レジン固定　せっちゃくせい——こてい
adhesive resin splint

➡エナメルボンディングレジン固定

689 舌ブラシ　ぜつ——
tongue cleaner, tongue brush

舌背上に付着した**舌苔**を除去するための器具．舌ブラシには様々な形態があり，舌の上を軽く擦過し，舌苔を除去する．使用の際には，力を入れすぎて舌を傷つけないようにする．

690 舌面板-接着性レジン固定
ぜつめんばんせっちゃくせい——こてい

lingual plate-adhesive resin splint

歯の舌面に適合するように製作された暫間固定装置の一つ．ニッケルクロム合金もしくは金銀パラジウム合金を用いて製作された舌面板を，接着性レジンで当該歯の舌側に接着する．審美性にも比較的優れているため，主に前歯部に用いられることが多い．また，固定力も強いため，**永久固定**にも用いられる．

691 セメント-エナメル境 ——きょう
cemento-enamel junction

〔同義語〕CEJ

歯の歯頸部における**セメント質**と**エナメル質**との境界部．解剖学的歯頸線と一致する．エナメル質とセメント質との関係は，約30％が移行的に連続，約60％がオーバーラップ，約10％が連続していないといわれている．

692 セメント固定式 ——こていしき
cement-retained

〔同義語〕セメント合着式

インプラントの上部構造をセメントで固定する方法．セメント固定式はアクセスホールが必要ないため，審美性と耐摩耗性に優れているが，セメントが残留した場合には**インプラント周囲炎**発症のリスクがある．

▶スクリュー固定式

693 セメント質 ——しつ
cementum

歯根表面を覆っている骨組織に類似した硬組織．歯と**歯槽骨**を結ぶ歯根膜線維の一端である**シャーピー線維**が埋入し，歯の支持に重要な役割を果たしている．一般的には歯根全面が**無細胞セメント質**（原生セメント質）で覆われており，根尖側1/3ではその表面を**細胞性セメント質**（第二セメント質）が覆っている．

694 セメント質（の）剥離 ——しつ——はくり
cemental tear

〔同義語〕剥離性歯根破折

セメント質が歯根から剥離すること．剥離はセメント質と象牙質の界面あるいはセメント質内部で生じる．不完全剥離と完全剥離がある．単根歯に生じやすい．原因として，**外傷性咬合**，外傷，加齢などが考えられている．剥離が歯肉溝底部あるいはポケット底部付近で生じると**プロービングデプス**が深くなり，歯周組織破壊を伴う．根尖部付近で生じると根尖病変に類似した病変となることがある．

▶歯根破折

695 セメント質（の）肥厚 せめんとしつ——ひこう
hypercementosis

〔同義語〕セメント質（の）肥大

セメント質の過度の形成．一般に**細胞性セメント質**で生じる．原因として**外傷性咬合**，対合歯の喪失（**不働歯**），埋伏歯，慢性炎症などがあげられている．

696 セラミックストーン
ceramic stone

〔類義語・関連語〕アーカンソーストーン，インディアストーン

スケーラーのシャープニングに使用される人工砥石．シャープニング時にオイルを必要としないが，水を使用してもよい．粒子がアーカンソーストーンやインディアストーンよりも細かく，シャープニングの仕上げ用に適する．

697 セルフケア
self-care

〔同義語〕オーラルセルフケア

歯周病や齲蝕の**予防**や治療のために個人で行う口腔内管理．毎日の**プラークコントロール**により歯周病や齲蝕の直接的な原因である**プラーク**を除去することが重要である．

▶プロフェッショナルケア

698 線維芽細胞増殖因子
せんいがさいぼうぞうしょくいんし

fibroblast growth factor

〔同義語〕線維芽細胞成長因子，FGF

〔類義語・関連語〕bFGF，FGF-2，塩基性線維芽細胞増殖因子，リグロス®

様々な細胞の増殖や分化，**創傷治癒**，発生など広汎な生理機能に関係する**成長因子**．現在，ヒトでは22種類が同定されている．その一つであるヒト塩基性線維芽細胞増殖因子（FGF-2 / basic FGF）は154個のアミノ酸からなる分子量18kDaのポリペプチドであり，線維芽細胞，血管内皮細胞，**骨芽細胞**，**間葉系幹細胞**などの増殖誘導，血管新生促進・細胞外基質産生などの作用を有する．ヒトリコンビナントFGF-2が2016年に歯周組織再生剤（**リグロス®**）として製品化され臨床応用されている．

699 線維性歯肉増殖症
せんいせいしにくぞうしょくしょう

fibrous gingival hyperplasia (overgrowth)

➡歯肉増殖症

700 線維性付着　せんいせいふちゃく
fibrous attachment
➡結合組織性付着

701 洗口剤　せんこうざい
mouth rinse solution, mouth rinse, mouthwash, rinsing agent
〔同義語〕洗口液，デンタルリンス

　口をゆすぐことによって口腔内の洗浄・消毒を行える液体．**抗菌薬**，抗炎症薬，界面活性剤，酵素，香料などが含有されている．**化学的プラークコントロール**として，塩化セチルピリジニウムやグルコン酸クロルヘキシジンなどを含む抗菌剤が用いられ，**プラーク**の抑制，**歯周病・口臭**の治療・予防効果が認められている．
▶含嗽剤

702 前思春期性歯周炎　ぜんししゅんきせいししゅうえん
prepubertal periodontitis
〔同義語〕思春期前歯周炎

　乳歯期から思春期に発症する**歯周炎**．1989年の米国歯周病学会の分類によって早期発症型歯周炎の一つとして定義された．発症は早い場合で4歳以前に始まる．限局型と広汎型があり，プラーク量も少なく炎症症状があまりみられない．好中球や単球の遊走能の欠損など生体防御機能の低下が関与している．

703 全身疾患関連性歯周炎　ぜんしんしっかんかんれんせいししゅうえん
periodontitis associated with systemic diseases

　2006年の日本歯周病学会の分類で定義された，全身疾患の一症状として口腔内に発現する**歯周炎**．糖尿病，骨粗鬆症，骨減少症，後天性免疫不全症候群（AIDS），白血病などで認められることがある．

704 全身性エリテマトーデス　ぜんしんせい——
systemic lupus erythematosus

　DNA-抗DNA抗体などの免疫複合体の組織沈着により起こる全身性炎症性病変を特徴とする**自己免疫疾患**．何らかの**遺伝的素因**を背景として，感染，性ホルモン，紫外線，薬物などの**環境因子**が加わって発症するものと推測されている．口腔内に潰瘍や**扁平苔癬**に似た症状を呈することがある．

705 全層弁　ぜんそうべん
full thickness flap
〔同義語〕粘膜骨膜弁，フルシックネスフラップ，全層歯肉弁

　骨面から粘膜と骨膜を一体にして剥離して形成された歯肉弁．骨面の処置が必要な手術の際，骨に達する**内斜切開**を行い，骨膜剥離子の先端を切開部に挿入し，骨に沿って粘膜骨膜を剥離し，歯肉弁を形成する．通常の**フラップ手術**では，全層弁が用いられる．
▶部分層弁

706 選択的咬合調整　せんたくてきこうごうちょうせい
occlusal adjustment, selective grinding
〔同義語〕選択削合，削合調整

　咬合紙やオクルーザルインディケーターを用いて印記された**早期接触**部や咬頭干渉部を選択的に削合すること．咬合関係を改善し，**歯周組織**の安定化を図ることを目的とする．
▶咬合調整

707 前方運動　ぜんぽううんどう
protrusive movement

　咬頭嵌合位（中心咬合位）から上下顎の歯の接触を保ちつつ，下顎を前方へ接触滑走させる運動．この運動は，生理的には正常な運動であるため，**早期接触**がある場合は**咬合調整**が必要となる．咬合調整の際は，上下顎前歯部を均等に誘導し，臼歯部の接触が起こらないようにする．
▶側方運動

708 線毛　せんもう
fimbriae, pili

　菌体表層に密生する3～8 nm幅の線維状構造物．多くの**グラム陰性細菌**と一部のグラム陽性細菌に存在する．細菌の付着に関与することによってその病原性に関わる．**歯周病原細菌**では，*Porphyromonas gingivalis*, *Aggregatibacter actinomycetemcomitans* に線毛が認められる．

709 専門的口腔ケア　せんもんてきこうくう——
professional oral care
➡プロフェッショナルケア

710 戦略的抜歯　せんりゃくてきばっし
strategic tooth extraction
〔類義語・関連語〕便宜抜歯

　修復・補綴治療，**歯周-矯正治療**などの際に，最終的な口腔内状態や予後を考慮して，より理想的な状態を口腔内に確保するために，歯を積極的，戦略的に抜歯すること．中等度以上の**歯周炎**に罹患した歯に対して，隣接歯への炎症の波及防止や，歯槽骨レベルの維持を目的に抜歯することがある．

そ

711 槽間中隔　そうかんちゅうかく
interalveolar septum
〔同義語〕歯槽中隔

隣り合う歯槽と歯槽の間の骨の隔壁．多根歯では，歯槽に埋入されている歯根の分岐に一致した中隔（**根間中隔**）が認められる．

712 早期接触　そうきせっしょく
premature contact

下顎の閉口運動や偏心運動時に，特定の歯が他の歯よりも先に接触した状態．早期接触の認められる歯は，**過重負担**によって**咬合性外傷**を受けやすく，**歯周組織の安定化**が図れないことが多いため，**咬合調整**を行う．

713 早期発症型歯周炎　そうきはっしょうがたししゅうえん
early-onset periodontitis

1989年の米国歯周病学会の分類による**歯周炎**の一つ．35歳以下で発症し，急速な組織破壊，宿主防御機構の低下，特異的な**細菌叢**を有することを特徴とする歯周炎．早期発症型歯周炎には，**前思春期性歯周炎，若年性歯周炎，急速進行性歯周炎**が含まれ，さらに前二者は限局型と広汎型に分けられる．

▶侵襲性歯周炎

714 早期負荷　そうきふか
early loading
〔同義語〕早期荷重

インプラント体埋入後，早期に**上部構造**を装着することで，早期荷重ともいわれる．通常，インプラント体埋入後，1週間から2か月の間にインプラントに上部構造が装着される状態．

▶即時負荷，遅延負荷

715 象牙質-歯髄複合体　ぞうげしつしずいふくごうたい
dentin-pulp complex

歯髄と象牙質を一体としてとらえる考え方．象牙芽細胞突起が象牙細管を通り，エナメル-象牙質境まで伸びていること，歯髄に第二，第三象牙質などの象牙質形成能があることを根拠とする．

716 象牙質知覚過敏　ぞうげしつちかくかびん
dentin hypersensitivity, hypersensitive dentin
〔同義語〕歯頸部知覚過敏，Hys

口腔内に露出した有髄歯の象牙質に機械的，温度的，化学的な刺激が加わることで一過性に疼痛が生じる状態．歯のくさび状欠損や歯周治療による歯根露出などに伴って生じる．通常，歯髄組織は正常であることが多いが，強度の疼痛を繰り返すものでは歯髄炎の初期病変を示す場合がある．

717 早産低出生体重　そうざんていしゅっせいたいじゅう
preterm low birth weight
〔同義語〕低体重児早産，早産・低体重児出産

出生体重が2,500 g未満（低出生体重）で，妊娠24週以降37週未満の出産（早産），早期陣痛，前期破水のいずれかを伴うもの．歯周病を有さない妊婦に比較して，歯周病を有する妊婦では早産低出生体重児の出産リスクが高いことが報告されている．**歯周病原細菌**や**炎症性サイトカイン**などの関与が考えられている．

718 早産・低体重児出産　そうざんていたいじゅうじしゅっさん
preterm low weight birth

➡早産低出生体重

719 創傷治癒　そうしょうちゆ
wound healing

創傷を受けた組織の**治癒**．3つの治癒形式がある．**一次創傷治癒**とは，組織間が切創で閉鎖縫合することによって治癒するもの．比較的治癒が早い．**二次創傷治癒**とは，縫合せずに開放創のまま治癒するもの．瘢痕が生じる．三次創傷治癒とは，ある期間創を放置して清浄化した後に縫合することによって治癒するもの．

720 増殖因子　ぞうしょくいんし
growth factor
〔同義語〕成長因子，分化増殖因子，細胞増殖因子
〔類義語・関連語〕シグナル分子

特定の細胞の増殖や分化を促進する**サイトカイン**．組織における恒常性の維持ばかりでなく，組織発生や**治癒**の過程において，組織の維持，形成，**修復**や再生を促進する．標的細胞の受容体に特異的に結合することにより細胞を活性化し，また細胞間の伝達物質として働く．歯周組織再生においては，**骨形成タンパク質，血小板由来増殖因子，線維芽細胞増殖因子，トランスフォーミング増殖因子**などが研

究されている．

721 増殖性歯肉炎　ぞうしょくせいしにくえん
hyperplastic gingivitis
炎症により歯肉組織が増殖したもの．
▶歯肉増殖症

722 叢生　そうせい
crowding
〔同義語〕クラウディング
歯列内において，歯が唇頬側あるいは舌口蓋側に転位し，重なり合い，隣接歯との適切な接触が失われている状態．顎骨と歯の大きさのディスクレパンシー，乳歯の早期萌出や晩期残存，過剰歯，萌出異常などによって起こる．プラークコントロールが不良となり，歯周病に罹患しやすくなる．

723 掻爬　そうは
curettage
➡歯周ポケット掻爬

724 即時負荷　そくじふか
immediate loading
〔同義語〕即時荷重
インプラント体を埋入後すぐに負荷をかけることで，即時荷重ともいう．通常，インプラント埋入後1週間以内にインプラントに上部構造が装着される状態を示す．
▶早期負荷，遅延負荷

725 側方運動　そくほううんどう
lateral movement
下顎を咬頭嵌合位から左右に動かす運動．下顎が外側へ移動した側を作業側，その反対側を非作業側（平衡側）という．側方運動時における歯の接触状態により，犬歯誘導咬合（カスピッドプロテクテッドオクルージョン），グループファンクションドオクルージョン（片側性平衡咬合），フルバランスドオクルージョン（両側性平衡咬合）に大きく分けられる．
▶前方運動

726 ソケットプリザベーション
socket preservation
➡歯槽堤保存術

727 ソケットリフト
socket lift
➡上顎洞底挙上術

728 組織工学　そしきこうがく
tissue engineering
➡ティッシュエンジニアリング

729 組織再生誘導法　そしきさいせいゆうどうほう
guided tissue regeneration method
➡GTR法

730 組織付着療法　そしきふちゃくりょうほう
tissue attachment therapy
歯根面および歯周ポケットの内部に蓄積した細菌および細菌由来の汚染物質を徹底的に取り除き，歯肉軟組織の歯根面への付着を促すことを主目的とした手術法．本療法には歯周ポケット掻爬，新付着術，フラップキュレッタージ，ウィドマン改良フラップ手術などが含まれる．

731 咀嚼能力検査　そしゃくのうりょくけんさ
masticatory ability
咀嚼能力の検査．検査法の一つとして，グルコース分析装置（グルコース含有グミゼリー咀嚼時のグルコース溶出量を測定するもの）を用いる方法がある．

732 ソフトティッシュマネージメント
soft tissue management
天然歯およびインプラント周囲組織の審美性の回復，歯周病およびインプラント周囲炎の再発予防のために軟組織に対して行う処置．歯肉退縮の治療や進行防止，適切な補綴装置装着のための欠損部歯槽堤の形態修正や増大，付着歯肉の獲得，歯肉切除術や歯肉整形術などがある．

733 ソフトレーザー
soft laser
低出力レーザー．波長は632.8〜904 nm，出力は10〜30 mWで，生体組織に損傷を与えない．照射により組織の活性化や，象牙質知覚過敏，アフタ性口内炎などの知覚鈍麻に有効であるといわれている．半導体レーザーやHe-Ne（ヘリウム-ネオン）レーザーなどがある．
▶レーザー

た

734 Tarnow と Fletcher の根分岐部病変分類
たーなう——ふれっちゃー——こんぶんきぶびょうへんぶんるい
Tarnow & Fletcher's classification of furcation involvement

Tarnow と Fletcher（1984）によって提唱された**根分岐部病変**の垂直方向の破壊程度分類．根分岐部病変の水平方向分類に加えて，垂直方向の破壊程度をサブクラスとして分類した．サブクラスA：根分岐部ルーフから1〜3 mm のプローブによる深さ．サブクラスB：根分岐部ルーフから4〜6 mm のプローブによる深さ．サブクラスC：根分岐部ルーフから7 mm 以上のプローブによる深さ．根分岐部病変はⅠA，ⅠB，ⅠC，ⅡA，ⅡB，ⅡC，ⅢA，ⅢB，ⅢC として分類できる．
▶ Glickman の根分岐部病変分類，Hamp らの根分岐部病変分類，Lindhe と Nyman の根分岐部病変分類

735 第三リン酸カルシウム　だいさん——さん——
tricalcium phosphate
➡ リン酸三カルシウム

736 退縮　たいしゅく
recession
➡ 歯肉退縮

737 対症療法　たいしょうりょうほう
symptomatic treatment, symptomatic therapy

表面的な症状の改善，緩和を主目的とする治療法．**歯周治療**における対症療法には切開排膿や投薬などがあげられる．
▶ 原因除去療法

738 耐性菌　たいせいきん
(drug-) resistant bacteria
〔同義語〕薬剤耐性菌

抗菌薬などの薬剤に対して抵抗性を示し，薬剤が効かなくなる耐性を獲得した細菌．耐性を獲得するメカニズムとしては，自身の遺伝子の変異による獲得（内在性獲得）と外来性の遺伝子の獲得（外来性獲得）がある．作用機序の異なる2種類以上の薬剤に耐性を示す細菌は**多剤耐性菌**とよばれる．近年，緑膿菌，結核菌，黄色ブドウ球菌などの多剤耐性菌が問題となっている．耐性菌の蔓延の要因の一つとして抗菌薬の不適切な使用があげられる．

739 ダイランチン歯肉増殖症
——しにくぞうしょくしょう
dilantin-induced gingival hyperplasia (overgrowth)
➡ フェニトイン歯肉増殖症

740 ダイレクトボンディングシステム固定
——こてい
direct bonding system splint
➡ エナメルボンディングレジン固定

741 Down 症候群　だうんしょうこうぐん
Down syndrome
〔同義語〕21-トリソミー症

先天性常染色体異常の一つ．95％が常染色体21番のトリソミー（三染色体）による．特徴的な顔貌所見，精神発達遅滞，先天性心疾患（約40％）などを伴う．口腔内では，上顎骨の劣成長，高口蓋，反対咬合，巨舌，溝状舌，歯の萌出遅延，形態異常や先天欠如を認める．また，感染に対する抵抗力の低下が認められ，**歯周病**を発症しやすい．

742 唾液検査　だえきけんさ
salivary test

歯周病スクリーニング，**口腔乾燥症**の診断，齲蝕感受性の診断などを目的とした種々の検査．安静時分泌速度，刺激時分泌速度，安静時pH，緩衝能，**細菌検査**（乳酸菌，ミュータンスレンサ球菌，**歯周病原細菌**），イースト数，潜血試験などを含む．歯周病スクリーニングではアスパラギン酸アミノトランスフェラーゼ（AST），**乳酸脱水素酵素**（LDH），アルカリホスファターゼ（ALP），遊離ヘモグロビンなどがマーカーとなる．

743 他家骨移植　たかこついしょく
allograft, heterogenous bone graft, xenograft

本人以外のヒトまたは動物由来の骨を用いた移植．同種骨移植，異種骨移植がある．同種他家骨では一般に凍結乾燥骨移植（FDBA）や脱灰凍結乾燥骨移植（DFDBA）が臨床応用されている．
▶ 自家骨移植

744 多血小板血漿　たけっしょうばんけっしょう
platelet-rich plasma
〔同義語〕血小板濃厚血漿，PRP

高濃度に濃縮した血小板を含む血漿．採血した血液を遠心分離することにより得られる．豊富なフィブリノーゲンと血液凝固因子を含み，また，**血小板**

由来増殖因子，トランスフォーミング増殖因子，インスリン様増殖因子が含まれ，創傷治癒を促進する．骨や歯周組織再生に有効との報告がある．

745 多剤耐性菌　たざいたいせいきん
multidrug resistant bacteria,
multiple drug resistant bacteria
➡耐性菌

746 脱灰凍結乾燥骨移植
だっかいとうけつかんそうこついしょく
demineralized freeze-dried bone allograft
〔同義語〕DFDBA，脱灰凍結乾燥同種他家骨移植
〔類義語・関連語〕凍結乾燥骨移植（FDBA）

同種で他の個体より得られた脱灰凍結乾燥骨の移植．凍結乾燥操作により移植骨からの免疫原性の危険性はきわめて低くなっている．骨誘導能を有するといわれている．日本では本法による治療は，厚生労働省から認可されていない．
▶他家骨移植

747 脱タンパク質ウシ骨ミネラル
だつ――しつ――こつ――
deproteinized bovine bone mineral
〔類義語・関連語〕他家骨移植，異種骨移植，凍結乾燥骨移植（FDBA），脱灰凍結乾燥骨移植（DFDBA），リン酸カルシウム人工材，バイオガラス，ハイドロキシアパタイト

異種骨移植の骨移植材の一つ．ウシ骨を高熱で焼結処理することで有機成分・細胞成分を除去し，免疫原性を排除した状態にしたものである．結晶構造や多孔性の状態は骨本来の構造が保たれているといわれ，末梢血管の成長や骨形成のための十分な足場となることで，骨の再生を促す．

748 タッピング
tapping
咬合面間に食物のない状態で連続的に下顎を開閉運動させ，カチカチと咬み合わせる運動．ブラキシズムの一つであるが，歯周組織に加わる力も弱く，間欠的なので，為害作用は比較的少ない．寒冷時に生理的にも観察される．臨床的には咬合，顎関節，筋などの検査・診断に利用される．
▶クレンチング，グラインディング

749 縦みがき法　たて――ほう
vertical tooth brushing method
歯ブラシの毛先を歯面に垂直に当て，縦方向に動かす方法．歯肉退縮や擦過傷を起こしやすく，歯面

の摩耗も大きいとされていた．現在では歯列不正のある部位などに対し，歯ブラシの長軸を歯軸方向に合わせた1歯ずつの縦みがき法として用いられている．

750 *Tannerella forsythia*　たねえらふぉーさいしあ
〔同義語〕*Tannerella forsythensis*, *Bacteroides forsythus*

歯周病原細菌の一つ．偏性嫌気性グラム陰性菌．形態は紡錘状で，菌体幅は0.5～0.7μm，長さは3～7μmである．トリプシン様プロテアーゼ，シアリダーゼ，PrtH（forsythia detachment factor），BspA（Bacteroides surface protein A）などの病原性への関与が考えられている．横断的研究により，***Porphyromonas gingivalis***とともにアタッチメントロスとの関連性が高いという報告がある．

751 多能性幹細胞　たのうせいかんさいぼう
multipotential stem cell
〔類義語・関連語〕ES細胞，iPS細胞

未分化な状態でほぼ無限に自己複製し，生殖細胞を含むすべての組織・細胞に分化しうる能力をもつ細胞．胚から取り出したES細胞と，体細胞への数種類の遺伝子導入により得られる誘導多能性幹細胞（iPS細胞）がある．

752 タフトブラシ
tuft brush
〔同義語〕ワンタフトブラシ，エンドタフトブラシ

毛束が一つのヘッドの小さな歯ブラシ．最後方歯遠心面，叢生部位，根分岐部など歯ブラシでは毛先が届きにくいところの清掃に適している．

753 ダブルレイヤー縫合　――ほうごう
double layer suture
創部を浅層と深層の両方に分けて閉鎖する縫合法で，歯周組織再生治療に用いる．隣接面部フラップに対してマットレス縫合とループ状縫合の両方を行うことで，歯肉弁を歯冠側に移動しつつフラップの一時閉鎖を確実にする．GTR法への適応としてCortelliniらが1995年に発表した．

754 炭酸アパタイト　たんさん――
carbonate apatite
〔類義語・関連語〕リン酸三カルシウム，ハイドロキシアパタイト

炭酸を含むアパタイト．$Ca_{10-a}(PO_4)_{6-b}(CO_3)_c$．骨の無機主成分は炭酸基を6～9%含む炭酸アパタイトである．骨伝導能を有する吸収性人工骨移植材として臨床応用されている．

755 炭酸ガスレーザー　たんさん——
carbon dioxide gas laser
〔同義語〕CO_2 レーザー

炭酸ガスを用いて発生する**レーザー**．発振波長は 10,600 nm である．熱エネルギーは他のレーザーより大きいが，水に吸収されやすく，熱エネルギーが浅在性である．蒸散に優れ，軟組織の切除・止血・切開，メラニン色素の除去，**象牙質知覚過敏**の処置などに用いられている．波長 9,600 nm のものもあり，これは硬組織の蒸散能力に優れている．
▶エルビウムヤグレーザー，ネオジムヤグレーザー

756 短縮歯列　たんしゅくしれつ
shortened dental arch
〔同義語〕SDA

大臼歯部の遊離端欠損を補綴しない，小臼歯部までの短い歯列．

757 単純性歯肉炎　たんじゅんせいしにくえん
simple gingivitis
➡プラーク単独性歯肉炎，複雑性歯肉炎

758 断続縫合　だんぞくほうごう
interrupted suture
〔同義語〕結節縫合

最も基本的な縫合法．一針ずつ縫って結ぶ**縫合**．単純縫合（ループ状縫合），8の字縫合，マットレス縫合，懸垂縫合などがある．一つの縫合が弛緩しても他の縫合により創部が開きにくく，また部分的に抜糸することが可能である．
▶連続縫合

759 担体　たんたい
carrier
〔同義語〕キャリア

歯周ポケット内に直接薬物を作用させる局所薬物配送システム（LDDS）においては，**抗菌薬**を含ませる基材のこと．再生療法においては，細胞の**スキャフォールド（足場）**や**増殖因子**の吸着と徐放効果を担う材料のこと．生体内吸収性と非吸収性の材料がある．

ち

760 チーム医療　——いりょう
team treatment, team care

歯科医師・医師とそれをサポートするスタッフが互いに連携協力しながら，それぞれの職務を責任をもって確実に遂行すること．治療をより効率よく，また効果的に行うことを目的とする．介護施設，保健所や学校と地域医療機関との連携，一般開業医と高度専門医療機関あるいは各専門医との連携も広い意味でのチーム医療である．

761 Chédiak-Higashi 症候群
ちぇでぃあっくひがししょうこうぐん
Chédiak-Higashi syndrome

常染色体劣性遺伝病の一つ．細胞内顆粒タンパク質の輸送障害によって好中球の殺菌能が低下し，易感染性を呈する．他の症状としては部分的白子症が認められる．好中球機能の低下により，**歯周炎**の際には**歯周組織**の高度な破壊がみられる．病理的には，ギムザ染色で好中球内に青色に染色される巨大な顆粒が出現する．

762 遅延負荷　ちえんふか
delayed loading
〔同義語〕晩期負荷，遅延荷重

インプラント体埋入から3〜6か月を超える長期の治癒期間の後，負荷を加え機能させること．
▶即時負荷，早期負荷

763 知覚過敏　ちかくかびん
hypersensitivity
➡象牙質知覚過敏

764 チゼル型スケーラー　——がた——
chisel type scaler

手用スケーラーの一種．刃部の形態がノミに似ている．プッシュストロークで前歯部の隣接面の**スケーリング**を行うのに使用する．

765 チャーターズ法　——ほう
Charters method
〔同義語〕チャータース法

歯ブラシの毛先を歯冠側に45°の角度で向け，毛の脇腹を歯面に押し当てながら圧迫振動させ根尖方向に歯肉辺縁まで移動させる方法（原法）．変法はその後，歯肉辺縁で根尖方向に歯ブラシを回転させる．歯肉マッサージ効果があるが，操作が難しくプラーク除去効果はやや低い．
▶ブラッシング法

766 治癒（臨床的，歯周組織の）　ちゆ
healing (clinical periodontal tissue)

歯周組織が臨床的に健康を回復した状態．歯肉の炎症がなく，**歯周ポケット**は3 mm以下，**プロービング時の出血**がなく，歯の動揺は生理的範囲であることが基準となる．

767 中心位　ちゅうしんい
centric relation
〔同義語〕セントリックリレーション

歯の接触とは無関係に下顎窩内で下顎頭がある特定の位置関係にあるときの下顎位であるが，これまでその定義は複数あり確定していない．Academy of Prosthodontics などの"The Glossary of Prosthodontic Terms 10 版"（2023）によれば「歯の接触関係とは無関係で，下顎頭が関節結節の後方斜面と対向し，関節窩内の前上方に位置にあるときの上下顎の関係としている．この位置では，下顎の運動は純粋な回転運動をし，この無理のない生理学的な上下顎の位置関係から，患者は垂直方向，側方または前方運動をすることができる．臨床的に有用な再現性のある基準的な位置」とされている．
▶咬頭嵌合位

768 中心咬合位　ちゅうしんこうごうい
centric occlusion
➡咬頭嵌合位

769 中等度歯周炎　ちゅうとうどししゅうえん
moderate periodontitis
〔類義語・関連語〕軽度歯周炎，重度歯周炎

中等度の進行程度の歯周炎．日本歯周病学会の分類（2006）では，プロービングデプス 4～6 mm，歯槽骨吸収度が 15% 以上 33% 未満，あるいはアタッチメントレベルが 3 mm 以上 5 mm 未満であり，根分岐部病変があるものをいう．米国歯周病学会・欧州歯周病連盟分類（2018）ではステージ分類Ⅱに相当し，アタッチメントロス 3～4 mm，プロービングデプス 5 mm 以内，主に水平性骨吸収で歯根長 1/3 未満の歯槽骨吸収（15～33%），歯周炎による歯の喪失のないものをいう．

770 超音波スケーラー　ちょうおんぱ——
ultrasonic scaler

25,000～42,000 Hz の超音波振動を利用し，注水下で歯石を粉砕，除去するスケーラー．振動様式には磁歪型（マグネット型）と電歪型（ピエゾ型）がある．手用スケーラーと比べ，歯石除去が容易で疲労も少なく短時間ですむ．注水下で行うため，洗浄効果も期待できる．スケーラー先端の振動による機械的作用と，水泡形成によるキャビテーション効果により，プラークや歯石が除去される．
▶エアスケーラー

771 超音波歯ブラシ　ちょうおんぱは——
ultrasonic toothbrush

超音波振動によりプラーク中の細菌の連鎖や不溶性グルカンを破壊して，プラークを除去する電動歯ブラシ．手用歯ブラシと同様に小刻みに動かす必要がある．
▶音波歯ブラシ

772 治療用義歯　ちりょうようぎし
treatment denture, therapeutic denture

歯周治療の過程で咬合位の確立，顎機能異常の治療，歯周-矯正治療，移行義歯などの目的で，最終補綴までの間に装着する義歯．新たに義歯を製作する場合と，現在使用中の義歯を修正して治療用義歯とする場合がある．

つ

773 2 ピースインプラント　つ——
two-piece implant

インプラント体とアバットメントが独立して 2 つのパーツで構成されているインプラント．一回法インプラント埋入，二回法インプラント埋入の両方の治療法に対応可能である．1 ピースインプラントに比較して，傾斜埋入した場合，様々なアバットメントの選択ができるなど応用性が高い．

て

774 低位咬合　ていいこうごう
infraocclusion

多数歯にわたる歯の欠損や過度の咬耗，摩耗，不適当な咬合面形態の修復・補綴装置などによって，咬合高径が低下した状態．上顎前歯のフレアーアウトを引き起こす原因の一つである．

775 T 細胞病変　てぃーさいぼうびょうへん
T-cell lesion
〔同義語〕T リンパ球病変

歯周炎の免疫病理学的組織像に対する名称．炎症性細胞浸潤に占める T 細胞の割合が高いことからこのようによばれる．CD8 陽性と比較して CD4 陽性の T 細胞の比率が高く，大部分は感作されたメモリー T 細胞の表現型を示す．
▶B 細胞病変

776 TBI　てぃーびーあい
tooth brushing instruction
➡口腔清掃指導

777 挺出　ていしゅつ
extrusion

歯が萌出終了後，咬合面方向に伸長すること．対合歯との咬合接触を失うと歯は対顎方向に挺出する（自然挺出）．**歯周炎罹患歯では挺出しやすくなり，早期接触を生じ，咬合性外傷となる**．また，**生物学的幅径の確保や骨縁下欠損の治療などの目的で矯正的に挺出を行うこともある（矯正的挺出）**．

778 堤状隆起　ていじょうりゅうき
tension ridge

〔同義語〕テンションリッジ

口呼吸を有する患者に特徴的に生じる，上顎口蓋側**辺縁歯肉**の堤防状の隆起．

779 ディスタルウェッジ手術　——しゅじゅつ
distal wedge operation（surgery）

〔類義語・関連語〕ウェッジ手術

最後臼歯遠心部の余分な結合組織塊を除去し，**歯周ポケットを除去する手術法**．三角形や四角形を形成するように，臼後結節や臼後パットに対して垂直に頰舌側の切開を行い，切開した組織片を骨より切り離した後，歯根表面を**搔爬**し，創傷部の辺縁が重ならないように調整，**縫合**する．

780 ディスバイオーシス
dysbiosis

〔同義語〕ディスビオーシス

〔類義語・関連語〕共生バランス失調

腸内細菌叢や口腔細菌叢などの常在細菌叢が質的・量的に構成異常を起こした状態．その結果，**病原因子の発現上昇や多様性の低下が起こり，宿主は炎症などの疾患を発症する**．口腔細菌叢においては**歯周病**が引き起こされる．腸内細菌叢においては**肥満，2型糖尿病**，炎症性腸疾患，大腸がんなどが引き起こされ，さらには腸脳相関の破綻によりうつ病などを発症することが明らかになっている．

▶シンバイオーシス

781 低体重児早産　ていたいじゅうじそうざん
premature delivery, prematurity, premature birth, premature labor

➡早産低出生体重

782 ティッシュエンジニアリング
tissue engineering

〔同義語〕組織工学，生体医工学

〔類義語・関連語〕再生療法，再生医学

組織機能の**再生**，維持，**修復**を目的とする生物学的代替品の開発に工学と生物学を応用する学際的な研究分野．細胞，**スキャフォールド，増殖因子**が相互に作用して再生を誘導することができる．

783 ディヒーセンス
dehiscence

➡裂開

784 低ホスファターゼ症　てい——しょう
hypophosphatasia

〔同義語〕低ホスファターゼ血症，低アルカリホスファターゼ血症，低アルカリホスファターゼ症

常染色体劣性遺伝による先天性の代謝異常症．血清，組織中の**アルカリホスファターゼ**の活性低下，尿のホスフォエタノールアミンの増加により診断される．分娩前タイプ，胎児タイプ，小児タイプ，成人タイプ，歯牙タイプ，疑似タイプの6つがある．小児タイプでは，くる病様の症状を呈し，乳歯の早期脱落や**歯周炎**を随伴する．歯牙タイプは，**歯槽骨の吸収や切歯の脱落**，重度齲蝕などの歯科的症状がみられる．

785 テトラサイクリン系抗菌薬　——けいこうきんやく
tetracycline antibiotic

〔同義語〕テトラサイクリン系抗生物質

〔類義語・関連語〕ドキシサイクリン，ミノサイクリン

広い抗菌スペクトルを有し，グラム陽性細菌，**グラム陰性細菌**，トレポネーマ，マイコプラズマなどに有効な**抗菌薬**．静菌的に作用し，硬組織（骨・歯）に蓄積性があり，歯の形成期に服用すると歯の変色が起こる．**歯周組織で高濃度を維持するため，歯周炎の急性発作（急性歯周膿瘍）や壊死性潰瘍性歯肉炎**などに全身的または局所的に適用される．日本では，**ミノサイクリンを含む軟膏が局所薬物配送システム（LDDS）として用いられている**．

786 デブライドメント
debridement

〔同義語〕デブリドメント，デブリードマン

〔類義語・関連語〕ルートデブライドメント，歯肉縁下デブライドメント

生体に外来から沈着した刺激物，およびそれによって変性した組織などを除去すること．**歯周治療**においては歯肉縁下の**プラーク，歯石，汚染歯根面，炎症性肉芽組織を除去することをさす**．

787 電気メス　でんき――
electric surgical knife
➡エレクトロサージェリー

788 デンタルエックス線写真（歯周病の所見）
――せんしゃしん
dental x-ray film
➡口腔内エックス線写真（歯周病の所見）

789 デンタルプラーク
dental plaque
➡プラーク

790 デンタルフロス
dental floss
　隣接面のプラーク除去や，齲蝕の検査などに用いる歯科用絹糸．合成繊維のものも市販されている．一般に，ワックス付きとワックスなしの2種類があり，指に巻きつけて使用するものとホルダーに付けて使用するものなどがある．デンタルフロスは歯間部に空隙のない隣接面の清掃に有効である．
▶フロッシング

791 デンタルリンス
dental rinse
➡洗口剤

792 電動歯ブラシ　でんどうは――
electric toothbrush
　電気の動力によって作動する歯ブラシ．その構造はモーターを内蔵している把柄部と，把柄部に着脱できる頭部からなる．現在，高速運動電動歯ブラシ，音波歯ブラシ，超音波歯ブラシの3つに大別される．高速運動電動歯ブラシの頭部の運動様式には，往復運動，回転運動，楕円運動，振動運動，偏心運動，複合運動がある．電動歯ブラシは短時間で清掃効果が高く，技術習得が容易であり，上肢の不自由な人，高齢者，手用歯ブラシをうまく使えない人に適している．

と

793 樋状根　といじょうこん
gutter-shaped root
　下顎第二・第三大臼歯に認められる，近心根と遠心根が頰側で癒合し樋状を示す歯根．舌側に深い溝が認められる．発現頻度は第二大臼歯で約30％，第三大臼歯で約10％である．樋状根は形態が複雑であるため，歯周病による根分岐部病変が生じた場合，その処置が困難となることが多い．

794 糖化ヘモグロビン　とうか――
glycated hemoglobin
➡ヘモグロビンA1c

795 動機づけ　どうき――
motivation
➡モチベーション

796 凍結乾燥骨移植　とうけつかんそうこついしょく
freeze-dried bone allograft
〔同義語〕FDBA，凍結乾燥同種骨移植
〔類義語・関連語〕脱灰凍結乾燥骨移植（DFDBA）
　同種で他の個体より得られた凍結乾燥骨を使用して移植すること．骨誘導能を有するといわれているが，吸収には時間がかかる．
▶他家骨移植

797 糖尿病　とうにょうびょう
diabetes mellitus
〔類義語・関連語〕インスリン抵抗性糖尿病，インスリン依存性糖尿病，インスリン非依存性糖尿病
　インスリン作用不足による慢性の高血糖状態を主徴とする代謝性疾患群．発症には遺伝的因子と環境因子がともに関与している．絶対的インスリン量の不足が原因で小児や若年者に発症する1型糖尿病と，相対的なインスリン作用不足が原因で成人に発症する2型糖尿病に大別される．糖尿病患者では歯周病の罹患率が高い．また，歯周病が糖尿病を増悪させるリスクファクターとなる可能性も示唆されている．
▶1型糖尿病，2型糖尿病

798 動揺度（歯の）　どうようど
tooth mobility
　一般的にピンセットを用いて，歯の動揺の程度や方向を表すための指標．Millerの判定基準では，0度：生理的動揺0.2 mm以内，1度：軽度で，唇（頰）舌的に0.2～1 mm，2度：中等度で，唇（頰）舌，近遠心的に1～2 mm，3度：高度で，唇（頰）舌，近遠心的に2 mm以上または垂直方向への舞踏状動揺，に分けられる．

799 トールライクレセプター
toll-like receptor（TLR）
　細菌をはじめとする様々な病原体の構成成分を認識する，動物細胞の膜表面にある受容体タンパク質．自然免疫反応において重要であり，ヒトでは10

種類が同定されている．中でも TLR2 はグラム陽性細菌由来のリポペプチド，ペプチドグリカンを，TLR4 は**グラム陰性細菌**のリポ多糖を認識する．TLR を介したシグナルは**炎症性サイトカイン**やケモカインなどを誘導する．

800 ドキシサイクリン
doxycycline

テトラサイクリン系に属する**抗菌薬**．グラム陽性菌・グラム陰性菌やリケッチアに対して優れた抗菌力を示す．その作用は，細菌体内におけるタンパク質合成阻害によるものである．腎不全があっても投与量を変更する必要のない唯一の**テトラサイクリン系抗菌薬**である．抗菌作用のない低濃度のドキシサイクリンは**マトリックスメタロプロテアーゼ**活性の抑制作用があるため，海外では**歯周治療**に用いられている．

▶テトラサイクリン系抗菌薬

801 特発性歯肉線維腫症
とくはつせいしにくせんいしゅしょう

idiopathic gingival hyperplasia (overgrowth)
➡歯肉線維腫症

802 トップダウントリートメント
top-down treatment

〔同義語〕補綴主導型インプラント治療

補綴主導型のインプラント治療計画の方法．**診断用ワックスアップ**を製作して最終補綴のゴールを設定し，これをもとに**インプラント**の本数，サイズや位置，その他必要な処置を含めて治療計画を立案するため，咬合や審美性を追求できる．これに対して，インプラントを埋入する位置が解剖学的に限定される場合で，インプラントを埋入する位置を優先して行う治療法を外科主導型という．

803 トライセクション
trisection

〔類義語・関連語〕ヘミセクション，歯根分離，歯根切除

3 根を有する上顎大臼歯に行われる歯根分割抜去法．一部の歯根に進行した**歯周炎**，治療不可能な根尖病巣，破折，穿孔などがある場合，あるいは 2 度以上の**根分岐部病変**（Lindhe と Nyman の根分岐部病変分類）が認められる場合，歯冠部を含めて歯根を切断，分離，抜去し，当該歯の保存を図る方法．

804 トラフェルミン
Trafermin

〔類義語・関連語〕線維芽細胞増殖因子

ヒト塩基性線維芽細胞増殖因子のゲノム遺伝子の発現により組換え体（大腸菌）で産生される 154 個（$C_{764}H_{1201}N_{217}O_{219}S_6$；分子量：17,122.67）および 153 個（$C_{761}H_{1196}N_{216}O_{218}S_6$；分子量：17,051.59）のアミノ酸残基からなるタンパク質（N末端；Ala-Ala：65％以上，Ala：35％以下）．**リグロス®**として歯周組織再生療法に使用されている．

805 トランスフォーミング増殖因子
——ぞうしょくいんし

transforming growth factor

〔同義語〕トランスフォーミンググロースファクター，形質転換増殖因子，トランスフォーミング成長因子，TGF

正常線維芽細胞が腫瘍細胞へと形質転換する際の促進因子として発見された**増殖因子**．TGF-α，TGF-β の 2 種類がある．TGF-β は増殖・分化のほか，様々な生理活性が認められ，**歯周組織の治癒**にも関係している．また，**骨形成タンパク質**（BMP）などを含む TGF-β スーパーファミリーを形成している．

806 トリプシン様プロテアーゼ ——よう——
trypsin-like protease

基質特異性や触媒機構がセリンプロテアーゼの一種であるトリプシンと類似しているタンパク質分解酵素．歯周組織破壊因子の一つ．**歯周病原細菌**のうち，*Porphyromonas gingivalis*，*Treponema denticola*，*Tannerella forsythia* はトリプシン様プロテアーゼ活性を有しており，この活性を利用した 3 菌種の検出キットが開発されている．

▶ジンジパイン

807 *Treponema denticola*
とれぽねーまでんていこら

口腔内の**スピロヘータ**の一種で，**歯周病原細菌**の一つ．偏性嫌気性グラム陰性菌．軸糸（鞭毛）を使って活発に運動する．病原性因子としてはタンパク質分解酵素であるデンティリシンや免疫抑制因子などが報告されている．

808 トンネリング
tunnel preparation, tunneling

〔同義語〕トンネル形成

〔類義語・関連語〕歯根切除，ヘミセクション，歯根分離

大臼歯における進行した**根分岐部病変**に対して，根分岐部を完全に歯肉縁上に露出させ，**歯間ブラシ**で清掃できるようにトンネル状に貫通させること．**歯根離開度**が大きく，歯根長が長く，ルートトラン

クの短い歯が適応として望ましい．術後は，根分岐部に齲蝕が発生しやすいので，注意深いメインテナンスが必要である．

809 トンネルテクニック
tunnel technique

Allen（1994）やZabaleguiら（1999）などによって提唱された，**エンベロープテクニック**を複数歯に発展させた**根面被覆術**．エンベロープフラップと同様に**歯肉溝内から切開**して複数歯に連続した袋状のスペースを**受容側**に作製して結合組織を移植する．歯間乳頭部を離断せず歯肉弁も翻転しないため血液供給が得られやすい．様々な改良法が提唱されている．

な

810 内縁上皮　ないえんじょうひ
inner epithelium

歯面側に位置する上皮．すなわち**歯肉溝上皮**あるいはポケット上皮と接合上皮を合わせたもの．
▶外縁上皮

811 内斜切開　ないしゃせっかい
internal bevel incision, inverse bevel incision

フラップ手術や**新付着術**などに用いられる最も一般的な切開法．歯肉辺縁または歯肉辺縁のやや根尖側から歯槽骨頂や**歯周ポケット**底に向けた切開．
▶外斜切開

812 内側性固定　ないそくせいこてい
internal splint
〔同義語〕内式固定

動揺歯の**固定**において，歯質内に維持を求めて歯を固定すること．歯質の削去が必要となる．A-スプリント，ウイングロックレジン固定，連結インレー固定などがある．
▶外側性固定

813 ナイトガード
night guard
➡オクルーザルスプリント，スプリント治療

814 内毒素　ないどくそ
endotoxin
〔同義語〕エンドトキシン
➡リポ多糖

815 長い上皮性付着　なが――じょうひせいふちゃく
long epithelial attachment
➡上皮性付着

816 軟化セメント質　なんか――しつ
softened cementum
➡病的セメント質

817 難治性歯周炎　なんちせいししゅうえん
refractory periodontitis

1989年の米国歯周病学会の分類によって定義された疾患名．通常の**歯周治療**を徹底的に行っても改善のみられない**歯周炎**をさす．数か所あるいは多数の部位において**再発**を繰り返すような歯周炎をさすこともあるが，難治性の基準は明確でない．1999年の米国歯周病学会の分類では，この病名は削除された．
▶侵襲性歯周炎，若年性歯周炎

に

818 二回法インプラント埋入
にかいほう――まいにゅう
two-stage implant placement,
two-step implant placement,
submerged implant placement

インプラント体埋入後，インプラント体を歯肉で完全に被覆し（一次手術），一定の治癒期間後，インプラント体にヒーリングアバットメントを連結させる（二次手術）術式．一回法インプラント埋入に比べ，一次手術後，治癒期間中の術後感染の危険が少なく，またインプラント**体**埋入と**骨造成**の同時手術が行いやすい．

819 2型糖尿病　にがたとうにょうびょう
type 2 diabetes mellitus
〔同義語〕インスリン非依存性糖尿病，non-insulin-dependent diabetes mellitus，NIDDM

インスリン分泌能低下やインスリン感受性低下が原因で発症する**糖尿病**．その発症に遺伝因子と環境因子（過食・肥満・ストレス・運動不足など）が関与する**生活習慣病**で，成人に多くみられる．歯周治療が2型糖尿病の改善に有効であることが報告されている．
▶1型糖尿病

820 肉芽組織　にくげそしき
granulation tissue

創傷部の**修復**や治癒過程，外来性あるいは内因性

の異物排除．慢性炎症の際に形成される毛細血管に富む幼若な結合組織．一般に**歯周炎**により破壊された骨欠損部は，肉芽組織で満たされている．**フラップ手術**では明視野でこの組織を**搔爬**，除去して，新生肉芽組織，歯根膜組織などの誘導と骨組織再生を期待する．

821 ニコチン
nicotine

タバコの葉に含まれるアルカロイド．アセチルコリンのニコチン様受容体に結合して交感・副交感神経節などに作用する．交感神経軸索終末に作用すると直接ノルエピネフリンを遊離させる．また，免疫細胞などの機能抑制作用があり，**歯周組織の破壊に関与する**と考えられている．喫煙は，**歯周病の環境因子からみた最大のリスクファクター**である．
▶コチニン

822 二次手術（GTR法の）　にじしゅじゅつ
secondary surgery

非吸収性膜を使用してGTR法を行った後に，膜を除去するために行う外科手術．通常，術後4～6週目に行われる．小切開を行って歯肉弁を翻転した後，新生肉芽組織を損傷しないよう注意して膜除去を行い，歯肉弁で創部を完全に被覆して**縫合**する．
▶リエントリー手術

823 二次性咬合性外傷
にじせいこうごうせいがいしょう
secondary occlusal trauma
➡咬合性外傷

824 二次創傷治癒　にじそうしょうちゆ
secondary wound healing
➡創傷治癒

825 二次予防　にじよぼう
secondary prevention

疾病の早期発見・早期処置（治療）および疾病や障害の重症化を**予防**すること．**歯周病検診**，**歯周基本治療**，**歯周外科治療**などが含まれ，**歯周病の早期発見・早期治療**により進行を防止し，口腔機能を保全する．

826 ニフェジピン歯肉増殖症
――しにくぞうしょくしょう
nifedipine-induced gingival hyperplasia (overgrowth)

降圧薬である**カルシウム拮抗薬**のニフェジピン服用の副作用として生じる**薬物性歯肉増殖症**の一つ．口腔清掃状態が不良な場合に生じることが多く，発現率は服用者の6～15％など様々な報告がある．組織学的には著明な**炎症性細胞浸潤**，歯肉上皮脚の粘膜固有層内への伸長，線維性結合組織の著明な増生がみられる．
▶薬物性歯肉増殖症

827 乳酸-グリコール酸共重合体膜
にゅうさん――さんきょうじゅうごうたいまく
membrane of copolymers of polylactic acid and polyglycolic acid

生体吸収性ポリエステル膜の一種．**GTR膜**に利用される．生体内で吸収されるため，膜除去のための二次手術を必要としない．膜の吸収は，術後8週から急速に進み，4か月後には完全に吸収される．
▶吸収性膜

828 乳酸脱水素酵素　にゅうさんだっすいそこうそ
lactate dehydrogenase
〔同義語〕LDH

解糖系の最終段階で還元型のニコチンアミドアデニンジヌクレオチド（NADH）を補酵素として，ピルビン酸から乳酸を生成する反応を可逆的に触媒する酵素．乳酸脱水素酵素は広く体内に分布し，細胞破壊により血液中に放出される．**歯周組織**においては，炎症時に破壊された細胞から**歯肉溝**やポケットを介して唾液中に遊離される．

829 乳頭形成術　にゅうとうけいせいじゅつ
papillary reconstruction
➡歯間乳頭再建法

830 乳頭保存フラップ手術
にゅうとうほぞん――しゅじゅつ
papilla preservation flap surgery (technique)
➡パピラプリザベーションフラップ手術

831 妊娠性エプーリス　にんしんせい――
pregnancy epulis
〔同義語〕妊娠腫

妊娠中の女性の**歯肉**に発生する，炎症性ないし反応性の腫瘤状の局所性病変．**プラーク**などの局所刺激による炎症性変化で歯間乳頭部に好発する．女性ホルモンの変調の関与が考えられている．妊娠3か月後に発生し，妊娠前半では血管に富む肉芽腫像，後半では血管腫性，分娩後は線維性の組織像を示す．
▶エプーリス

832 妊娠性歯肉炎　にんしんせいしにくえん
pregnancy-associated gingivitis
〔同義語〕妊娠関連歯肉炎

妊娠期にみられる**歯肉炎**．炎症が強く，浮腫性で出血しやすい．**プラーク**による炎症が性ホルモンの変化により強く生じたものである．エストロゲンなどの性ホルモンが *Prevotella intermedia* の増殖を促進することが知られている．妊娠2, 3か月から始まり8か月ごろまで増悪するが，9か月になると減少し始め，出産すると自然に軽快することもある．

833 認知症　にんちしょう
cognitive disease

脳の病気や障害など様々な原因により，認知機能が低下し，日常生活全般に支障が出てくる状態．認知症にはいくつかの種類があるが，Alzheimer型認知症は，認知症の中で最も多く，脳神経が変性して脳の一部が萎縮していく過程で起こる認知症であり，症状はもの忘れとして発症することが多い．近年，**歯周病**とAlzheimer型認知症との関連が報告されてきている．

ね

834 ネイバースプローブ
Nabers probe
➡ファーケーションプローブ

835 ネオジムヤグレーザー
Nd：YAG laser

固体レーザーの一種．yttrium aluminum garnet（YAG）にネオジム（Nd）を添加した物質を用いて発生する．1,064 nmの発振波長をもつ近赤外領域の**レーザー**．歯科用プローブの直径は一般に0.4〜0.5 mmで，**歯周プローブ**と同程度である．軟組織に高い蒸散能があり，黒色色素によく吸収される．メラニン色素の除去，**歯肉**の形態修正，**歯周ポケット**の改善などのために用いられている．水に対する吸収が少なく，組織への浸透が強いので照射には注意を要する．
▶エルビウムヤグレーザー，炭酸ガスレーザー

836 粘膜骨膜弁　ねんまくこつまくべん
mucoperiosteal flap
➡全層弁

837 粘膜剝離子　ねんまくはくりし
mucosal elevator, mucosal raspatory
〔類義語・関連語〕骨膜剝離子

粘膜組織を他の組織から剝離したり，囊胞壁を剝離したりするときに使用する手術用器具．尖端部は薄い板状となっており，細く鈍で，わずかに屈曲した形状をしている．一般的なものは把持部が中央にあり，両頭となっている．

838 粘膜弁　ねんまくべん
mucosal flap
➡部分層弁

の

839 膿瘍（歯周組織の）　のうよう
abscess
➡歯肉膿瘍，歯周膿瘍

は

840 パーシャルシックネスフラップ
partial thickness flap
➡部分層弁

841 パームグラスプ
palm grasp
〔同義語〕パームグリップ，掌握法

歯ブラシやシャープニングの際のスケーラーを把持する方法．手のひら全体で握るようにして持つ．

842 バイオインテグレーション
biointegration

ハイドロキシアパタイトと**歯槽骨**のカルシウムブリッジを介する生化学的結合様式．近年，これらの概念を利用したインプラントシステムが臨床応用されている．

843 バイオガラス
bioglass
〔同義語〕生体活性化ガラス
〔類義語・関連語〕人工骨，リン酸三カルシウム

Na_2O-CaO-SiO_2系ガラスにP_2O_5などを加えたガラス．生体吸収性の**骨移植材**として用いられる．骨との親和性が高く，溶出することで造骨を促進する．原料を溶融して作製するため組成の調整が容易で，さらに再加熱処理をすることで多孔体とすることも可能である．

844 バイオタイプ（歯肉の，歯周組織の）
gingival biotype, periodontal biotype
〔類義語・関連語〕歯周フェノタイプ

　歯肉形状の分類．生まれながらにしてもっている特徴．Ochsenbein ら（1969）は**歯肉**の形状をスキャロップ状のscallop型と辺縁が平坦なflat型に分類した．さらにWeisgold（1977）は，歯肉の厚みを考慮して薄くてスキャロップ状のthin scallop型と厚くて辺縁が平坦なthick flat型に分類した．生物学的特徴としてthin scallop型は**歯肉退縮**が生じやすいが，thick flat型は生じにくく，thick flat型のほうが頻度が高く，炎症により**歯周ポケット**を形成しやすいとされる．
　注）バイオタイプは遺伝的に決定され，環境的要因や治療によって変えることができないが，フェノタイプは遺伝的な要因だけでなく環境的要因や治療によって変えることができることから，米国歯周病学会・欧州歯周病連盟分類（2018）では，バイオタイプではなくフェノタイプを使用するとしている．

845 バイオフィルム
biofilm

　主に菌体外多糖とタンパク質からなる細胞外高分子物質（extracellular polymeric substance；EPS）に覆われた細菌の凝集塊がフィルム状に付着したもの．プラークはその代表的なもの．バイオフィルム中の細菌は共生，共存して，好中球などによる食作用を防ぎ，また**抗菌薬**に対して抵抗性を示す．
▶プラーク

846 バイトスプリント
bite splint
➡スプリント治療，オクルーザルスプリント

847 ハイドロキシアパタイト
hydroxyapatite
〔同義語〕ヒドロキシアパタイト，HA，HAP

　骨や歯に含まれる無機質で，リン酸カルシウムの一種．$Ca_{10}(PO4)_6(OH)_2$．人工的に合成したハイドロキシアパタイトは焼成温度により非吸収性または吸収性材料となる．人工骨移植材として骨欠損部へ充填し，**歯周組織再生療法**や骨造成に用いる．また，インプラント体表面コーティングにも用いる．
▶リン酸カルシウム人工材，骨移植材

848 排膿　はいのう
pus discharge

　組織内に貯留した膿汁が体外に排出される現象．**歯周ポケット**内においては，歯肉結合組織の血管から遊走した好中球が貪食を行って膿を形成し，細胞間隙を通過してポケットから流れることをいう．

849 バイファーケーショナルリッジ
bifurcational ridge
〔同義語〕根間稜

　下顎大臼歯など複根歯の根分岐部底部にみられる根間を結ぶ隆起．根分岐部の清掃性低下の一因となりうる．
▶根分岐部病変

850 Haim-Munk 症候群　はいむんくしょうこうぐん
Haim-Munk syndrome
〔類義語・関連語〕Papillon-Lefèvre 症候群

　免疫疾患に関連する遺伝性疾患．手掌足底過角化病変，クモ指症，切端骨溶解，爪の萎縮性変化およびエックス線画像にて指の変形が認められる．歯の萌出直後の重度の**歯肉**の炎症，高い**アタッチメントロス**率，乳歯および永久歯の早期喪失がみられる．カテプシンC遺伝子の変異が原因とされており，同じ遺伝子の変異により生じる**Papillon-Lefèvre 症候群**とは臨床症状により鑑別可能である．

851 歯ぎしり　は――
bruxism
➡ブラキシズム

852 剝離性歯肉炎　はくりせいしにくえん
desquamative gingivitis
〔同義語〕慢性剝離性歯肉炎

　歯肉に剝離性びらんや浮腫性紅斑，小水疱を生じる**歯肉病変**．閉経期前後の女性に多く，唇頰側歯肉に発症しやすい．また，刺激痛や接触痛などを伴うことがある．基礎疾患としては，**扁平苔癬**，類天疱瘡，尋常性天疱瘡などがあげられ，このような皮膚疾患の一症状として歯肉に現れた病変と考えられているが，成因は明らかではない．慢性の経過をたどることが多く，**対症療法**が主体となる．

853 破骨細胞　はこつさいぼう
osteoclast

　造血幹細胞由来の単球・マクロファージ系前駆細胞から分化し，それらの融合により形成される骨吸収能を有する多核巨細胞．大きさは20～100μmであり，3～数十個の核をもつ．細胞質は強い好酸性を示し，よく発達したリソソーム，エンドソーム，粗面小胞体，ゴルジ装置，ミトコンドリアなどの細胞内小器官が多数存在する．骨面と接している部分の刷子縁構造が**骨吸収**の場となる．
▶骨芽細胞

854 バス法 ——ほう
Bass method

毛先を歯軸に対して45°に傾けて歯頸部に当て，毛先の一部が**歯肉溝**やポケットの中へ入るようにし，軽く前後に加圧振動を加える**ブラッシング法**．また，毛先をポケットの中で加圧振動させた後に歯冠側へブラシを回転させるバス改良法がある．バス法に適した**歯ブラシ**は，毛が軟らかく弾性で，密な植毛のものである．歯頸部および歯肉溝と浅いポケット内の**プラーク**の除去効果が高く，歯面の摩耗も少ないが，正しい技術の習得が難しい．
▶ブラッシング法

855 8の字縫合 はち——じほうごう
figure-eight suture

断続縫合の一つ．唇頬側歯肉弁および舌口蓋側歯肉弁ともに外側から刺入し，**縫合糸を歯肉弁の間で8の字に交叉する縫合法**．歯肉弁間に縫合糸が介在する．
▶縫合，断続縫合

856 8020運動 はちまるにいまるうんどう
8020 movement

生涯を通じた歯科保健活動を推進していくために，1989年，厚生省（現・厚生労働省）と日本歯科医師会が提唱した，「80歳になっても自分の歯を20本以上保とう」という運動．残存歯数が約20本あれば食品の咀嚼が容易であるとされていることから，当時の日本人の平均寿命であった80歳で20本の歯を残すことが，目標の一つとして設定された．

857 白血球接着不全症候群
はっけっきゅうせっちゃくふぜんしょうこうぐん
leukocyte adhesion deficiency syndrome
〔同義語〕白血球粘着異常症，白血球接着異常症

白血球細胞表面上の接着分子 $\beta2$ インテグリンが先天的に欠損しているため，種々の免疫不全病態を示す疾患．$\beta2$ インテグリンは細胞接着に重要で，欠損すると好中球の接着能，遊走能，貪食能が低下し易感染性となる．臨床症状は，好中球異常を主体として，臍帯脱落遅延，創傷治癒不全，膿瘍形成などを起こす．**歯周炎**を随伴する．

858 白血球毒素 はっけっきゅうどくそ
leukotoxin
➡ロイコトキシン

859 白血病性歯肉炎 はっけつびょうせいしにくえん
leukemic gingivitis

急性白血病の口腔内症状の一つとして現れる**歯肉炎**．慢性白血病では稀である．**歯間乳頭や辺縁歯肉**が浮腫性に腫脹し，易出血性である．抵抗力が低下すると**壊死性潰瘍性歯肉炎**の併発もある．組織学的には歯肉結合組織中に白血病細胞浸潤を認める．
▶複雑性歯肉炎

860 Papillon-Lefèvre 症候群
ぱぴよんるふぇーぶるしょうこうぐん
Papillon-Lefèvre syndrome

掌蹠角化症と重度歯周病による歯の脱落を主徴とする疾患．常染色体劣性遺伝による．きわめて稀な疾患で，100万人に1～4人の頻度で発症する．原因としてカテプシンCの遺伝子変異が報告されている．乳歯萌出直後より**歯周病**を発症し，高度な歯槽骨の吸収により，歯の動揺，脱落を生じる．永久歯も萌出するが，同様の結果となり，治療困難な病態とされている．*Aggregatibacter actinomycetemcomitans* の関与が示唆されている．近年では**歯周基本治療**に加え，**抗菌薬投与**の併用療法などが有効との報告例もある．

861 パピラプリザベーションフラップ手術
——しゅじゅつ
papilla preservation flap surgery (technique)
〔同義語〕乳頭保存フラップ手術，歯間乳頭保存フラップ手術，PPF，PPT

歯間乳頭を保存する手術法．主に歯間部の**骨内欠損**に対して**骨移植術**やGTR法などの**歯周組織再生療法**を行う場合，骨移植材の溢出やGTR膜の露出を防ぐために行う．また，審美的要求のために，術後の歯間乳頭の**退縮**をできるだけ少なくするためにも行う．歯間空隙が広いことが条件であり，技術的に難しい．
▶審美歯周外科治療，骨移植術（歯周病の）

862 歯ブラシ は——
toothbrush

歯面に付着している**プラーク**などの付着物を機械的に除去するために設計された口腔内清掃用具．植毛部（頭部），頸部，把柄部からなり，毛はナイロン製が主流で，把柄部は合成樹脂でできている．手用歯ブラシが主流であるが，近年では**電動歯ブラシ**など様々な種類がある．
▶ブラッシング法

863 パラファンクション
parafunction

ブラキシズムと偏咀嚼，**舌習癖**，姿勢（猫背）などの**悪習癖**からなる異常機能活動．関節や筋の非生理的な運動を誘発し，**顎関節症**の原因として考えら

864 バランスドオクルージョン
balanced occlusion
➡フルバランスドオクルージョン

865 Barkann固定法　ばるかんこていほう
Barkann splint
〔同義語〕B-スプリント，B-splints，バルカン固定法
外側性固定による**暫間固定**の一つ．ワイヤー結紮固定法であり，ステンレススチールワイヤーを用いて歯冠部を連続結紮して**固定**する方法．さらに結紮部を即時重合レジンで補強する方法をSorrin（ゾーリン）法という．
▶ワイヤーレジン固定

866 パワードリブンスケーラー
power-driven scaler
〔同義語〕パワースケーラー
　動力によって作動する**スケーラー**．超音波スケーラーとエアスケーラーに分けられる．パワードリブンスケーラーは，労力が少なく短時間で歯面に付着した**プラーク**や歯石などの除去が可能である．チップの改良によりハンドスケーラーでは到達しにくい**歯周ポケット**，根面溝や根分岐部などに対して有効であることが報告されている．

867 半月弁歯冠側移動フラップ手術
はんげつべんしかんそくいどう——しゅじゅつ
semilunar coronally positioned flap surgery
　2～3 mmの露出歯根面を被覆するために歯肉弁を歯冠側へ移動する方法．露出歯根面をルートプレーニングした後，辺縁部歯肉のマージンに沿うように半月状切開を**付着歯肉**または**歯肉歯槽粘膜境**へ入れて下層組織と切離し，**部分層弁**を作製する．その後，露出歯根面を被覆するように歯冠側へ移動した位置で，ガーゼにて数分間圧迫する．**縫合は必要ない．**
▶歯肉弁歯冠側移動術，根面被覆術

868 半導体レーザー　はんどうたい——
semiconductor diode laser
　半導体の再結合発光を利用した**レーザー**．約700～900 nmの短波長の半導体レーザーと，約1,200～1,600 nmの長波長の半導体レーザーがあり，歯科用には前者が用いられる．小型，高効率であり，数mWの電流で作動する．**歯肉**の蒸散と切除，メラニン色素の除去，口内炎の処置などに用いられる．
▶ソフトレーザー

869 Hampらの根分岐部病変分類
はんぷ——こんぶんきぶびょうへんぶんるい
Hamp et al.'s classification of furcation involvement
　Hampら（1975）によって提唱された**根分岐部病変**の水平方向の破壊程度分類．1～3度に分類される．1度：3 mm未満の歯周支持組織の水平的喪失．2度：3 mmを超える水平的な歯周支持組織の喪失であるが，根分岐部を**歯周プローブ**が貫通しないもの．3度：完全に根分岐部の付着が破壊され，頬舌的あるいは近遠心的に歯周プローブが貫通するもの．
▶Glickmanの根分岐部病変分類，LindheとNymanの根分岐部病変分類，TarnowとFletcherの根分岐部病変分類

ひ

870 非アルコール性脂肪性肝疾患
ひ——せいしぼうせいかんしっかん
non-alcoholic fatty liver disease
〔同義語〕NAFLD
　飲酒をしていない，またはほとんど飲酒していないにもかかわらず肝細胞に中性脂肪が蓄積して肝障害を引き起こす病態．単純性脂肪肝と，線維化が進行し肝硬変や肝がんとなる可能性がある非アルコール性脂肪肝炎（NASH）がある．**肥満**，**糖尿病**，脂質異常症，高血圧などと関連する．**歯周炎**が非アルコール性脂肪肝炎の病態形成に関与する可能性が報告されている．
注）最近，非アルコール性脂肪性肝疾患（NAFLD）は代謝異常関連脂肪性肝疾患（MASLD）に，非アルコール性脂肪肝炎（NASH）は代謝異常関連脂肪肝炎（MASH）に用語が変更された．

871 PRP　ぴーあーるぴー
platelet-rich plasma
➡多血小板血漿

872 PMA指数　ぴーえむえーしすう
PMA index
　SchourとMassler（1947）によって考案された**歯肉炎**の広がりの程度を示す**疫学指数**．上下顎前歯部の唇側歯肉の**歯間乳頭**（P），**辺縁歯肉**（M），**付着歯肉**（A）の3部位に分け，各部位に炎症があれば1点，なければ0点で，PMAの各値の合計を評価指数とする．最低は0点，最高点は34点である．

873 PMTC　びーえむてぃーしー
professional mechanical tooth cleaning
➡プロフェッショナルメカニカルトゥースクリーニング

874 BOP　びーおーぴー
bleeding on probing
➡プロービング時の出血

875 B細胞病変　びーさいぼうびょうへん
B-cell lesion
〔同義語〕Bリンパ球病変
〔類義語・関連語〕形質細胞病変

　歯周炎の免疫病理学的組織像に対する名称．炎症性細胞浸潤に占めるB細胞/形質細胞の割合が高いことからこのようによばれる．B細胞の一部は活性化マーカーを発現し，局所で分化していると考えられる．組織破壊への関与は明らかではないが，多クローン性B細胞の活性化，インターロイキン-1産生などによると考えられている．
▶T細胞病変

876 PCR　ぴーしーあーる
plaque control record, polymerase chain reaction
➡プラークコントロールレコード，ポリメラーゼチェーンリアクション（法）

877 PTC　ぴーてぃーしー
professional tooth cleaning
➡プロフェッショナルトゥースクリーニング

878 非齲蝕性歯頸部欠損　ひうしょくせいしけいぶけっそん
non-carious cervical lesions

　齲蝕を原因としない歯頸部の歯質欠損．原因として，酸蝕，摩耗，アブフラクション，あるいはこれらの合併が考えられている．多くの場合，歯肉退縮を伴う．
▶くさび状欠損（歯の）

879 非吸収性膜　ひきゅうしゅうせいまく
non-absorbable membrane, non-resorbable membrane
〔同義語〕非吸収性メンブレン
〔類義語・関連語〕吸収性膜

　GTR法やGBR法に利用する膜の一種．上皮細胞，線維芽細胞の歯根面への侵入防止や，スペースメイキングを目的として用いられる．生体内で吸収されないため，二次手術を行って膜を除去する必要がある．ePTFE膜が代表的であり，ゴアテックス®GTRメンブレンと，スペースメイキングをより確実にするために薄い板状のチタンをはさんだゴアテックス®TRメンブレンが使用されてきた．

880 非外科的治療法　ひげかてきちりょうほう
non-surgical therapy
〔同義語〕保存的治療法

　歯周外科治療を行わず，プラークコントロール，スケーリング・ルートプレーニングを中心とした歯周基本治療を行い，また薬剤を補助的に使用することによって歯周病の治療を行うこと．歯周基本治療を確実に行えば，歯周外科治療とほぼ同等の効果が得られるとの報告がある．しかし，深い歯周ポケットや根分岐部病変を有する臼歯部では，歯周外科治療を行うほうがより確実で良好な結果が得られると考えられている．

881 PISA　ぴさ
periodontal inflamed surface area
〔同義語〕歯周炎症表面積
〔類義語・関連語〕PESA

　プロービング時の出血がみられるポケット上皮表面積（mm^2）．歯周炎による炎症歯周組織の量を定量化し炎症の負荷を評価するためにNesseら（2008）によって考案され，臨床的アタッチメントレベル，歯肉退縮量，プロービング時の出血から算出される．

882 VISTA　ぴすた
Vestibular Incision Subperiosteal Tunnel Access
〔同義語〕口腔前庭切開骨膜下トンネルアクセス

　Zadeh（2011）によって提唱された根面被覆術の一つ．口腔前庭側の適切な部位に縦切開を加え，歯肉辺縁部の可動性を得るために歯肉溝および歯肉歯槽粘膜境を超えてさらに歯間乳頭下に達するよう骨膜下にトンネルを形成後，骨膜下に吸収性膜や結合組織移植片などを挿入し，歯肉辺縁をセメント-エナメル境を超えて歯冠側に移動した位置で縫合する．複数歯の歯肉退縮にも適応される．

883 非ステロイド性抗炎症薬　ひ——せいこうえんしょうやく
nonsteroidal anti-inflammatory drugs
〔同義語〕NSAIDs，エヌセイズ

　薬理作用として抗炎症作用をもつ，ステロイド以外の薬物．酸性と塩基性があり，酸性のものはアラキドン酸代謝におけるシクロオキシゲナーゼの作用を阻害することでプロスタグランジンの合成を抑制

884 ビスホスホネート
bisphosphonate

石灰化抑制作用を有する生体内物質であるピロリン酸の P-O-P 結合に対して安定な P-C-P 結合を基本骨格とする一連のピロリン酸の化学的類似体の総称．ビスホスホネート系薬剤は**骨粗鬆症**，悪性腫瘍，高カルシウム血症，骨パジェット病などの治療薬に用いられている．ビスホスホネート系薬剤の使用に関連して，抜歯や外科処置，局所的感染などにより難治性の顎骨壊死を生じることがある．
▶薬剤関連顎骨壊死

885 ビスホスホネート関連顎骨壊死
――かんれんがっこつえし
bisphosphonate-related osteonecrosis of the jaw
〔同義語〕BRONJ
➡薬剤関連顎骨壊死

886 ビタミン欠乏性口内炎
――けつぼうせいこうないえん
vitamin deficiency stomatitis
〔類義語・関連語〕壊血病性歯肉炎

ビタミン B_2, B_6 の欠乏により引き起こされる口内炎．他にビタミン C の欠乏は**歯肉**からの出血，びらんや潰瘍（壊血病性口内炎）の形成を引き起こし，ビタミン K の欠乏は血液凝固機転の障害により歯肉などから出血しやすくなることがある．

887 ヒダントイン系抗痙攣薬
――けいこうけいれんやく
hydantoin antiepileptic drug

神経細胞内の Na^+ 濃度の減少による反復発作の抑制，カルシウムの細胞内流入抑制による神経伝達物質の放出阻止によって，てんかん発作の伝播を抑制する薬剤．幅広い効果のスペクトルを有し，眠気を生じにくい．代表的な薬物としてフェニトインがあげられる．副作用の一つとして**歯肉増殖症**がある．
▶抗痙攣薬，フェニトイン歯肉増殖症

888 ヒト免疫不全ウイルス ――めんえきふぜん――
human immunodeficiency virus
〔同義語〕HIV

後天性免疫不全症候群（AIDS）の病原体．レトロウイルス科レンチウイルス亜科．単鎖 2 分子 RNA，大きさ 100〜120 nm のウイルスで，CD4 陽性 T 細胞に感染後，ウイルス RNA は逆転写酵素により二重鎖 DNA となる．このプロウイルス DNA から RNA が転写され，RNA ゲノムとウイルスタンパク質が合成される．
▶HIV 関連歯周炎

889 ヒドロキシアパタイト
hydroxyapatite
➡ハイドロキシアパタイト

890 非付着性プラーク　ひふちゃくせい――
unattached plaque

歯根面に付着していない**プラーク**．ポケット内に浮遊しているプラークとポケット**上皮**に付着しているプラークがある．明確な菌体外マトリックスは観察されず，スピロヘータや運動性球菌・桿菌が多く，病態の進行に伴い歯周病原性の高い細菌が増加する．
▶付着性プラーク，歯周縁下プラーク

891 非プラーク性歯肉病変
ひ――せいしにくびょうへん
non plaque-induced gingival lesions

2006 年の日本歯周病学会による分類では，①プラーク細菌以外の感染（特殊な細菌による感染，ウイルス感染，真菌感染）による**歯肉病変**，②粘膜皮膚病変（扁平苔癬など），③アレルギー反応，④外傷性病変を非プラーク性歯肉病変としている．

892 肥満　ひまん
obesity

脂肪組織が過剰に蓄積した状態．肥満の指標として，体格指数（body-mass index：BMI）が用いられることが多く，BMI は体重（kg）/身長（m）^{2} で算出する．近年，肥満と**歯周病**の関連に関する研究が進められている．
▶メタボリックシンドローム，生活習慣病

893 描円法　びょうえんほう
circular method
➡フォーンズ法

894 病原因子（細菌の）　びょうげんいんし
（bacterial）virulence factor

歯周病の病因となる細菌由来の因子．病原因子としては，強い付着能とバイオフィルム形成能，白血球抵抗因子（莢膜構造，ロイコトキシン，活性酸素分解酵素，菌体表層タンパク質），**リポ多糖**，組織破壊性酵素（コラゲナーゼ，トリプシン様酵素），免疫応答回避能（免疫グロブリン分解），細胞毒性代謝産物（硫化水素，脂肪酸）などがあげられる．
▶歯周病原細菌

895 病状安定（歯周病の）　びょうじょうあんてい
stable lesion (periodontal disease)
〔類義語・関連語〕寛解/制御（歯周病の）
　歯周組織のほとんどの部分は健康を回復したが，一部分に病変の進行が休止しているとみなされるプロービング時の出血がほぼない4mm以上の歯周ポケット，根分岐部病変，歯の動揺などが認められる状態．
▶サポーティブペリオドンタルセラピー

896 病状進行　びょうじょうしんこう
disease evolution
　4mm以上の歯周ポケットやプロービング時の出血が認められる状態．

897 病巣感染　びょうそうかんせん
focal infection
　慢性炎症性疾患が原病巣となり，その疾患とは直接的な因果関係を認めにくい遠隔の臓器・組織に，一定の器質的組織変化や機能的障害（二次疾患）が発生すること．原病巣は，扁桃，歯科領域，泌尿器，副鼻腔などの慢性感染症で，二次疾患としては，感染性心内膜炎，リウマチ性疾患，糸球体腎炎，掌蹠膿疱症などがある．歯科領域の慢性感染症として，歯周病，根尖性歯周炎などがあげられる．

898 病的移動（歯の）　びょうてきいどう
pathological tooth migration
　歯槽骨吸収や歯周組織への為害作用，舌習癖や口呼吸による口唇閉鎖不全などにより，生理的な歯の位置を維持している諸因子のバランスが崩れ，歯が本来の場所から移動すること．

899 病的セメント質　びょうてき——しつ
pathological cementum
〔同義語〕壊死セメント質，軟化セメント質，露出セメント質
　プラークや歯石がセメント質表面に付着したために起こる壊死あるいは軟化したセメント質．病的セメント質に含まれるリポ多糖やその他の有害物質は歯質と歯肉との付着を阻害するので，ルートプレーニングにより機械的に除去し，為害作用のない滑沢な歯根面にする．

900 日和見感染　ひよりみかんせん
opportunistic infection
〔類義語・関連語〕菌交代現象
　宿主の感染防御機能が低下した際に，通常では病原性を発揮しない常在菌や弱毒微生物によって引き起こされる感染．易感染性宿主にみられる感染症といえる．易感染性宿主は高齢者を中心に増えている．日和見感染症の多くはバイオフィルム感染症でもある．

ふ

901 ファーケーションプラスティ
furcation plasty
〔同義語〕ファルカプラスティ，根分岐部形態修正，分岐部形成術
　オドントプラスティと歯槽骨整形術（オステオプラスティ）の2つからなる根分岐部病変の処置．プラークコントロールを行いやすくし，歯周ポケットの改善を図る．

902 ファーケーションプローブ
furcation probe
〔同義語〕根分岐部用プローブ，根分岐部用探針
〔類義語・関連語〕ネイバースプローブ
　根分岐部病変の範囲，根分岐の位置，分岐根面の形態を検査する目的で使用するプローブ．分岐部の形態に沿って挿入しやすいよう作動部は彎曲している．先端が半円状に彎曲したカットニー型プローブ，牛角状に三次元的に彎曲したネイバースプローブなどがある．
▶歯周プローブ

903 ファイル型スケーラー　——がた——
file type scaler
〔同義語〕やすり型スケーラー
　手用スケーラーの一種．刃部はやすり状になっており，押す動作と引く動作によりスケーリングやルートプレーニングを行う．刃部が厚く，研磨が困難であるなどの理由から，近年，使用頻度は少ない．

904 ファセット
facet
〔同義語〕咬合小面
　歯の咬合面の咬耗面．加齢に伴い生じるものとパラファンクションによって生じるものがある．
▶咬耗

905 フィクスチャー
fixture
➡インプラント体

906 フィブリンシーラント
fibrin sealant
〔同義語〕フィブリン糊

フィブリノーゲンとトロンビンを主成分とした血漿分画製剤．フィブリンの組織膠着作用を利用しているため組織親和性が高く，外科領域では軟組織接着材としての用途を期待されてきた．しかし，接着強度不足のため，現在では止血剤として広く臨床応用されている．使用時には，ウイルス感染の危険性も考慮すべきである．

907 フィブロネクチン
fibronectin
〔同義語〕ファイブロネクチン
　細胞外マトリックスの一成分をなす巨大分子で，細胞接着，伸展活性を有する多機能な糖タンパク質．血漿性と細胞性の2種類がある．インテグリンファミリーに属するレセプターとの相互作用を通じ，細胞の運動，形態形成，増殖，分化や血小板による血液凝固など様々な役割を担っている．

908 フィンガーモーション
finger motion
　指の屈伸運動により手用スケーラーを動かす方法．疲れやすく，非能率的であるが，ストロークの長さや方向を正確にコントロールする必要性のある隅角，根分岐部，幅の狭い部位に適している．
▶スケーリング，ルートプレーニング，ロッキングモーション

909 フェストゥーン
festoon
〔同義語〕McCall のフェストゥーン
　辺縁歯肉がロール状に肥厚した状態．犬歯や小臼歯の唇頬側に主にみられる．形態的に食物残渣が停滞しやすいため，炎症性変化を生じやすい．原因としてプラーク，外傷性咬合や歯ブラシなどの機械的刺激が考えられている．ただし，外傷性咬合の確実な根拠はない．

910 フェニトイン歯肉増殖症
——しにくぞうしょくしょう
phenytoin-induced gingival hyperplasia (overgrowth)
〔同義語〕ダイランチン歯肉増殖症
　抗痙攣薬であるフェニトインの副作用として現われる歯肉増殖症．高齢者より若年者に多くみられ，歯肉の線維性増殖を主体とする．炎症を伴わない場合は歯肉は硬くピンク色で，出血も認めないが，プラークが存在すると炎症を併発する．歯肉切除術が適応となるが，予防や再発防止にはプラークコントロールが必要である．
▶薬物性歯肉増殖症，ヒダントイン系抗痙攣薬

911 フェネストレーション
fenestration
➡開窓

912 フォーンズ法 ——ほう
Fones method, Fones' method
〔同義語〕描円法
　Fones (1934) が考案したブラッシング法．唇頬側面のブラッシングでは上下顎の歯を軽く接触させ，歯ブラシの毛先が歯面に直角になるようにし，最後方歯から前歯部へと連続して歯肉辺縁を超えて大きな円を描くように動かすブラッシング法．咬合面，舌側面では歯ブラシを前後に動かす．小児の指導に適している．
▶ブラッシング法

913 不完全破折 ふかんぜんはせつ
incomplete fracture
　破折が歯冠部の外側面に限局し歯髄にまで至らない状態．症状は，瞬間的で鋭い痛みである．主原因は，過度の咬合力あるいは偶発的な外傷である．

914 複雑性歯肉炎 ふくざつせいしにくえん
complex gingivitis
　プラークが初発因子で，全身性あるいは局所の特殊因子が修飾している歯肉炎．妊娠性歯肉炎，白血病性歯肉炎，ニフェジピン性歯肉炎，フェニトイン性歯肉炎，剝離性歯肉炎などがある．
▶プラーク単独性歯肉炎

915 *Fusobacterium nucleatum*
ふぞばくてりうむぬくれあたむ
　歯周病原細菌の一つ．偏性嫌気性グラム陰性桿菌．大きさが $0.5 \times 20\ \mu m$ の紡錘状長桿菌である．他の細菌と共凝集することによってバイオフィルムを形成する．菌体に線毛，鞭毛，莢膜はない．糖分解能はなく，口臭の原因となる酪酸，硫化水素，インドールなどを産生する．慢性歯周炎や壊死性歯周疾患の病巣局所で増加している．
▶歯周病原細菌

916 付着歯肉 ふちゃくしにく
attached gingiva
　歯面あるいは歯槽骨に付着した可動性のない歯肉．遊離歯肉に連続し，歯肉溝底あるいはポケット底から歯肉歯槽粘膜境までの歯肉．健康な歯肉ではスティップリングとよばれる小窩が多数みられることが多い．上皮は角化または錯角化しており，内層では固有層の強靱な線維と歯肉線維を介してセメント質と骨膜に結合している．付着歯肉幅が狭く，歯

周組織の健康維持が困難である場合は，遊離歯肉移植術や結合組織移植術などが行われる．
▶角化歯肉，歯肉，歯肉歯槽粘膜境

917 付着上皮　ふちゃくじょうひ
attached epithelium
➡接合上皮

918 付着性プラーク　ふちゃくせい——
attached plaque
歯肉縁下プラークのうち，歯根面に付着しているプラーク．グラム陽性の糸状菌，桿菌および球菌が主であり，その細菌構成は，成熟した**歯肉縁上プラーク**と著しく異なっていない．**歯石**と**根面齲蝕**の形成に関係しているといわれている．
▶非付着性プラーク，歯肉縁下プラーク

919 付着の獲得　ふちゃく——かくとく
attachment gain
➡アタッチメントゲイン

920 付着の喪失　ふちゃく——そうしつ
attachment loss
➡アタッチメントロス

921 付着レベル　ふちゃく——
attachment level
➡アタッチメントレベル

922 フッ化物の局所応用　——かぶつ——きょくしょおうよう
topical use of fluoride
フッ化物を局所的に用いること．フッ化物は再石灰化，歯質強化作用を有することから歯根面を含む齲蝕予防に有効とされている．また，象牙質の知覚鈍麻作用も有しており，**象牙質知覚過敏**の治療薬としても応用されている．フッ化物としてフッ化第一スズ，フッ化ナトリウム，モノフルオロリン酸ナトリウムがある．歯面塗布や**含嗽剤**，**洗口剤**，**歯磨剤**に含有されたものが用いられている．

923 不適合修復・補綴装置　ふてきごうしゅうふくほてつそうち
faulty dental restoration
〔類義語・関連語〕オーバーハングマージン，アンダーマージン
修復物のマージンや形態が不適合である修復物．プラークが貯留しやすく，プラークリテンションファクターとなる．歯肉の炎症を増悪させたり，二次齲蝕の原因となったりする．さらに，接触点の状態や咬合面形態の不良は，**食片圧入**や**外傷性咬合**を引き起こす原因となるため，修正，再製作することが望ましい．

924 不働歯　ふどうし
non-functional tooth
咬合機能に関与していない歯．**自浄作用**が低下するため**プラーク**が沈着しやすくなる．また，**歯周組織**の廃用萎縮，歯周組織の抵抗力減弱につながる．

925 部分層弁　ぶぶんそうべん
partial thickness flap
〔同義語〕粘膜弁，パーシャルシックネスフラップ，部分層歯肉弁，スプリットシックネスフラップ
上皮と結合組織の一部からなり，粘膜固有層の骨膜を骨に残して形成された歯肉弁．一般的に**遊離歯肉移植術**，歯肉弁移動術などの**歯周形成手術（歯肉歯槽粘膜形成術）**の際に用いられる．
▶フラップ手術，全層弁

926 プラーク
plaque
〔同義語〕歯垢，細菌性プラーク，デンタルプラーク
〔類義語・関連語〕バイオフィルム
歯や口腔内の固形構造物上に付着または固着した白色から黄白色の軟性の付着物．その成分は約80％の水分と20％の有形成分からなる．有形成分は主として細菌であり，他に剥離上皮，好中球，食物残渣の一部なども含む．1gのプラーク中には約10^{11}個の細菌が存在し，**歯周病**や**齲蝕**の病原菌が含まれている．**歯肉縁上プラーク**と**歯肉縁下プラーク**に分けられ，また，歯肉縁下プラークは歯根面に付着するかどうかで**付着性プラーク**と**非付着性プラーク**に分かれる．
▶歯周病原細菌

927 プラークコントロール
plaque control
プラークを除去し，また，プラークの再付着を防止して口腔内を清潔に保つこと．**歯肉縁上プラークコントロール**，**歯肉縁下プラークコントロール**に分けられるが，一般的には歯肉縁上プラークコントロールをさす．患者のプラークコントロールレベルは**プラークコントロールレコード**を利用して調べる．歯肉縁上プラークコントロールは**機械的プラークコントロール**と**化学的プラークコントロール**，または**セルフケア**と**プロフェッショナルケア**に分けられる．
▶プロバイオティクス

950 フルシックネスフラップ
full thickness flap
➡全層弁

951 BULLの法則　ぶる——ほうそく
BULL rule
　下顎側方滑走運動時の作業側**咬頭干渉**を除去するための法則．**機能咬頭**の機能を維持するために，上顎臼歯では頬側咬頭内斜面（Buccal cusp of the Upper jaw）を，下顎臼歯では舌側咬頭内斜面（Lingual cusp of the Lower jaw）を削合する．
▶咬合調整，選択的咬合調整

952 フルバランスドオクルージョン
full balanced occlusion
〔同義語〕バランスドオクルージョン，両側性平衡咬合
　咬頭嵌合位と偏心咬合位において，左右側のすべての歯が同時に接触する咬合で，全部床義歯の維持安定に有効な咬合接触関係．フルバランスドオクルージョンが成立していれば滑走運動時にも義歯が安定し，開口しても義歯は維持され離脱しない．全部床義歯の望ましい咬合の一つとされている．
▶咬合様式

953 フルマウスディスインフェクション
full mouth disinfection（FMD）
　Quirynenら（2006）により提唱された，24時間以内で全顎の**スケーリング・ルートプレーニング**（SRP）を行い，同時に**クロルヘキシジン**を用いて**歯周ポケット内外の細菌を抑制する方法**．未処置部位からの**歯周病原細菌**の再感染を防ぐ目的で行う．早期に**歯周組織**の改善が認められる一方，一度に全顎のSRPを行うため大量の細菌性因子が体内に入り，発熱や過敏反応が起こる場合もあると報告されている．

954 フレアーアウト
flaring, flaring out
　全顎にわたる**重度歯周炎**において，臼歯の咬合崩壊により咬合高径が低下し，その結果，上顎前歯部が下顎前歯部により突き上げられた咬合状態となり，上顎前歯部が**接触点**を失い歯軸が唇側へ傾斜した状態．治療法としては，徹底して炎症を取り除き，臼歯の咬合を確保した後に矯正力にて歯軸を復位させる方法などがある．
▶歯列の異常，歯間離開，正中離開

955 ブレード（外科用の）
blade
➡メス

956 プレディクター（歯周病の）
predictor
〔同義語〕予知因子
　歯周病の進行の危険性を表す，あるいは予知する因子．予知因子として，エラスターゼ，**アスパラギン酸アミノトランスフェラーゼ**，プロスタグランジンE_2，β-galactosidaseなどが報告されている．

957 *Prevotella intermedia*
ぷれぼてらいんたーめでぃあ
　歯周病原細菌の一つ．偏性嫌気性グラム陰性桿菌．血液寒天培地で黒色色素産生性のコロニーを形成する．グルコース，デキストリン，マルトース，スクロース，フルクトース，グリコーゲン，イヌリンを発酵させる．女性ホルモンにより増殖し，臨床研究から，**アタッチメントロス**と関係がある．また，**妊娠性歯肉炎**や**壊死性歯周疾患**との関連が報告されている．

958 フレミタス
fremitus
　咬合力を受けたときに触知できるあるいは目視しうる歯の振動．上顎歯列の唇頬側に指をあてて咬合させ，振動の有無をチェックする．

959 ブローネマルクシステム
Brånemark system
　Brånemarkら（1965）によって臨床応用され，今日の**インプラント**のサイズ，形態，術式の基本となっている二回法インプラントシステム．一般的に**インプラント体埋入後，3～6か月間の治癒期間**を確保することがオッセオインテグレーションの獲得のために必要であるとされている．
▶インプラント（歯科の）

960 プロービング
probing
〔類義語・関連語〕垂直的プロービング，水平的プロービング
　歯周プローブを用いて歯肉溝やポケット内を探索すること．プローブ挿入圧は20～25g重前後で，ポケット深さ，**アタッチメントレベル**，歯肉縁下プラークの有無，**歯肉縁下歯石**の有無，歯根面の形態，ポケット底部の炎症の有無を知ることができる．歯軸に平行に上下的に動作する**垂直的プロービング**と，根分岐部病変部において頬舌側から挿入する水

平的プロービングがある．
▶ウォーキングプロービング

961 プロービングアタッチメントレベル
probing attachment level
➡アタッチメントレベル

962 プロービング圧 ——あつ
probing pressure
　歯肉溝やポケット内へのプローブ挿入圧．プローブ尖端の太さが0.4〜0.6 mm程度の場合，20〜25 g重（約0.2〜0.25 N）前後が適正であるとされる．プロービングの精度をより高めるには，プロービング圧を一定にする必要があり，各種の**規格荷重プローブ**が市販されている．
▶プロービング

963 プロービング時の出血 ——じ——しゅっけつ
bleeding on probing
〔同義語〕ブリーディングオンプロービング，BOP
　プロービングの際にポケット底部から出血が生じること．炎症がポケット底部にある場合，周囲の上皮や結合組織の構造が破壊されており，プロービングによって上皮下の炎症層の歯肉固有層の毛細血管が傷つけられて出血が生じる．この出血の有無から，ポケット底部の抵抗性と炎症の存在を評価することができる．インプラントにおいて，インプラント周囲溝のプロービングによって出血が生じた場合にも，プロービング時の出血という．

964 プロービング値 ——ち
probing measurement
➡プロービングデプス

965 プロービングデプス
probing depth
〔同義語〕PD，**臨床的ポケット深さ**，プロービングポケットデプス，PPD，**プロービング値**，ポケットプロービング値
〔類義語・関連語〕ポケットデプス，ポケット深さ
　プローブ挿入時の歯肉辺縁部からプローブ先端部までの距離．臨床上，挿入したプローブはポケット底部の組織へ貫通するので，プロービングデプスは，組織学的ポケット底部までの距離とは一致しない．

966 プローブ
probe
➡歯周プローブ

967 プロスタグランジン E_2 ——いーつー
prostaglandin E_2
〔同義語〕PGE_2
〔類義語・関連語〕アラキドン酸代謝産物
　アラキドン酸からシクロオキシゲナーゼによって合成される**炎症性メディエーター**の一つ．歯肉溝滲出液に存在するプロスタグランジン E_2（PGE_2）濃度がアタッチメントロスの有力なリスクファクターであることが示されている．PGE_2は疼痛，発熱，血管拡張など炎症反応に関与するほか，血圧降下，胃粘膜保護作用，子宮収縮作用などがある．また，**骨芽細胞**に作用し，破骨細胞分化因子（RANKL）の発現を上昇させ，**破骨細胞**の形成を誘導する．

968 フロッシング
flossing
　デンタルフロスを用いて，ブラッシングで除去しにくい隣接歯面の**プラーク**を除去すること．ブラッシングと併用することで歯垢清掃効果をより高める．

969 プロテアーゼ
protease
〔同義語〕タンパク質分解酵素
〔類義語・関連語〕エラスターゼ
　タンパク質（ポリペプチド）のペプチド結合を加水分解する酵素の総称．

970 プロテオグリカン
proteoglycan
〔同義語〕ムコ多糖タンパク質複合体
　グリコサミノグリカン（ムコ多糖）がコアとなるタンパク質に共有結合した生体高分子の総称．結合組織の**細胞外マトリックス**の主要な線維間基質成分である．

971 プロバイオティクス
probiotics
　腸内細菌叢のバランスを改善することで宿主の健康に有益な影響をもたらす生菌．乳酸菌（*Lactobacillus reuteri*）が代表的である．この概念を生かして口腔細菌，**歯周病原細菌**をコントロールする研究が進んでいる．
▶プラークコントロール

972 プロビジョナル固定 ——こてい
provisional splint
〔同義語〕プロビジョナルスプリント
〔類義語・関連語〕プロビジョナルレストレーション，暫間修復・補綴装置，アクリルレジン冠固定

主にレジン系材料を使用した治療用の修復・補綴装置による**暫間固定**．単なる暫間的修復物ではなく，装着している期間に歯冠形態，咬合関係，審美性，固定範囲などを検討して，良好な条件のもとで**永久固定**のための環境を整える．

973 プロビジョナルレストレーション
provisional restoration
〔類義語・関連語〕プロビジョナル固定

最終修復・補綴装置の装着前に支台歯の保護，咬合・発音・審美性の回復，歯周環境の改善などを目的として装着される治療用の**暫間修復・補綴装置**．

974 プロフェッショナルケア
professional care
〔同義語〕専門的口腔ケア，プロフェッショナルオーラルケア

歯科医師や歯科衛生士が行う口腔の管理．**プロフェッショナルメカニカルトゥースクリーニング（PMTC）**や栄養指導や生活指導などが含まれる．
▶セルフケア

975 プロフェッショナルトゥースクリーニング
professional tooth cleaning
〔同義語〕PTC，専門的歯面清掃
〔類義語・関連語〕PMTC

歯周治療のうち主にメインテナンス期において，歯科医師，歯科衛生士がプラーク除去，**スケーリング・ルートプレーニング**，**歯面研磨**を行うこと．

976 プロフェッショナルメカニカルトゥースクリーニング
professional mechanical tooth cleaning
〔同義語〕PMTC，専門的機械的歯面清掃
〔類義語・関連語〕PTC

歯科医師，歯科衛生士が機械の清掃器具を用いて，すべての歯面から**プラーク**を取り除くこと．スケーリングやルートプレーニングは原則として含まない．また，Axelssonによる定義では，「専門家による機械的歯面清掃．往復運動式のプロフィンハンドピースにエバチップシステムとフッ化物入りペーストを用いて，歯間隣接面も含めすべての歯面の歯肉縁上および歯肉縁下1～3 mmのプラークを機械的に選択除去する方法」としている．

977 分岐部病変　ぶんきぶびょうへん
furcation involvement
➡根分岐部病変

へ

978 併発症　へいはつしょう
complications
〔同義語〕合併症

手術や検査などの後，それらがもとになって起こることがある事象．

979 PESA　ぺさ
periodontal epithelial surface area
〔同義語〕歯周上皮表面積
〔類義語・関連語〕PISA

平均的な歯根長・歯根表面積を基準にして，**臨床的アタッチメントレベル**と**歯肉退縮量**より計算されるポケット上皮の表面積（mm^2）．歯周病の炎症部の面積を定量的に評価するPISA（periodontal inflamed surface area）を算出する際に用いられる．

980 ベニアグラフト
veneer graft technique

自家骨移植の一手法．歯の欠損部の骨が薄い場合に，他の部位から骨をブロック状で採取し，骨量の不足している箇所に移植して，骨の厚みを増やす方法．欠損部の骨が薄い症例に**インプラント**を埋入するときなどに応用する．ブロック骨と既存骨の隙間への軟組織の迷入や**歯肉の陥凹**を防ぎ，**骨再生**を図るために**GTR膜**・**GBR膜**で被覆することもある．

981 ペニシリン系抗菌薬　──けいこうきんやく
penicillin antibiotic
〔同義語〕ペニシリン系抗生物質
〔類義語・関連語〕アモキシシリン

β-ラクタム環を有するβ-ラクタム系抗菌薬．ペニシリンはFleming（1928）によってアオカビから発見された最初の抗生物質である．天然および半合成ペニシリンがあるが，細菌の細胞壁成分であるペプチドグリカン層の架橋酵素の阻害により，溶菌させる殺菌作用をもつ．とくにグラム陽性細菌に有効で，過敏性反応を除き動物組織に毒性が低いのが特徴である．グラム陰性桿菌にも有効性を示す広域ペニシリン系抗菌薬（**アモキシシリン**など）が**歯周炎**の**薬物療法**として使用される．副作用の一つとして，ペニシリンアレルギーがある．

982 ヘミセクション
hemisection
〔類義語・関連語〕トライセクション，歯根切除，歯根分離

下顎大臼歯を2根に分割し，保存不可能な歯根を歯冠部を含めて除去する歯根分割抜去法．海外の文献では複根歯，とくに下顎大臼歯の**歯根分離**をさし，さらに必要に応じて保存不可能な歯根の抜去を含むと定義しているものもある．

983 ヘミセプター状骨欠損 ──じょうこつけっそん
hemiseptal bone defect

骨縁下欠損の形態の一つ．歯根に面した隣接部の一部の骨壁からなる1壁性骨欠損のこと．エックス線画像の特徴は，歯根隣接面に近接した逆三角形の透過像で，唇頰舌側の骨壁が存在しないことを示している．

▶歯槽骨吸収，骨縁下欠損の分類

984 ヘミデスモゾーム
hemidesmosome

〔同義語〕ヘミデスモソーム，半接着斑

上皮細胞が基底膜に接着するための接着構造．膜貫通タンパク質である**インテグリン**などが細胞外ドメインで細胞外基質と結合している．**接合上皮**と歯面との**上皮性付着**に関係する．

985 ヘモグロビン A1c
hemoglobin A1c

〔同義語〕**糖化ヘモグロビン**，グリコヘモグロビン，HbA1c

赤血球中のヘモグロビンAと血中ブドウ糖が非酵素的に結合したもので**糖尿病検査項目の一つ**．ヘモグロビン全体に対する割合（％）として表される．過去1～2か月の平均血糖値を反映している．「糖尿病型」と診断するヘモグロビンA1c（HbA1c）値（国際標準値，NGSP）は6.5％以上とされている．日本糖尿病学会では，**血糖**正常化を目指す際の目標として6.0％未満，合併症予防のための目標として7.0％未満，治療強化が困難な際の目標として8.0％未満と規定している．

986 ペリインプランタイティス
peri-implantitis
➡インプラント周囲炎

987 ペリインプラントサルカス
peri-implant sulcus
➡インプラント周囲溝

988 ペリオドンタルインデックス
periodontal index

〔同義語〕PI

Russell（1956）により発表された**歯周疾患**の疫学的調査法．実地研究では，個々の歯の歯周疾患の程度を以下のように評価する．スコア0：炎症なし．スコア1：軽度の**歯肉炎**．スコア2：歯肉炎．スコア6：**歯周炎**．スコア8：咀嚼機能を伴う進行した組織破壊．臨床検査としてエックス線検査を併用することもある．個々の歯のスコアの合計を被検歯数で割って，個人の歯周疾患の指数とする．また，集団スコアは個人のスコアの平均値として算出する．
注）原著では，periodontal indexではなく，periodontal scoreとして記載されている．

989 ペリオドンタルチャート
periodontal chart

〔同義語〕歯周チャート

〔類義語・関連語〕プロービングチャート，ペリオドンタルプロービングチャート

プロービングデプス，プロービング時の出血，歯の動揺度などの**歯周組織検査**ならびに関連する所見を記録するためのチャート．

990 ペリオドンタルドレッシング
periodontal dressing
➡歯周パック

991 ペリオドンタルプラスティックサージェリー
periodontal plastic surgery
➡歯周形成手術

992 ペリオドンタルメディシン
periodontal medicine

〔同義語〕歯周医学，ペリオドンタルメディスン

歯周病と全身疾患との因果関係，関連性を解明する学問．近年になって，全身の健康における歯周病管理の重要性が注目されるようになり，**糖尿病，冠状動脈心疾患，早産低出生体重，関節リウマチ，誤嚥性肺炎，肥満，骨粗鬆症，慢性腎疾患**などの全身疾患と歯周病との関係が研究されている．

993 ペリクル
acquired pellicle, pellicle, acquired pellicle

〔同義語〕獲得被膜，アクワイアードペリクル

唾液由来の糖タンパク質を主成分とする，0.1～1μmの厚さで負に帯電した歯の表面被膜．ブラッシングや**歯面研磨**などによりある程度除去されるが，数分以内に再形成される．耐酸性の保護膜として働くと考えられている一方，歯の着色，細菌の歯面への付着にも関与している．

994 ヘルトヴィッヒ上皮鞘 ——じょうひしょう
Hertwig's epithelial sheath

エナメル質と象牙質の形成が将来の**セメント-エナメル境**にまで達するころ，歯根の形成に先立って，エナメル器の自由縁から内・外エナメル上皮が鞘状に発育した上皮板．上皮鞘内面に接する歯乳頭の細胞は，上皮の誘導によって象牙芽細胞に分化し，外形の方向に一致して，歯根部象牙質を形成していく．その後，ヘルトヴィッヒ上皮鞘は断裂し，**マラッセの上皮残遺**となり，そこに**歯小嚢の細胞**が侵入して，セメント芽細胞へと分化する．

995 ヘルペス性歯肉口内炎 ——せいしにくこうないえん
herpetic gingivostomatitis

〔同義語〕疱疹性歯肉口内炎

単純ヘルペスウイルス（主にⅠ型）の感染により発現する病変．症状としては，3～10日くらいの潜伏期を経て，発熱，咽頭痛などの全身症状が発現する．口腔内には小水疱が群れをなすようにして発現し，**歯肉**，口蓋，頬粘膜，舌，口唇などに好発する．水疱は早期に破れ，円形のびらんとなり境界は明瞭で紅暈を有する．

996 辺縁歯肉 へんえんしにく
marginal gingiva

➡遊離歯肉

997 辺縁性歯周炎 へんえんせいししゅうえん
marginal periodontitis

歯肉辺縁部に発症した**歯肉炎**が進行し，**歯周ポケット**を形成しながら炎症が**歯根膜**や**歯槽骨**など**歯周組織**深部にまで及ぶ炎症性破壊性病変．歯周病の分類の中のいわゆる「**歯周炎**」のこと．

▶根尖性歯周炎，慢性歯周炎

998 便宜抜歯 べんぎばっし
extraction for convenience

矯正治療上，歯列空隙を確保するために健全な歯周組織を有する歯を抜去すること．

▶戦略的抜歯

999 ペングラスプ
pen grasp

〔同義語〕執筆状把持法，ペングリップ

メスやスケーラーなどの医療用器具を把持する方法の一つ．ペンや鉛筆などを持つときと同様の方法で把持する．

▶モディファイドペングラスプ

1000 ベンゼトニウム塩化物 ——えんかぶつ
benzethonium chloride

第四級アンモニウム塩系陽イオン界面活性剤である薬剤．石鹸と逆の荷電を有することから，逆性石鹸液ともよばれる．無色無臭であり，殺菌性能は低度に分類される．器材，手指，口腔粘膜などの消毒や洗口剤として用いられる．同種の薬剤として塩化ベンザルコニウムがある．

1001 扁平苔癬 へんぺいたいせん
lichen planus

口腔粘膜疾患の一つ．白色レース状で，組織学的には上皮の角化の亢進や棘細胞層の肥厚，基底膜直下の著明な水腫や上皮下水疱の形成，基底膜の破壊，上皮直下の限局した帯状の強いリンパ球浸潤が認められる．浸潤リンパ球は大多数がT細胞であり，本症の発生には細胞性免疫機構の関与が考えられる．症状の一つとして**剝離性歯肉炎**を呈することがある．近年，本疾患とC型肝炎との関連も指摘されている．

ほ

1002 ホウ型スケーラー ——がた——
hoe type scaler

〔同義語〕くわ型スケーラー

手用スケーラーの一種．刃部形態が鍬（くわ）に似ていることからこの名がついた．刃部が頸部に直角につき，歯面に対して直角に当てて，歯軸方向に引く力によって操作する．刃部の幅が比較的小さいので狭い**歯周ポケット**にも応用できる．原則的に歯面に対して刃部と頸部の2点接触で使用する．除去効率が悪いため，現在ではあまり使用されていない．

1003 包括的歯周治療 ほうかつてきししゅうちりょう
comprehensive periodontal therapy

〔類義語・関連語〕マルチディシプリナリーアプローチ，インターディシプリナリーアプローチ

歯周病患者に対して，生活習慣，心理・社会的側面，全身的問題点などに配慮し，歯科の各分野の連携により総合的な治療技術を駆使し，**歯周組織**の健康と口腔内の機能回復および長期的維持を図る治療体系．

1004 縫合 ほうごう
suture

外科手術や創傷によって形成された弁や軟組織を縫うことによって**固定**すること．歯周外科手術の際

に用いられる縫合法としては，単純縫合，8の字縫合，懸垂縫合，垂直マットレス縫合，水平マットレス縫合，骨膜縫合，連続縫合，ロック縫合，タイオーバー縫合などがある．

1005 縫合糸　ほうごうし
suture thread

外科手術の際に用いられる縫合用の糸．絹糸，合成繊維などでできている．また，針付縫合糸として針の彎曲と糸の太さによって規格化された製品が提供されている．縫合糸にはモノフィラメント，マルチフィラメントがあり，また非吸収性糸，吸収性糸がある．

1006 ホープレストゥース
hopeless tooth
〔同義語〕予後不良歯，要抜去歯

重度歯周炎や歯根破折などで保存が明らかに不可能と診断される歯．一般的に**歯周基本治療**の時期に抜去する．抜歯の基準は，歯の**動揺度**だけではなく，**歯周組織**の支持量や治療による改善の可能性，機能状態，清掃状態などにより総合的に判定する．

1007 ボーンサウンディング
bone sounding
〔同義語〕骨プロービング

浸潤麻酔下で，麻酔針やプローブなどを**歯肉**に刺入して歯肉から骨面までの距離・骨欠損形態を大まかに把握すること．歯周外科を行う直前に，切開線の位置やデザインを決定するために行われることが多い．

1008 ポケット
pocket
➡歯周ポケット，歯肉ポケット

1009 ポケット上皮　——じょうひ
pocket epithelium

歯肉ポケットや歯周ポケットを裏層する上皮．ポケット上皮細胞は，発達したゴルジ装置，細胞質空胞，微絨毛など接合上皮細胞と酷似しており，分裂を繰り返し**修復**している．
▶歯肉溝上皮

1010 ポケットデプス
pocket depth
〔同義語〕組織学的ポケット深さ，**ポケット深さ**
〔類義語・関連語〕プロービングデプス，プロービングポケットデプス

歯肉辺縁部からポケット底部（接合上皮の最歯冠側端）までの距離．

1011 ポケット内抗菌薬投与　——ないこうきんやくとうよ
intrapocket application of antimicrobial drug
〔類義語・関連語〕LDDS
➡局所薬物配送システム

1012 ポケット内洗浄　——ないせんじょう
pocket irrigation
➡歯周ポケット内洗浄

1013 ポケット深さ　——ふかさ
pocket depth
➡ポケットデプス

1014 ポケットプロービング値　——ち
pocket probing measurement
➡プロービングデプス

1015 ポケットプローブ
pocket probe
➡歯周プローブ

1016 ポケットマーカー
pocket marker
➡Crane-Kaplanのポケットマーカー

1017 保定　ほてい
retention

矯正治療によって所定の位置に移動された歯あるいは顎をその状態に保持し後戻りしないようにすること．保定には，装置を使わないで行う自然的保定と，装置を用いる器械的保定とがある．保定装置には，暫間保定装置と永久保定装置がある．

1018 ポリメラーゼチェーンリアクション（法）
polymerase chain reaction
〔同義語〕PCR（法），ポリメラーゼ連鎖反応（法）

歯周病原細菌や生体の遺伝子多型などの**遺伝子診断**のために用いられる生化学的手法．既知の遺伝子の特定領域をDNA合成酵素と伸長用プライマーを用いて数十万倍に増幅し，アガロース電気泳動あるいはブロッティングやELISA（enzyme-linked immunosorbent assay，酵素免疫測定）法によって増幅されたDNAを検出する．増幅されたDNA量を定量化する手法としてはリアルタイムPCR法がある．

1019 *Porphyromonas gingivalis*
ぽるふぃろもなすじんじばりす

〔同義語〕*Bacteroides gingivalis*

歯周病原細菌の一つ．偏性嫌気性グラム陰性短桿菌．莢膜・線毛を有する．以前は *Bacteroides gingivalis* とよばれていた．**慢性歯周炎（成人性歯周炎）** と関係があり，その線毛には細胞付着能および赤血球凝集能がある．また，莢膜を有し，白血球の貪食作用および殺菌作用に抵抗する．さらに，ジンジパインなどのプロテアーゼや毒性物質を放出して**歯周組織**を破壊する．

1020 ポンティック形態　——けいたい
pontic shape

〔類義語・関連語〕オベイト型ポンティック

ポンティックの咬合面，基底面，頰舌面における形態．とくに**プラークコントロール**の面から基底面形態が重要で，リッジラップ型，オベイト型（ブリット型），離底型などが用いられている．

ま

1021 マイクロギャップ
microgap

インプラント体とアバットメントとの微小間隙．細菌が棲息する場となり炎症反応を引き起こすことがある．

1022 マイクロサージェリー
microsurgery

実体顕微鏡などを使用して拡大視野下で行う外科手術．緻密で正確な操作が可能であり，予知性が高く，審美的にも良好な結果を期待できる．マイクロサージェリーを実施するには専用の小型精密器具を用いる．

▶手術用顕微鏡

1023 埋入窩（インプラントの）　まいにゅうか
osteotomy site（for implant）

インプラント体を埋入するためにドリリング操作で歯槽部に造られた形成窩．マイクロモーターを用いて低速かつ注水下で，皮質骨に熱傷が生じないよう上下運動で形成する．

1024 埋入トルク　まいにゅう——
insertion torque

スクリュー型インプラント体を骨内に埋入するときに必要な回転力．使用するトルク値は，20〜45Ncmであるが，骨質に応じてトルク値を決定しインプラント体周囲の骨をできるだけ損傷しないように注意する．インプラント体の**初期固定**の度合いを示す指標となる．

1025 マウススクリーン
mouth screen

➡オーラルスクリーン

1026 前向き研究　まえむ——けんきゅう
prospective study

〔同義語〕前向きコホート研究

〔類義語・関連語〕コホート研究

多数の健康人の集団を対象に，疾病の原因となる可能性のある要因を調査し，その後その集団を前向きに追跡調査して，疾病にかかる者を確認し，最初に調査した要因との因果関係を分析する研究手法．

▶後向き研究

1027 マクロライド系抗菌薬　——けいこうきんやく
macrolide antibiotic

〔同義語〕マクロライド系抗生物質

〔類義語・関連語〕アジスロマイシン

アジスロマイシン，エリスロマイシン，クラリスロマイシンを代表とする，主にグラム陽性細菌に有効な**抗菌薬**．抗菌スペクトルは狭いが，組織停留性があり，バイオフィルムの抑制・破壊作用がある．

1028 摩擦性角化症　まさつせいかくかしょう
frictional keratosis

〔類義語・関連語〕外傷性潰瘍性歯肉病変

不適切なブラッシングなどの物理的外傷による歯肉角化症．白い白板症様病変を示す．

1029 マットレス縫合　——ほうごう
mattress suture

水平マットレス縫合と垂直マットレス縫合がある．水平マットレス縫合は，**歯間乳頭部**で歯列に平行に糸が通り，垂直マットレス縫合は，歯列に垂直に糸が通る．

1030 マテリアアルバ
materia alba

〔同義語〕白質

剝離上皮細胞，細菌，細菌の産生物，白血球や唾液糖タンパク質などからなっている歯の沈着物の一つ．マテリアアルバは口腔清掃を行った後に飲食物を摂取しなくても，**歯肉の剝離上皮や白血球などに**より常に形成されている．通常，歯の表面や歯肉辺縁部に付着している灰白色か黄色の物質である．構造に規則性がなく，付着が弱い．

1031 マトリックスメタロプロテアーゼ
matrix metalloproteinase
〔同義語〕MMP

細胞外マトリックス（コラーゲン，フィブロネクチン，エラスチン，プロテオグリカンなど）を分解する酵素群．MMPと略称され，MMP-1（コラゲナーゼ），MMP-2（72 kDa ゼラチナーゼ），MMP-3（ストロメリシン1）など，ヒトでは現在20種類以上存在する．**歯周組織**の結合組織の破壊や**歯槽骨**の吸収などに関与する．特異的なインヒビターは tissue inhibitors of metalloproteinases（TIMP）である．

1032 マラッセの上皮残遺 ——じょうひざんい
Malassez epithelial rest
〔同義語〕マラッセ上皮残遺
〔類義語・関連語〕ヘルトヴィッヒ上皮鞘

外胚葉性の上皮細胞で，**ヘルトヴィッヒ上皮鞘**の細胞が残ったもの．**歯根膜**中には上皮細胞が索状，桿状，球状の塊をなして配列し，網目を作っている．この細胞の核は球状または短楕円でヘマトキシリンに濃染するので，他の細胞と区別される．上皮残遺はエナメルマトリックスタンパク質を産生し，**セメント質**の形成と関連がある．

1033 マルチディシプリナリーアプローチ
multi disciplinary approach
〔同義語〕インターディシプリナリーアプローチ
〔類義語・関連語〕包括的歯周治療

多様な領域の専門家が協同・連携して，チームとして包括的な医療を行うこと．インプラント治療，外科矯正，顎顔面補綴などの高度先進治療では，歯周，補綴，矯正，外科など，それぞれの専門領域が連携した**チーム医療**が行われる．**糖尿病**患者や免疫疾患患者などの**歯周治療**に対しては，医科領域とのチーム医療が必要となる．

▶チーム医療

1034 慢性歯周炎　まんせいししゅうえん
chronic periodontitis
〔類義語・関連語〕成人性歯周炎

1999年の米国歯周病学会の分類および2006年の日本歯周病学会の分類による**歯周炎**．単に歯周炎というときは慢性歯周炎をさすことが多い．**成人性歯周炎**とほぼ同じである．成人で最も高頻度に発症し，組織破壊の程度は**プラーク**や**歯石**などの局所因子の存在と一致する．進行速度は遅いか中等度であるが，急速に進行する時期もある．**糖尿病**などの全身的修飾因子が関連することもある．**歯周ポケット**の形成，**排膿**，出血，**歯槽骨吸収**，歯の動揺を認める．

▶辺縁性歯周炎

1035 慢性剝離性歯肉炎　まんせいはくりせいしにくえん
chronic desquamative gingivitis
➡剝離性歯肉炎

み

1036 MIST　みすと
minimally invasive surgical technique

歯周病により限局的に生じた**骨内欠損**を治療する際に，最小限の侵襲で治癒を亢進させるための手術手技．Harrel & Rees（1995）が提唱した minimally invasive surgery（MIS）の概念のもと，**歯間乳頭保存**のための切開やマットレス縫合変法を用いることを特徴とする手術手技で，Cortellini & Tonetti（2007）により発表された．近年ではM-MIST（modified minimally invasive surgical technique）などの変法も報告されている．

1037 ミニマルインターベンション
minimal intervention
〔同義語〕最小侵襲治療，MI

生体に加わる侵襲，傷害が最小となるように治療を行うこと．疾病の原因メカニズムを理解したうえで，正確な検査・診断の後に立案される治療計画に基づいて行われる．

1038 ミノサイクリン
minocycline
➡テトラサイクリン系抗菌薬

1039 未分化間葉系細胞　みぶんかかんようけいさいぼう
undifferentiated mesenchymal cell

結合組織，筋組織，造血組織などに含まれる未分化の細胞．**骨芽細胞**のみでなく軟骨細胞，脂肪細胞，線維芽細胞など多様な間葉系の細胞への分化能を有する．培養中に種々の増殖因子を添加することで分化方向を決定でき，目的の組織を作製できる．

1040 Millerの歯肉退縮分類
みらー——しにくたいしゅくぶんるい
Miller's classification of gingival recession

歯肉退縮の深さや歯間部組織の喪失の程度，歯列不正の有無に基づいたMiller（1985）による歯肉退縮の分類．クラス1：歯肉歯槽粘膜境（MGJ）に達しない歯肉退縮で，隣接部に軟組織や骨の喪失がない．クラス2：MGJに達する，または超えた歯肉退

縮で，隣接部に軟組織や骨の喪失がない．クラス3：MGJに達する，または超えた歯肉退縮で，隣接部の軟組織や骨の喪失がわずかにある，もしくは歯の位置異常がある．クラス4：MGJに達する，または超えた歯肉退縮で，隣接部の軟組織や骨の喪失が著しく，歯の位置異常がある．クラス1とクラス2は，ほぼ100％根面被覆が可能とされている．また，クラス3では，部分被覆しか望めず，クラス4では，根面被覆は期待できないとされている．
▶ Maynardの歯肉退縮分類，Cairoの歯肉退縮分類

む

1041 無細胞セメント質　むさいぼう――しつ
acellular cementum
〔同義語〕原生セメント質

歯根象牙質の表面全体を覆っているが，とくに歯冠側1/3から歯根中央部に存在する細胞のない**セメント質**．**ヘルトヴィッヒ上皮鞘**が，歯根象牙質表面から離れて網目状の**マラッセの上皮残遺**になると，**歯小嚢の未分化間葉系細胞**が象牙質表面に並んでセメント芽細胞へ分化する．セメント芽細胞はコラーゲン原線維を出しながら移動していき，残された線維間にアパタイト結晶が沈着して無細胞セメント質となる．厚さは通常20～50μmで，**細胞性セメント質**に比べ石灰化度が高い．
▶セメント質

1042 無作為比較試験　むさくいひかくしけん
randomized controlled trial
〔同義語〕ランダム化比較試験，RCT

治験および臨床試験などにおいて，データの偏り（バイアス）を軽減するため，被験者を無作為（ランダム）に処置群（治験薬群）と比較対照群（プラセボ群など）に割り付けて実施し，評価を行う試験．

1043 MUDLの法則　むどぅる――ほうそく
MUDL rule

後方滑走運動時の**咬合干渉**を除去する際に用いられる法則．上顎臼歯の口蓋側咬頭近心内斜面（Mesial inclines of Upper teeth）と下顎臼歯の頬側咬頭遠心内斜面（Distal inclines of Lower teeth）を削合する．

1044 MRONJ　むろんじぇ
medication-related osteonecrosis of the jaw
➡薬剤関連顎骨壊死

め

1045 Maynardの歯肉退縮分類　めいなーど――しにくたいしゅくぶんるい
Maynard's classification of gingival recession

Maynard（1980）による**歯肉退縮**に関する分類．**歯槽骨**と**付着歯肉**の量によって4タイプに分かれる．タイプ1：歯槽骨が厚く付着歯肉が十分ある．タイプ2：歯槽骨は厚いが付着歯肉は少ない．タイプ3：歯槽骨は薄いが付着歯肉は多い．タイプ4：歯槽骨が薄く付着歯肉も少ない．タイプ4では炎症や**咬合性外傷**により歯肉退縮が生じやすい．原著文献では小児の口腔について述べられているが，最近では成人の分類で用いられることが多い．
▶ Millerの歯肉退縮分類，Cairoの歯肉退縮分類

1046 メインテナンス
maintenance
〔類義語・関連語〕サポーティブペリオドンタルセラピー，サポーティブペリオドンタルトリートメント，SPT

歯周治療により**治癒**した**歯周組織**を長期間維持するための健康管理．目的は，①**歯周病**の**予防**，②新たな歯周病発症部位の早期発見，③良好な歯周組織環境の長期にわたる維持，である．治療は，**モチベーション**の維持やセルフケアの適切性を確認し，必要に応じてプロフェッショナルメカニカルトゥースクリーニング，スケーリング・ルートプレーニングを行い，さらには生活習慣の指導改善や全身的な**リスクファクター**に対する指導管理を行う．

1047 メス
surgical knife, surgical scalpel, surgical blade
〔同義語〕ブレード（外科用の），サージカルブレード，外科用メス

歯周外科治療に用いる小刀．替刃タイプのもの，固定刃タイプのものがある．替刃タイプのものは，切れ味が鈍った場合に取り替えが容易であるという利点がある．固定刃タイプのものは，刃部の形態に特徴を持たせることにより，部位や術式に応じて様々な使い分けができる．現在，歯周外科治療には一般的にディスポーザブルの替刃メスが用いられる．替刃タイプには尖刃刀は＃11，円刃刀は＃15，＃15Cなどがあり，くちばし状に彎曲した＃12は遠心部の切開に便利である．

1048 メタアナリシス
meta-analysis

〔同義語〕メタ分析，メタ解析

過去に行われた複数の研究結果を統合し，より信頼性の高い結果を得るための統計的分析法．医学系の研究論文では，対象やその方法が多様でありバイアスが入りやすく，また研究の質のバラツキが大きいため，評価基準を統一して客観的・科学的に研究結果を選択し，数量的，総括的に評価することによって信頼できる結果を得ることができる．

1049 メタボリックシンドローム
metabolic syndrome

動脈硬化性疾患の危険性を高める複合型リスク症候群．診断基準は内臓脂肪蓄積を必須項目とし，その他に血清脂質異常，血圧高値，高血糖のうち2項目以上を有する場合とされる．近年，**歯周病**との関連が報告されている．

1050 メッシュレジン固定　——こてい
mesh-resin splint

外側性固定による**暫間固定**の一種．メッシュ状の金属板を数歯単位で主に舌側から接着性レジンにより**固定**して，咬合圧に耐えられるように機能させる．

1051 メトロニダゾール
metronidazole

膣トリコモナスなどの原生寄生虫や赤痢アメーバ，嫌気性グラム陰性細菌による感染症の治療に用いる経口の抗トリコモナス薬．アルコールとの併用により，ジスルフィラム様反応（悪心など二日酔いに似た症状）をもたらす．**壊死性歯周疾患**の治療に有効である．また，**アモキシシリン**との併用は**重度歯周炎**や**侵襲性歯周炎**の治療に有効であるとの報告がある．しかし，わが国において**歯周治療**での適用は認可されていない．

1052 メラニン色素除去　——しきそじょきょ
removal of melanin pigmentation

歯肉上皮基底細胞層に存在するメラノサイトにより産生されたメラニン色素を除去すること．カーボランダムポイントによる除去，**炭酸ガスレーザー**，**エルビウムヤグレーザー**またはフェノールを用いた焼灼による除去が行われる．

1053 免疫グロブリン　めんえき——
immune globulin, immunoglobulin

血液や体液中に存在する**抗体**と同様の機能と構造を有するタンパク質の総称．IgG，IgA，IgM，IgD，IgE の5クラスに分かれていて，IgG が最も多く存在する．

▶細菌特異的抗体

も

1054 モチベーション
motivation

〔同義語〕動機づけ
〔類義語・関連語〕コンプライアンス，アドヒアランス

人間や動物に目標に向かってある種の行動を起こさせ，持続させようとする内的過程．賞賛や褒美などの外発的報酬に依存する外発的動機づけと，熟達あるいは達成などの内発的報酬に依存する内発的動機づけがある．**歯周治療**の成功のためには，患者の日常生活における**プラークコントロール**が重要である．そのために，患者に歯周病を自覚させ，プラークコントロールの重要性を理解させた上で，適切なプラークコントロールが行えるように**行動変容**させ，持続させることが必要である．

1055 モディファイドペングラスプ
modified pen grasp

〔同義語〕執筆状変法把持法，改良執筆（状）把持法，執筆法変法，執筆変法，改良ペングラスプ，モディファイドペングリップ

ペングラスプを改良したスケーラーなどの器具の把持法．具体的な把持法は，第2指を第2関節で曲げて指頭を把柄につけて三角形を作り，第3指の側面あるいは内側をスケーラーの頸部と把柄の接合部付近につける．そして，第1指は第2指と第3指の中間点におく．第1指，第2指，第3指それぞれがスケーラーの把柄の違った点を支えるため把持が安定し，操作のコントロールが確実となる．

や

1056 薬剤関連顎骨壊死　やくざいかんれんがっこつえし
medication-related osteonecrosis of the jaw

〔同義語〕MRONJ
〔類義語・関連語〕骨吸収抑制薬関連顎骨壊死（ARONJ），ビスホスホネート関連顎骨壊死（BRONJ），ビスホスホネート，デノスマブ

骨吸収抑制薬あるいは血管新生抑制薬などが関連する難治性の顎骨壊死．診断基準は以下の3つを満たすものとされている．①ビスホスホネートやデノスマブ製剤（抗 RANKL 抗体）による治療歴があ

る．または血管新生阻害薬，免疫調整薬との併用歴がある．②8 週間以上持続して，口腔・顎・顔面領域に骨露出を認める．または口腔内，あるいは口腔外から骨を触知できる**瘻孔**を 8 週間以上認める．③原則として，顎骨への放射線照射歴がない．また顎骨病変が原発性がんや顎骨へのがん転移ではない．

1057 薬剤耐性　　やくざいたいせい
　　　　drug resistance

　生物が自己に対して何らかの作用をもった薬剤に対して抵抗性を有し，これらの薬剤が効かない，あるいは効きにくくなる現象．医学，薬理学，微生物学の分野では，とくに細菌やウイルスなどの病原性微生物やがん細胞などが**抗菌薬**や抗がん剤などの薬物に対して抵抗力を有し，これらの薬物が効かない，あるいは効きにくくなることを指す．

1058 薬物アレルギー　　やくぶつ――
　　　　drug allergy

　抗菌薬や解熱剤などにより生じるアレルギー反応．一般に医薬品は低分子のものが多いため，それ自体が抗原とならず，生体内のタンパク質などの高分子と結合することにより抗原性を有するアレルゲンとなる．また，薬物アレルギーを起こしやすい個体でのみ発生する．薬物に関するアレルギーは，Ⅰ型：**抗菌薬**におけるアナフィラキシー反応，Ⅱ型：ペニシリンなどによる溶血性貧血，Ⅲ型：高用量ペニシリンによる血清病，ヒドララジンによる薬剤性ループスなど，Ⅳ型：接触性皮膚炎などに分類される．

▶ Stevens-Johnson 症候群，ペニシリン系抗菌薬

1059 薬物感受性試験　　やくぶつかんじゅせいしけん
　　　　drug sensitivity test

〔類義語・関連語〕抗菌薬感受性試験

　薬物，とくに**抗菌薬**に対する細菌の**感受性**を調査するために行われる試験．**耐性菌**の検出に用いられる．この結果を参考に抗菌薬の投与を行うことで薬剤耐性菌の発現を予防できる．

1060 薬物性歯肉増殖症
　　　　やくぶつせいしにくぞうしょくしょう
　　　　drug-induced gingival hyperplasia (overgrowth)

〔同義語〕薬物誘発性歯肉増殖症

　薬物の服用に伴って現れる**歯肉**の増殖．**抗痙攣薬**であるフェニトイン（米国名；ダイランチン），高血圧症，狭心症などに用いられる**カルシウム拮抗薬**のニフェジピン，免疫抑制薬であるシクロスポリン A などの服用により歯肉が増殖する．

▶ フェニトイン歯肉増殖症，ニフェジピン歯肉増殖症

1061 薬物療法（歯周治療における）
　　　　やくぶつりょうほう
　　　　drug therapeutics

　歯周病を薬物を用いて治療すること．通常，他の方法と併用することが多い．狭義では，ポケット内抗菌薬投与（局所薬物配送システム）や抗菌薬の経口投与をさす．広義では，**化学的プラークコントロール**や，解熱鎮痛消炎剤（非ステロイド性抗炎症薬など）の経口投与も含めることがある．

ゆ

1062 有茎弁歯肉移植術　　ゆうけいべんしにくいしょくじゅつ
　　　　pedicle gingival graft

　付着歯肉幅の拡大または**歯肉退縮**により露出した根面被覆を目的として，当該歯または隣在歯の**歯肉**を移動または回転させる方法．**歯肉弁歯冠側移動術**，**歯肉弁側方移動術**，**両側乳頭弁移動術**がある．遊離弁と異なり血液供給が途絶しない利点がある．

1063 遊離歯肉　　ゆうりしにく
　　　　free gingiva

　歯や**歯槽骨**と付着せず歯頸部をカラー状に取り囲む帯状の**歯肉**．遊離歯肉の幅は 0.5〜2 mm であり，歯と遊離歯肉との間で歯肉溝を形成している．**遊離歯肉溝**により**付着歯肉**と区別できる．遊離歯肉の中で唇側と舌側の部分を**辺縁歯肉**とよび，隣接面部の遊離歯肉は，**歯間乳頭**の構成組織となっている．

1064 遊離歯肉移植術　　ゆうりしにくいしょくじゅつ
　　　　free gingival graft

〔同義語〕FGG

　歯周形成手術の手技の一つ．付着歯肉幅の拡大，露出歯根の被覆，歯槽堤形成などを目的とする．**歯肉の供給側（採取部位）**としては，一般的に上顎の小・大臼歯部の硬口蓋の歯肉が選ばれる．移植片の厚さは 1 mm が目安である．採取した移植片は，**縫合また生体接着材によって受容側（移植床）に固定**する．

1065 遊離歯肉溝　　ゆうりしにくこう
　　　　free gingival groove

〔同義語〕辺縁歯肉溝

　遊離歯肉と付着歯肉を区分する浅い V 字型の溝．歯肉辺縁から約 0.5〜2 mm の位置に存在し，歯肉辺

縁からの距離は臨床的には**歯肉溝の深さ**とほぼ等しい．成人の30〜40％に認められると報告されている．

1066 ユニバーサル型キュレット ──がた──
universal scaler, universal curette

〔同義語〕ユニバーサル型スケーラー，ユニバーサルスケーラー，ユニバーサルタイプ

基本的にはすべての部位に適応可能な両刃のキュレット型スケーラー．刃部の上面が第1シャンクと90°になっている．**歯肉縁上歯石**，**歯肉縁下歯石**の除去に用いられるが，主として歯肉縁下歯石の除去および**ルートプレーニング**に用いられる．
▶グレーシー型キュレット

よ

1067 横みがき法 よこ──ほう
horizontal tooth brushing method

歯ブラシの毛先を歯面に直角に当て，前後左右に運動させることによって歯を近遠心的にこする**ブラッシング法**．刷掃効果が高く，**プラーク**を除去しやすいが，**歯肉**の**擦過傷**や**退縮**を生じやすく，また歯頸部に**くさび状欠損**を起こすことがある．このブラッシング法は容易で，とくに咬合面の清掃には効果的である．
▶スクラッビング法

1068 予知因子 よちいんし
predictor
➡プレディクター（歯周病の）

1069 予防（歯周病の） よぼう
prevention (of periodontal disease)

予防には，①**一次予防**（発生そのものの予防），②**二次予防**（早期発見・治療による進行防止），③**三次予防**（疾病発生後の進行抑制と機能回復）がある．**歯周病**の予防においては，患者自身が行う**セルフケア**と歯科医師あるいは歯科衛生士が行うプロフェッショナルケア，地域，学校，職場などの集団を対象としたコミュニティケアがある．歯周病においては予防と治療が密接に関係しており，その境界線を引くことは困難である．

1070 4点法（プロービングの） よんてんほう
4 points method

歯周ポケットの深さを測定するために，**プローブ**を用いて歯の周囲4か所（頰側または舌側の近心・遠心，頰側の中央，舌側の中央）を測定し記録する方法．**6点法**（頰側の近心・中央・遠心，舌側の近心・中央・遠心）のほうが正確な情報を得ることができる．

ら

1071 ライフスタイル
life style
〔同義語〕生活様式

生活様式や生活習慣のこと．ブラッシング，**喫煙**，アルコール摂取，睡眠，**ストレス**などのライフスタイルが**歯周病**の**リスクファクター**となる．

1072 ラクトフェリン
lactoferrin

唾液，乳汁などの外分泌液に含まれる鉄結合性の糖タンパク質．抗菌作用，抗炎症作用，抗ウイルス作用などの多くの生物学的機能を有する．

1073 ラバーチップ
rubber tip
〔類義語・関連語〕歯間刺激子

歯間乳頭のマッサージや隣接面歯頸部の**プラーク**除去に使用する補助的清掃用具．**歯ブラシ**あるいはプラスチックの柄の一端につけられた小円錐形ゴム片である．チップは弾力があり，柄に対して直角についている．先端を**歯肉**の表面に沿わせた角度で**歯間鼓形空隙**に深く入れ，圧迫あるいは振動を加えてマッサージを行う．隣接面のプラーク除去効果は低い．

1074 ラフサーフェイス（インプラントの）
rough surface

インプラントにおける粗な表面．研磨表面や平滑な表面とは異なり，粗面の凸凹を人工的に付与することにより，骨との接触が増大し，**インプラント体**の**オッセオインテグレーション**に有利に働くとされている．インプラント粗面加工法として，サンドブラスト処理，酸エッチング処理，サンドブラスト酸エッチング処理，陽極酸化処理などがある．

1075 ラポール
rapport

歯科医師と患者との間の調和関係，信頼関係．**歯周治療**においては，プラークコントロールのための**モチベーション**にあたって，患者との間にラポールが確立されているとその効果を上げることができ，その必要性が重視されている．

1076 ラミニン
laminin

基底膜の構成分子の一つ．α鎖，β鎖，γ鎖をそれぞれ1本ずつ持つヘテロ三量体構造をとる高分子量の糖タンパク質．細胞接着活性，細胞遊走活性，細胞分散活性，神経細胞の突起伸張活性，上皮細胞の管腔形成誘導活性など，様々な生物活性が報告されている．

1077 Ramfjördの6歯　らむひょーど——ろくし
six teeth of Ramfjörd
➡歯周疾患指数

1078 RANKL　らんくる
receptor activator NFκB ligand

骨芽細胞やT細胞などの細胞が産生する破骨細胞分化に必須のTNFファミリーに属する**サイトカイン**．破骨前駆細胞の受容体RANKに結合して**破骨細胞の分化**を誘導する．

1079 ランダムバースト説　——せつ
random burst theory

1984年にSocranskyらによって提唱された概念．**歯周病の進行**は比較的短時間の活動期（進行期）と長時間の非活動期（安定期，休止期）の繰り返しにより進行するとし，また，**歯周ポケット**には活動期と非活動期のものが存在し，破壊性の活動は部位特異的に無作為に急発進行すると説いた．

り

1080 リエントリー手術　——しゅじゅつ
re-entry procedure（surgery）

歯周外科治療後に，再び同じ部位の歯肉弁を剝離して主に骨の**再生**を直視下で確認する目的で行う手術．骨形態の修正や深い**歯周ポケット**の除去などを行い，清掃しやすく**再発**が起こりにくい形態を付与することを目的とする．
▶二次手術（GTR法の）

1081 リグロス®
REGROTH®
➡線維芽細胞増殖因子

1082 リコール
recall

メインテナンスあるいはサポーティブペリオドンタルセラピーのために患者に来院を求めること．治療後の**治癒**あるいは**病状安定**となった状態を長期に維持するためには，患者自身の**セルフケア**と，歯科医師，歯科衛生士による**プロフェッショナルケア**により定期的な管理を行う必要がある．

1083 リスクアセスメント
risk assessment

①個人が罹病に罹患する危険性（確率）を推定すること．②リスクマネージメントの過程の一つであり，健康に不利な影響を及ぼす因子や曝露が疾患のリスクであることを定性的，定量的に評価すること．リスクマネージメントは，リスク分析，リスクの評価，リスクコントロール，リスクマネージメントプログラムの策定，といったステップで構成されている．

1084 リスクインディケーター
risk indicator

〔同義語〕ポテンシャルリスクファクター，プロバブルリスクファクター，ピュータティブリスクファクター

疾患のリスクと考えられる指標．横断的研究の結果から推定されたもので，縦断的研究によって確認されていない．**リスクマーカー**と同義語とする研究者もいる．

1085 リスクファクター
risk factor

〔同義語〕危険因子，リスク因子
〔類義語・関連語〕リスクインディケーター，リスクマーカー，プレディクター

疾患の発症，進行を修飾・促進する因子．歯周病では細菌因子，宿主因子，環境因子がある．通常，縦断的研究により確認されたものであり，その因子が存在すれば直接的にその疾患が発症する確率を増加させ，さらに，その因子が存在しないか除去された場合，その確率が減少する．リスクファクターの関与度を表すためにオッズ比が使われている．

1086 リスクマーカー
risk marker

〔同義語〕リスクプレディクター

疾患の発生が増加する確率と関連する属性あるいは曝露．必ずしも原因因子である必要はない．**リスクインディケーター**と同義語とされることもある．

1087 リスト-フォアアームモーション
wrist-forearm motion

〔同義語〕手首前腕運動
〔類義語・関連語〕ロッキングモーション，フィンガーモーション

スケーリング・ルートプレーニングの際，手，手首と前腕の回転運動により**スケーラー**を動かす方法．ストロークには，レストを支点に側方（side-to-side motion）あるいは上下方向（up and down motion）に動かす 2 種類がある．**フィンガーモーション**よりも，スケーラーの刃部に力が伝わりやすく，大きな**歯石**の除去に適しており，また疲労も少ない．

1088 リゾチーム
lysozyme
〔同義語〕ライソザイム

129 個のアミノ酸からなる塩基性タンパク質．涙，体液，卵白，ミルクなどに存在する酵素．ペプチドグリカンのグリコシド結合を加水分解することにより，グラム陽性細菌およびある種の**グラム陰性細菌**の細胞壁を分解して溶菌する．唾液中のリゾチームは，抗菌物質として重要な作用を示す．

1089 リッジプリザベーション
ridge preservation
➡歯槽堤保存術

1090 リポ多糖 ——たとう
lipopolysaccharide
〔同義語〕リポポリサッカライド，リポ多糖体，LPS，内毒素，エンドトキシン

グラム陰性細菌の細胞壁の構成成分で，脂質と炭水化物の複合体．極微量で種々の生理活性を有しており，強い骨吸収作用や細胞毒性がある．**歯周病原細菌**はリポ多糖を有しており，**歯周病**の病因に関与している．歯周病に罹患した歯根面には，この成分が歯根表面から浸透しており，良好な**治癒**を得るためには機械的あるいは化学的に除去することが必要である．

1091 両側乳頭弁移動術
りょうそくにゅうとうべんいどうじゅつ
double papilla laterally positioned flap surgery
〔同義語〕両側歯間乳頭移動術

歯周形成手術の一つ．1 歯に限局した**歯肉退縮**があり歯根が露出している症例に対し，両隣接部位の乳頭部歯肉を利用して露出した歯根面を被覆する手術．

1092 リラクゼーション
relaxation

交感神経の興奮が抑えられ，副交感神経の働きが優位になって緊張が解かれている状態．一般的には，人間をくつろいだ状態にする活動や行為．高齢者の歯科診療においては頭頸部の過緊張による舌運動や喉頭挙上，呼吸運動の障害を緩和する目的で行われる．また，摂食嚥下訓練の一つとして，嚥下に関連する筋を一通り動かす準備体操（ストレッチなどで口腔，咽頭の筋の緊張を解くこと）を指す．

1093 リン酸カルシウム人工材
——さん——じんこうざい
calcium phosphate artificial bone substitute
〔類義語・関連語〕バイオガラス，人工骨

人工骨移植材．ハイドロキシアパタイトやリン酸三カルシウム（TCP）が代表例である．顆粒，ペレット，ブロックタイプの形状がある．骨伝導能を有する．

1094 リン酸三カルシウム ——さんさん——
tricalcium phosphate
〔同義語〕三リン酸カルシウム，第三リン酸カルシウム，TCP

人工骨移植材の一つ．焼成温度の差によって α と β がある．そのうち β-TCP は生体親和性で骨組織で吸収されやすく，吸収された後は徐々に骨組織に置換されていくため，人工骨移植材として利用されている．骨伝導能を有する．

1095 臨床的アタッチメントレベル
りんしょうてき——
clinical attachment level
➡アタッチメントレベル

1096 臨床的歯冠長延長術
りんしょうてきしかんちょうえんちょうじゅつ
clinical crown lengthening procedure
➡歯冠長延長術

1097 臨床的ポケット深さ
りんしょうてき——ふか——
clinical pocket depth
➡プロービングデプス

1098 Lindhe と Nyman の根分岐部病変分類
りんで——にーまん——こんぶんきぶびょうへんぶんるい
Lindhe & Nyman's classification of furcation involvement

根分岐部での水平的な**歯周組織**の破壊程度を検査する方法の一つ．1 度から 3 度に分類される．1 度：水平的な歯周組織の破壊程度が歯の幅径の 1/3 以内のもの．2 度：水平的な破壊程度が歯の幅径の 1/3 を超えるが，根分岐部を**歯周プローブ**が通過しない

もの．3度：完全に根分岐部の付着が破壊され，頬舌的あるいは近遠心的に歯周プローブが貫通するもの．
▶Glickman の根分岐部病変分類，Hamp らの根分岐部病変分類，Tarnow と Fletcher の根分岐部病変分類

る

1099 累積的防御療法　るいせきてきぼうぎょりょうほう
cumulative interceptive supportive therapy
〔同義語〕CIST

インプラント治療後に行う，インプラント周囲疾患の予防あるいは治療のためのプログラム．プラーク付着の有無，プロービングデプス，プロービング時の出血の有無，エックス線画像による骨吸収，細菌検査に基づいてインプラント周囲組織を評価し，①機械的なプラーク除去，②殺菌剤による洗浄，③全身もしくは局所的な抗菌薬投与，④再生もしくは切除的療法，の4つの治療方法をインプラント周囲病変の程度に応じて累積的に組み合わせて行う．

1100 ルートアンプテーション
root amputation
➡歯根切除

1101 ルートキュレッタージ
root curettage
➡ルートプレーニング

1102 ルートセパレーション
root separation
➡歯根分離

1103 ルートデブライドメント
root debridement
〔同義語〕ルートデブリドメント，ルートデブリドマン，根面デブライドメント
〔類義語・関連語〕スケーリング，ルートプレーニング，ルートキュレッタージ，デブライドメント

歯根面に付着した歯肉縁下のプラーク，歯石および汚染歯根面（病的セメント質）を除去すること．

1104 ルートトランク
root trunk

大臼歯歯根のセメント-エナメル境から根分岐部最上端までの部分．ルートトランクが長ければ，歯周病が進行しても分岐部の露出を起こしにくくなる．

1105 ルートプレーニング
root planing
〔同義語〕歯根面の滑沢化，ルートキュレッタージ
〔類義語・関連語〕スケーリング，デブライドメント，ルートデブライドメント

歯石や細菌，その他の代謝産物が入り込んだ粗造な病的セメント質あるいは象牙質を取り除き，滑沢化すること．通常，スケーリングに連続して行う．生物学的に許容できる歯根面を作ることによって上皮性付着や結合組織性付着を生じやすくし，またプラークが付着しづらい，あるいは除去しやすい状態にする．キュレット型スケーラーや超音波スケーラーなどが用いられている．

1106 ルートプロキシミティ
root proximity
〔同義語〕歯根近接
〔類義語・関連語〕歯根離開度

隣接する歯根が近接していること．歯根が近接しているとプラークコントロールが困難となり，歯周病のリスクファクターとなる．

1107 ルートリセクション
root resection
➡歯根切除

1108 ループ状縫合　——じょうほうごう
loop suture
➡断続縫合

れ

1109 レーザー
laser

light amplification by stimulated emission of radiation の略．気体分子や固体の中の電子を励起状態にして，そのエネルギーを光として外に放出するときに，単一波長で位相の揃った光を放出すること．
▶炭酸ガスレーザー，エルビウムヤグレーザー，ソフトレーザー，ネオジムヤグレーザー

1110 裂開　れっかい
dehiscence
〔同義語〕ディヒーセンス

歯槽骨の吸収により辺縁から V 字状に欠損した状態で，その辺縁に厚みはない．頬側歯槽骨の菲薄な部分に認められることが多く，歯根が部分的に露出する．
▶開窓，フェネストレーション

1111 裂溝形成　れっこうけいせい
grooving
〔同義語〕グルービング
　咬耗により減少した裂溝を削合により形成すること．咬合調整の中で早期接触を単に除去するだけでなく，解剖学的形態を付与する一操作．円錐型のダイヤモンドポイントを溝の中に入れ，必要な深さになるまで裂溝を形成する．

1112 レッドコンプレックス　れっどこんぷれっくす
red complex
〔類義語・関連語〕歯周病原細菌
　Porphyromonas gingivalis, *Treponema denticola*, *Tannerella forsythia* の3菌種から構成される細菌群．Socransky ら（1998）は健常者および歯周炎患者の歯肉縁下プラークにおける40菌種の検出パターンを解析した結果，*Actinomyces* 属と5つの菌群（complex）に色分けしている（purple, green, yellow, orange, red）．レッドコンプレックスは重度歯周炎の部位に多く検出されることが報告されている．

1113 レンサ球菌性歯肉炎　――きゅうきんせいしにくえん
Streptococcal gingivitis
〔類義語・関連語〕非プラーク性歯肉病変
　レンサ球菌株によるプラークに関連しない急性歯肉口内炎．稀に発症し，歯肉や口唇などの粘膜に潰瘍を伴う．ヘルペス性歯肉口内炎との鑑別が必要である．

1114 連続縫合　れんぞくほうごう
continuous suture
　1本の糸で連続して縫合する方法．結びは創面の両端のみで行う．操作は迅速，簡便であるが，糸が弛緩しやすく，創面の接合も不正確になりやすい．また，時期をずらして抜糸したり，感染を起こしたときに一部だけの抜糸ができない．連続懸垂縫合，連続歯間縫合，連続垂直マットレス縫合，連続水平マットレス縫合がある．
▶断続縫合

ろ

1115 ロイコトキシン
leukotoxin
〔同義語〕白血球毒素
　Aggregatibacter actinomycetemcomitans が産生する分子量115,000の易熱性タンパク質である外毒素．宿主防御細胞である好中球や単球/マクロファージに細胞毒性を示す．B細胞，赤血球，血小板，線維芽細胞，上皮細胞，内皮細胞はロイコトキシンに抵抗性を示す．
▶侵襲性歯周炎，若年性歯周炎

1116 瘻孔　ろうこう
fistula, sinus tract
〔類義語・関連語〕サイナストラクト
　2つの内臓器官間や上皮表面から別の上皮表面へ形成された異常な交通路（fistula）あるいは閉鎖した感染領域から上皮表面への排膿路（sinus tract, サイナストラクト）の2つの意味を有する語．歯周膿瘍などの歯周病変や根尖膿瘍などの歯内病変が原因で歯肉や粘膜に排膿路の開口部がある瘻孔は，fistula（いわゆるフィステル）とよばれることもあったが，近年は sinus tract（サイナストラクト）として扱うのが適切であるとされている．fistula と sinus tract の開口部を瘻孔とよぶこともある．

1117 弄舌癖　ろうぜつへき
tongue habit, tongue thrusting
➡舌習癖

1118 ロート状骨欠損　――じょうこつけっそん
infundibuliform infrabony defect, circumferential-type intrabony defect
〔同義語〕ロート状骨吸収，囲繞性骨欠損
〔類義語・関連語〕ロート状拡大
　歯根周囲の歯槽骨がロート状に吸収され，4壁性骨縁下欠損となっているもの．歯周炎の存在とともに外傷性咬合の関与が考えられている．とくにジグリングフォースの関与が考えられている．

1119 ローリング法　――ほう
rolling method
　歯ブラシの毛束の脇腹を用いるブラッシング法．上顎は上から，下顎は下から歯ブラシの脇腹を歯肉に当て，歯肉を圧迫した後，把柄を軸として半回転させ，毛先の上面で歯面の刷掃を行う．

1120 ロールフラップ法　――ほう
roll-flap technique
〔同義語〕ロールテクニック
　欠損部およびインプラント周囲軟組織の増大を目的として行われる結合組織移植術．両側ロール法，正ロール法，逆ロール法がある．

1121 6点法（プロービングの） ろくてんほう
6 points method（probing）

歯周ポケットの深さを測定するために，プローブを用いて歯の周囲6か所（頬側の近心・中央・遠心，舌側の近心・中央・遠心）を測定し記録する方法．4点法（頬側または舌側の近心・遠心，頬側の中央，舌側の中央）よりも正確な情報を得ることができる．

1122 ロッキングモーション
rocking motion

〔類義語・関連語〕リスト−フォアアームモーション，手首前腕運動

スケーリングやルートプレーニングの際，手，手首と前腕を一つのユニットとし，スケーラーをレストを支点として左右方向への回転運動，あるいは手首屈曲伸展運動で動かす方法．前腕によって生じる力により適切な側方圧を歯面にかけてストロークをすることができ，術者の疲労を少なくすることができる．左右方向への回転運動のみをロッキングモーションとすることもある．
▶フィンガーモーション

1123 ロトソニックスケーラー
rotosonic scaler

〔同義語〕回転スケーラー

Ellman（1960）によって考案された先端が六角錐型をしたスケーラー．ハンドピースにつけてスケーリングに用いる．チップには，六角錐型がやや大きくカット面が長いレギュラーチップと，六角錐型が小さくカット面も短いペリオチップがある．大きな歯石の除去には有効であるが，小さな歯石の除去には不適切であるとされている．

1124 ロングセントリックオクルージョン
long centric occlusion

中心位と咬頭嵌合位の間で，咬合干渉がなく，また，咬合高径の変化を伴わない前後的な自由域のこと．Schuyler（1963）が提唱し有歯顎にも導入した．中心位と咬頭嵌合位の一致したポイントセントリックに対して用いられる．普通，天然歯列ではみられず，咬合調整やフルマウスリコンストラクション（全顎的な補綴処置）の結果として生じる．

わ

1125 Weisgoldの分類 わいすごーるど——ぶんるい
Weisgold's classification
➡バイオタイプ（歯肉の，歯周組織の）

1126 ワイドセントリック
wide centric

中心位と咬頭嵌合位の間での左右的な自由域のこと．Schuyler（1963）やGuichet（1966）が提唱し，有歯顎にも導入した．ブラキシズムや顎関節症の患者において生じることが多い．

1127 ワイヤーレジン固定 ——こてい
wire-resin splint

〔同義語〕A−スプリント，ワイヤー埋め込みレジン固定

〔類義語・関連語〕金属線歯冠結紮固定法，ワイヤー結紮レジン固定

内側性固定による暫間固定の一つ．歯面にスライスカットしない連続インレー窩洞を形成後，窩洞内にワイヤーを挿入し，レジンを塡入して連結する．主として臼歯に用いられるが，前歯にも舌側面に窩洞形成して応用できる．将来，永久固定や歯冠補綴を行う症例が適応症となる．
▶Barkann固定法

1128 ワンサン口内炎 ——こうないえん
Vincent stomatitis

〔同義語〕壊死性潰瘍性口内炎

歯肉から歯槽粘膜にかけて無数の不定形の小潰瘍が形成され，硬口蓋から軟口蓋にかけても潰瘍が形成される口内炎．原因は紡錘菌およびスピロヘータなどの嫌気性糸状菌とグラム陽性・陰性球菌，桿菌などの混合感染である．感染が成立するには宿主の生体防御機構の減弱なども関与している．

1129 1ピースインプラント わん——
one-piece implant

インプラント体とアバットメントが一体型に製造されたインプラント．マイクロギャップは存在しない．
▶2ピースインプラント

同義語，類義語・関連語一覧

用語番号	選定用語	同義語	類義語・関連語
1	アーカンソーストーン	アーカンサスストーン	
3	悪習癖	悪習慣，異常習癖	
4	*Aggregatibacter actinomycetemcomitans*	*Actinobacillus actinomycetemcomitans*	
5	アクリルレジン冠固定	連続レジン冠固定，レジン連続冠固定	
8	アスパラギン酸アミノトランスフェラーゼ	AST，GOT	
10	アタッチメントゲイン	付着の獲得	
11	アタッチメントレベル	付着レベル，クリニカルアタッチメントレベル，臨床的アタッチメントレベル，プロービングアタッチメントレベル，付着の位置，CAL，PAL	
12	アタッチメントロス	付着の喪失	
13	アップライト	矯正的整直，整直	
15	アテローム性動脈硬化症	粥状動脈硬化症	
16	アテロコラーゲン膜	アテロコラーゲンメンブレン，コラーゲン膜，コラーゲンメンブレン	
17	アドヒアランス		コンプライアンス，インフォームドコンセント
21	アブフラクション		非齲蝕性歯頸部欠損
25	アルカリホスファターゼ	ALP	
30	アンテリアガイダンス	前方誘導	
33	ePTFE 膜	延伸ポリテトラフルオロエチレン膜，伸展四フッ化エチレン樹脂膜	
38	一塩基多型	スニップ，SNP，スニップス，SNPs	
39	1 型糖尿病	IDDM，インスリン依存性糖尿病	
44	遺伝子型	遺伝子タイプ	遺伝子多型，一塩基多型，スニップ，SNP，スニップス，SNPs
47	遺伝性歯肉線維腫症	遺伝性歯肉過形成症，遺伝性歯肉増殖症	歯肉線維腫症，特発性歯肉線維腫症
51	インスリン様増殖因子	インスリン様成長因子，IGF	
54	インターフェロン	IFN	
56	インターロイキン	インターリューキン，IL	
57	インディアストーン	インディアナストーン	
60	インフォームドコンセント	説明に基づく同意，説明と同意	コンプライアンス，アドヒアランス

用語番号	選定用語	同義語	類義語・関連語
61	インプラント（歯科の）	歯科インプラント，人工歯根	
62	インプラント周囲炎	ペリインプランタイティス	インプラント周囲粘膜炎
63	インプラント周囲溝	ペリインプラントサルカス	
67	インプラント周囲組織		インプラント周囲粘膜
69	インプラント周囲粘膜		インプラント周囲軟組織
72	インプラント即時埋入	抜歯後即時埋入	
73	インプラント体	フィクスチャー	
74	インプラント待時埋入	抜歯後待時埋入	
75	インプラント遅延埋入	抜歯後遅延埋入	
76	インプラントの成功率		累積成功率
81	インプラント補綴	インプラント修復	
82	インレーグラフト法	インレー型グラフト	
83	ウィドマン改良フラップ手術	Widman改良法，ウィドマン改良法，ウィドマン変法手術	
84	ウェッジ手術	くさび型切除手術	遠心ウェッジ手術，ディスタルウェッジ手術
86	後向き研究		患者-対照研究，症例-対照研究
87	エアアブレージョン		エアアブレイシブ，エアポリッシング
88	エアスケーラー	音波スケーラー	
102	壊死性歯周疾患		壊死性潰瘍性歯肉炎（NUG），壊死性潰瘍性歯周炎（NUP），急性壊死性潰瘍性歯肉炎（ANUG），急性壊死性潰瘍性歯周炎（ANUP），ワンサン口内炎
105	エッチング		クエン酸処理，EDTA処理，アクロマイシン（テトラサイクリン）処理，コンディショニング
106	エナメル真珠	エナメル滴，エナメル小滴	エナメル突起
108	エナメル突起	エナメルプロジェクション，根間突起	エナメル真珠，エナメル滴
109	エナメルボンディングレジン固定	ダイレクトボンディングシステム固定，接着性レジン固定	
110	エナメルマトリックスタンパク質	エナメル基質タンパク質	エナメルマトリックスデリバティブ（EMD），エムドゲイン®
111	エナメルマトリックスデリバティブ	エナメルマトリックスプロテインデリバティブ，EMD，エムドゲイン®	エナメルマトリックスタンパク質，エナメル基質タンパク質

用語番号	選定用語	同義語	類義語・関連語
113	エビデンスベースドメディシン/エビデンスベースドデンティストリー	EBM/EBD	
115	Fc レセプター	Fc 受容体	
117	MTM	部分矯正, 小矯正, 限局矯正	
131	オーバージェット	水平的被蓋	
132	オーバーバイト	垂直的被蓋	
134	オープンバイト	開咬	
135	オーラルスクリーン	マウススクリーン	
136	オーラルフレイル		口腔機能低下症
137	オクルーザルスプリント	バイトガード, ナイトガード, バイトスプリント	
139	オステオカルシン	骨 Gla タンパク質	
141	オステオネクチン	SPARC, BM-40	
145	オッセオインテグレーション	骨結合, 骨接合	
146	オドントプラスティ	歯の整形術	ファーケーションプラスティ
148	オベイト型ポンティック	ブリット型ポンティック	ポンティック形態
149	オルバンメス	オルバン型メス, オルバンナイフ	
150	音波歯ブラシ	音波電動歯ブラシ	
152	カークランドメス	カークランド型メス, カークランドナイフ	
153	カーテンサージェリー	カーテン手術法	
154	外縁上皮	歯肉口腔上皮	
155	壊血病性歯肉炎	アスコルビン酸欠乏性歯肉炎	
159	開窓	フェネストレーション	
160	外側性固定	外式固定	
161	改変歯肉出血指数	mSBI	
162	改変プラーク指数	改良プラーク指数, mPlI	
167	下顎安静位	安静位	
168	化学的プラークコントロール	化学的清掃法	
170	角化粘膜		角化歯肉, 付着歯肉
171	顎関節症	TMD	
172	顎堤造成術	顎堤増生術, 歯槽堤増大術, 歯槽堤造成（増生）	
174	獲得免疫	後天性免疫, 後天免疫	
175	仮骨延長術		骨延長術
186	カルシウム拮抗薬		降圧薬
188	環境因子	環境要因	細菌因子, 宿主因子, リスクファクター
189	幹細胞		間葉系幹細胞, 未分化間葉系細胞, 骨髄幹細胞, ES 細胞, iPS 細胞
191	患者報告アウトカム	PRO	患者報告アウトカム評価

用語番号	選定用語	同義語	類義語・関連語
193	冠状動脈心疾患	虚血性心疾患，心臓血管系疾患	冠状動脈硬化症，アテローム性動脈硬化症
194	関節リウマチ	リウマチ	
195	感染性心内膜炎	細菌性心内膜炎	心内膜炎
197	カントゥア	歯冠豊隆形態	アンダーカントゥア，オーバーカントゥア
200	機械的プラークコントロール	機械的清掃法，メカニカルプラークコントロール	
201	規格荷重プローブ	定圧プローブ，グラムプローブ	フロリダプローブ
205	機能咬頭	粉砕咬頭，セントリックカスプ，支持咬頭	
206	揮発性硫黄化合物	VSC，揮発性硫化物	揮発性窒素化合物
208	キャビテーション	空洞現象	
210	吸収性膜	吸収性メンブレン，生体吸収性膜	
211	臼歯離開咬合	ディスクルージョン	
214	急性歯周疾患		急性歯周病変
216	急性発作（歯周炎の）	急発	急性歯周膿瘍
220	キュレット型スケーラー	鋭匙型スケーラー，キュレットスケーラー	グレーシー型キュレット，ユニバーサル型キュレット
221	供給側	供給床，供給部位，ドナーサイト	
225	局所性修飾因子	局所性増悪因子	
226	局所薬物配送システム	局所薬物デリバリーシステム，局所薬物搬送システム，局所薬物送達システム，ローカルドラッグデリバリーシステム，LDDS	ポケット内抗菌薬投与
227	虚血性心疾患	IHD	
228	禁煙支援		禁煙支援プログラム
229	禁煙支援プログラム	禁煙サポートプログラム	
233	菌交代現象		日和見感染
239	くさび状欠損（歯の）	WSD	アブフラクション
243	クラウン-インプラント・レシオ	CIレシオ	
248	グループファンクションドオクルージョン		片側性平衡咬合
249	グレーシー型キュレット		キュレット型スケーラー
250	クレーター状骨欠損	骨クレーター	
251	Crane-Kaplanのポケットマーカー	ポケットマーカー	
252	クレフト（歯肉の）	Stillmanのクレフト，裂開	
253	クレンチング	くいしばり，かみしめ	
257	形質細胞歯肉炎		形質細胞歯肉口内炎，形質細胞性口唇炎，開口部形質細胞症
260	軽度歯周炎		中等度歯周炎，重度歯周炎

用語番号	選定用語	同義語	類義語・関連語
264	結合組織移植術	歯肉結合組織移植術，上皮下結合組織移植術	
265	結合組織性付着	線維性付着	
267	血小板由来増殖因子	血小板由来成長因子，PDGF	
273	犬歯誘導咬合	犬歯誘導，カスピッドプロテクテッドオクルージョン	
280	口蓋裂溝		根面溝，斜切痕，口蓋溝，発育溝
282	抗菌薬	抗菌薬物，抗菌薬剤	抗生物質
285	抗菌療法（歯周治療における）		経口抗菌療法，局所抗菌療法，フルマウスディスインフェクション（FMD）
286	口腔衛生指数	口腔清掃指数，OHI	
287	口腔カンジダ症	カンジダ症，カンジダ性口内炎	
288	口腔乾燥症	唾液減少症，ドライマウス	
291	口腔機能低下症		オーラルフレイル
294	口腔清掃指導		口腔衛生指導，TBI
297	口腔前庭拡張術		口腔前庭形成術
298	口腔内エックス線写真（歯周病の所見）		デンタルエックス線写真（歯周病の所見）
299	抗痙攣薬	抗てんかん薬	
301	咬合性外傷		原発性咬合性外傷
302	咬合調整	選択的咬合調整	
307	口臭恐怖症		自臭症
313	好中球減少症		周期性好中球減少症
314	好中球病変	多形核白血球病変	
315	後天性免疫不全症候群	エイズ，AIDS	
316	咬頭嵌合位		中心咬合位，セントリックオクルージョン
318	行動変容		モチベーション
322	抗RANKLモノクローナル抗体製剤	デノスマブ	ビスホスホネート関連顎骨壊死
323	誤嚥性肺炎	嚥下性肺炎	
324	コーヌステレスコープデンチャー	コーヌス義歯	
325	コーンスーチャープライヤー	コーン（の）プライヤー	
326	黒色色素産生嫌気性桿菌	黒色色素産生性Bacteroides，黒色色素産生Bacteroides	
329	骨移植材		骨補塡材
332	骨鋭匙	ボーンキュレット	
333	骨縁下欠損	骨内欠損，垂直性骨欠損，くさび状骨欠損	垂直性骨吸収
336	骨縁上組織付着		生物学的幅径

用語番号	選定用語	同義語	類義語・関連語
338	骨延長術		仮骨延長術
342	骨形成タンパク質	BMP，骨誘導タンパク質	骨形成因子，骨誘導因子
348	骨シアロタンパク質	BSP	
352	骨性癒着	アンキローシス	
354	骨造成	骨増生	歯槽堤増大
355	骨粗鬆症	骨多孔症	骨減少症
359	骨ファイル	骨ヤスリ	
362	骨膜剥離子		粘膜剥離子
364	骨密度	bone mineral density	
366	骨隆起		外骨症
371	固有歯槽骨	篩状板	
373	コラーゲン線維	膠原線維	
376	コル（歯間乳頭の）	鞍部（歯間乳頭の）	
377	根間中隔		槽間中隔
379	根尖性インプラント周囲炎	逆行性インプラント周囲炎	インプラント周囲炎
381	コンタクトエリア	接触域	
383	コンプライアンス		アドヒアランス，インフォームドコンセント
386	根分岐部病変	分岐部病変	
390	サージカルテンプレート	外科用ガイドプレート，外科用テンプレート，サージカルガイド	
392	細菌検査		微生物検査
394	細菌叢		バイオフィルム，デンタルプラーク，プラーク
396	最終糖化産物	AGE	
397	最小発育阻止濃度	MIC	最小殺菌濃度
400	サイトカイン		炎症性メディエーター，炎症性サイトカイン，ケモカイン，アディポサイトカイン
401	サイナストラクト		フィステル，瘻孔
404	再評価	再評価検査	
406	細胞外マトリックス	細胞外基質，ECM，細胞間基質，細胞間マトリックス	
408	細胞性セメント質	有細胞セメント質	
412	サブジンジバルカントゥア	歯肉縁下カントゥア	
414	サポーティブインプラントセラピー	サポーティブインプラントトリートメント，サポーティブポストインプラントセラピー，インプラントのメインテナンス	サポーティブペリオドンタルセラピー
416	サポーティブペリオドンタルセラピー	SPT，サポーティブペリオドンタルトリートメント，サポーティブ治療，サポーティブセラピー，歯周サポート治療	メインテナンス
417	暫間固定		永久固定

用語番号	選定用語	同義語	類義語・関連語
420	CRP	C 反応性タンパク質	
422	GTR 法	組織再生誘導法，歯周組織再生誘導法	
423	GTR 膜	GTR メンブレン	誘導膜，遮蔽膜，保護膜，バリアメンブレン，生体親和性膜
425	GBR 法	骨再生誘導法	
426	CPI	地域歯周疾患指数	CPITN
429	歯科衛生ケアプロセス	歯科衛生過程	歯科衛生ケア
432	歯冠形態修正	歯冠形態修復	
433	歯間鼓形空隙	鼓形空隙	
434	歯間刺激子	インターデンタルスティムレーター	
435	歯冠歯根比	歯冠歯根長比，CR 比	
438	歯冠長延長術	歯冠延長術，臨床的歯冠長延長術	
439	歯間乳頭	乳頭歯肉，歯間乳頭歯肉，歯間部歯肉	
440	歯間乳頭再建法	乳頭形成術	
443	歯間ブラシ	インターデンタルブラシ，歯間清掃ブラシ	
447	色素沈着（歯肉の）		メラノプラキア
448	ジグリングフォース	反復性外傷力	
458	歯根切除	根切除，ルートリセクション，歯根切断，ルートアンプテーション	ヘミセクション，トライセクション，歯根分離，トンネリング
461	歯根分離	ルートセパレーション，歯根分割	歯根切除，ヘミセクション，トンネリング
462	歯根膜	歯周靭帯	
463	歯根膜腔	歯根膜隙，歯根膜空隙	
469	歯周炎		辺縁性歯周炎
470	歯周炎のグレード（の）分類		歯周炎のステージ（の）分類
471	歯周炎のステージ（の）分類		歯周炎のグレード（の）分類
473	歯周基本治療	イニシャルプレパレーション，初期治療	
474	歯周-矯正治療		限局矯正，小矯正，MTM
475	歯周形成手術	ペリオドンタルプラスティックサージェリー，歯肉歯槽粘膜形成術，MGS，歯周形成外科手術	
478	歯周疾患指数	PDI	
479	歯周-歯内病変	歯内-歯周病変	
482	歯周組織検査	歯周病検査	
484	歯周組織再生療法	再生療法	
487	歯周膿瘍		急性歯周膿瘍

用語番号	選定用語	同義語	類義語・関連語
488	歯周パック	歯周包帯，サージカルパック，ペリオドンタルドレッシング	
489	歯周病	歯周疾患	
491	歯周病活動性	疾病活動性，歯周病活動度，疾病活動度	
492	歯周病感受性	疾病感受性	
493	歯周病原細菌	歯周病原性細菌，歯周病原菌，歯周病細菌	歯周病関連細菌
494	歯周病重症化予防治療		サポーティブペリオドンタルセラピー，SPT，メインテナンス
495	歯周フェノタイプ		バイオタイプ
496	歯周プローブ	ポケットプローブ，プローブ，ポケット探針	
498	歯周ポケット	真性ポケット	
499	歯周ポケット搔爬	キュレッタージ，歯周ポケット搔爬術	ルートプレーニング，デブライドメント
500	歯周ポケット内洗浄	ポケット内洗浄，ポケットイリゲーション，歯肉縁下イリゲーション	
505	歯小囊	歯囊	
509	自然免疫	非特異的免疫，先天免疫	
510	歯槽硬線	歯槽白線，白線	
511	歯槽骨		歯槽突起
512	歯槽骨吸収	骨吸収	くさび状骨欠損，垂直性骨吸収，骨縁下欠損，水平性骨吸収
513	歯槽骨整形術	骨整形術，骨整形手術，オステオプラスティ，骨形態修正	歯槽骨切除術，歯槽堤整形術
514	歯槽骨切除術	骨切除術，骨切除手術，オステオエクトミー	歯槽骨整形術
515	歯槽頂	歯槽辺縁，歯槽骨頂	
516	歯槽頂硬線		歯槽硬線
517	歯槽頂切開	歯槽骨頂切開	
518	歯槽堤		歯槽骨
519	歯槽堤整形術		歯槽骨整形術
520	歯槽堤増大術	顎堤造成術	
521	歯槽堤保存術	抜歯窩保存術，ソケットプリザベーション	
525	シックル型スケーラー	鎌型スケーラー	
533	歯肉炎	辺縁性歯肉炎	プラーク性歯肉炎，プラーク単独性歯肉炎
537	歯肉縁下プラーク	歯肉縁下歯垢	
540	歯肉炎指数	GI	

用語番号	選定用語	同義語	類義語・関連語
543	歯肉縁上プラーク	歯肉縁上歯垢	
546	歯肉縁切開	歯肉辺縁切開，歯肉頂切開	
551	歯肉溝滲出液	歯肉溝浸出液，GCF，滲出液	ポケット内容液
552	歯肉溝内切開	歯肉溝切開	
553	歯肉歯槽粘膜境	歯肉歯槽粘膜移行部，MGJ	
557	歯肉出血インデックス	GBI	
561	歯肉切除用メス	歯肉切除用ブレード	
562	歯肉線維腫症	歯肉象皮症	
563	歯肉増殖症	歯肉過形成症，歯肉肥大症，歯肉増大症	線維性歯肉増殖症，増殖性歯肉炎
564	歯肉増大術	歯肉増生術	
565	歯肉息肉	歯肉ポリープ	
566	歯肉退縮	退縮	歯肉収縮
574	歯肉弁根尖側移動術	APF	
575	歯肉弁歯冠側移動術	CPF	coronally advanced flap surgery，CAP
576	歯肉弁側方移動術	側方歯肉弁移動術，LPF	
577	歯肉ポケット	仮性ポケット	
579	ジフェニルヒダントイン	フェニトイン，ダイランチン	
584	若年性歯周炎		限局型若年性歯周炎（LJP），広汎型若年性歯周炎（GJP），侵襲性歯周炎
590	重度歯周炎		軽度歯周炎，中等度歯周炎
592	修復・補綴治療	補綴治療，最終補綴治療	
596	宿主寄生体相互作用	宿主細菌相互作用，ホスト-パラサイトインタラクション	
599	腫瘍壊死因子	TNF	
601	受容側	受容床，受容部位，レシピエントサイト	
602	上顎洞底挙上術	上顎洞挙上術	サイナスリフト，ソケットリフト
604	上行性歯髄炎	逆行性歯髄炎	
611	上皮下結合組織移植術	SCTG	
612	上皮性付着	上皮付着	結合組織性付着
616	初期固定	一次固定	
617	初期歯肉炎		プラーク性歯肉炎
621	徐放性薬剤	徐放性薬物	
626	侵襲性歯周炎	急速破壊性歯周炎	早期発症型歯周炎，若年性歯周炎，急速進行性歯周炎，前思春期性歯周炎
631	心臓血管系疾患	CVD	
635	シンバイオーシス	シンビオーシス	相利共生
638	新付着術	ENAP，新付着手術	

用語番号	選定用語	同義語	類義語・関連語
648	睡眠時無呼吸症候群	SAS	
649	睡眠障害国際分類	ICSD	
650	スキャフォールド（再生における）	足場	
654	スケーラー		手用スケーラー，超音波スケーラー，エアスケーラー
655	スケーリング	歯石除去，除石	
656	スケーリング・ルートプレーニング	SRP	
657	スタビライゼーションスプリント	スタビライゼーション型スプリント	
658	Stevens-Johnson 症候群	皮膚粘膜眼症候群，重症型多形滲出性紅斑	
660	スティルマン改良法		スティルマン原法
667	スプリント治療		オクルーザルスプリント，バイトスプリント，ナイトガード
670	スミヤー層	スメア層，スミア層	
672	生活習慣病		非感染性疾患
673	成人性歯周炎		慢性歯周炎
678	生物学的幅径	生物学的幅	骨縁上組織付着
679	セクショナルアーチ（矯正治療の）	セグメンテッドアーチ	
680	セクスタント	口腔内6分割，3分の1顎	
681	セチルピリジニウム塩化物水和物	CPC	
682	接合上皮	付着上皮	ヘミデスモゾーム
683	舌習癖	弄舌癖	
684	接触点	コンタクトポイント	
691	セメント-エナメル境	CEJ	
692	セメント固定式	セメント合着式	
694	セメント質（の）剥離	剥離性歯根破折	
695	セメント質（の）肥厚	セメント質（の）肥大	
696	セラミックストーン		アーカンソーストーン，インディアストーン
697	セルフケア	オーラルセルフケア	
698	線維芽細胞増殖因子	線維芽細胞成長因子，FGF	bFGF，FGF-2，塩基性線維芽細胞増殖因子，リグロス®
701	洗口剤	洗口液，デンタルリンス	
702	前思春期性歯周炎	思春期前歯周炎	
705	全層弁	粘膜骨膜弁，フルシックネスフラップ，全層歯肉弁	
706	選択的咬合調整	選択削合，削合調整	
710	戦略的抜歯		便宜抜歯

用語番号	選定用語	同義語	類義語・関連語
711	槽間中隔	歯槽中隔	
714	早期負荷	早期荷重	
716	象牙質知覚過敏	歯頸部知覚過敏，Hys	
717	早産低出生体重	低体重児早産，早産・低体重児出産	
720	増殖因子	成長因子，分化増殖因子，細胞増殖因子	シグナル分子
722	叢生	クラウディング	
724	即時負荷	即時荷重	
738	耐性菌	薬剤耐性菌	
741	Down症候群	21-トリソミー症	
744	多血小板血漿	血小板濃厚血漿，PRP	
746	脱灰凍結乾燥骨移植	DFDBA，脱灰凍結乾燥同種他家骨移植	凍結乾燥骨移植（FDBA）
747	脱タンパク質ウシ骨ミネラル		他家骨移植，異種骨移植，凍結乾燥骨移植（FDBA），脱灰凍結乾燥骨移植（DFDBA），リン酸カルシウム人工材，バイオガラス，ハイドロキシアパタイト
750	*Tannerella forsythia*	*Tannerella forsythensis*，*Bacteroides forsythus*	
751	多能性幹細胞		ES細胞，iPS細胞
752	タフトブラシ	ワンタフトブラシ，エンドタフトブラシ	
754	炭酸アパタイト		リン酸三カルシウム，ハイドロキシアパタイト
755	炭酸ガスレーザー	CO_2レーザー	
756	短縮歯列	SDA	
758	断続縫合	結節縫合	
759	担体	キャリア	
762	遅延負荷	晩期負荷，遅延荷重	
765	チャーターズ法	チャータース法	
767	中心位	セントリックリレーション	
769	中等度歯周炎		軽度歯周炎，重度歯周炎
775	T細胞病変	Tリンパ球病変	
778	堤状隆起	テンションリッジ	
779	ディスタルウェッジ手術		ウェッジ手術
780	ディスバイオーシス	ディスビオーシス	共生バランス失調
782	ティッシュエンジニアリング	組織工学，生体医工学	再生療法，再生医学
784	低ホスファターゼ症	低ホスファターゼ血症，低アルカリホスファターゼ血症，低アルカリホスファターゼ症	

用語番号	選定用語	同義語	類義語・関連語
785	テトラサイクリン系抗菌薬	テトラサイクリン系抗生物質	ドキシサイクリン，ミノサイクリン
786	デブライドメント	デブリドメント，デブリードマン	ルートデブライドメント，歯肉縁下デブライドメント
796	凍結乾燥骨移植	FDBA，凍結乾燥同種骨移植	脱灰凍結乾燥骨移植(DFDBA)
797	糖尿病		インスリン抵抗性糖尿病，インスリン依存性糖尿病，インスリン非依存性糖尿病
802	トップダウントリートメント	補綴主導型インプラント治療	
803	トライセクション		ヘミセクション，歯根分離，歯根切除
804	トラフェルミン		線維芽細胞増殖因子
805	トランスフォーミング増殖因子	トランスフォーミンググロースファクター，形質転換増殖因子，トランスフォーミング成長因子，TGF	
808	トンネリング	トンネル形成	歯根切除，ヘミセクション，歯根分離
812	内側性固定	内式固定	
814	内毒素	エンドトキシン	
819	2型糖尿病	インスリン非依存性糖尿病，non-insulin-dependent diabetes mellitus，NIDDM	
828	乳酸脱水素酵素	LDH	
831	妊娠性エプーリス	妊娠腫	
832	妊娠性歯肉炎	妊娠関連歯肉炎	
837	粘膜剝離子		骨膜剝離子
841	パームグラスプ	パームグリップ，掌握法	
843	バイオガラス	生体活性化ガラス	人工骨，リン酸三カルシウム
844	バイオタイプ（歯肉の，歯周組織の）		歯周フェノタイプ
847	ハイドロキシアパタイト	ヒドロキシアパタイト，HA，HAP	
849	バイファーケーショナルリッジ	根間稜	
850	Haim-Munk症候群		Papillon-Lefèvre症候群
852	剝離性歯肉炎	慢性剝離性歯肉炎	
857	白血球接着不全症候群	白血球粘着異常症，白血球接着異常症	
861	パピラプリザベーションフラップ手術	乳頭保存フラップ手術，歯間乳頭保存フラップ手術，PPF，PPT	
865	Barkann固定法	B-スプリント，B-splints，バルカン固定法	
866	パワードリブンスケーラー	パワースケーラー	
870	非アルコール性脂肪性肝疾患	NAFLD	

用語番号	選定用語	同義語	類義語・関連語
875	B細胞病変	Bリンパ球病変	形質細胞病変
879	非吸収性膜	非吸収性メンブレン	吸収性膜
880	非外科的治療法	保存的治療法	
881	PISA	歯周炎症表面積	PESA
882	VISTA	口腔前庭切開骨膜下トンネルアクセス	
883	非ステロイド性抗炎症薬	NSAIDs，エヌセイズ	
885	ビスホスホネート関連顎骨壊死	BRONJ	
886	ビタミン欠乏性口肉炎		壊血病性歯肉炎
888	ヒト免疫不全ウイルス	HIV	
895	病状安定（歯周病の）		寛解/制御（歯周病の）
899	病的セメント質	壊死セメント質，軟化セメント質，露出セメント質	
900	日和見感染		菌交代現象
901	ファーケーションプラスティ	ファルカプラスティ，根分岐部形態修正，分岐部形成術	
902	ファーケーションプローブ	根分岐部用プローブ，根分岐部用探針	ネイバースプローブ
903	ファイル型スケーラー	やすり型スケーラー	
904	ファセット	咬合小面	
906	フィブリンシーラント	フィブリン糊	
907	フィブロネクチン	ファイブロネクチン	
909	フェストゥーン	McCallのフェストゥーン	
910	フェニトイン歯肉増殖症	ダイランチン歯肉増殖症	
912	フォーンズ法	描円法	
923	不適合修復・補綴装置		オーバーハングマージン，アンダーマージン
925	部分層弁	粘膜弁，パーシャルシックネスフラップ，部分層歯肉弁，スプリットシックネスフラップ	
926	プラーク	歯垢，細菌性プラーク，デンタルプラーク	バイオフィルム
928	プラークコントロールレコード	PCR	
929	プラーク指数	歯垢指数，PlI	
931	プラーク染色液	歯垢染色液，歯垢顕示液，歯垢染出剤，歯垢染出液	
932	プラーク単独性歯肉炎	単純性歯肉炎	
935	プラークリテンションファクター	プラーク蓄積因子，プラーク停滞因子，プラーク増加因子，プラーク付着促進因子	
936	ブラキシズム	歯ぎしり	パラファンクション
940	ブラッシング法	刷掃法，歯磨き法	
942	プラットフォームシフティング	プラットフォームスイッチング	

用語番号	選定用語	同義語	類義語・関連語
943	フラップキュレッタージ	オープンフラップキュレッタージ，アクセスフラップ手術	
944	フラップ手術	歯肉剝離搔爬術，FOP	
946	プランジャーカスプ	プランジャー咬頭，くさび状咬頭	
952	フルバランスドオクルージョン	バランスドオクルージョン，両側性平衡咬合	
956	プレディクター（歯周病の）	予知因子	
960	プロービング		垂直的プロービング，水平的プロービング
963	プロービング時の出血	ブリーディングオンプロービング，BOP	
965	プロービングデプス	PD，臨床的ポケット深さ，プロービングポケットデプス，PPD，プロービング値，ポケットプロービング値	ポケットデプス，ポケット深さ
967	プロスタグランジン E_2	PGE_2	アラキドン酸代謝産物
969	プロテアーゼ	タンパク質分解酵素	エラスターゼ
970	プロテオグリカン	ムコ多糖タンパク質複合体	
972	プロビジョナル固定	プロビジョナルスプリント	プロビジョナルレストレーション，暫間修復・補綴装置，アクリルレジン冠固定
973	プロビジョナルレストレーション		プロビジョナル固定
974	プロフェッショナルケア	専門的口腔ケア，プロフェッショナルオーラルケア	
975	プロフェッショナルトゥースクリーニング	PTC，専門的歯面清掃	PMTC
976	プロフェッショナルメカニカルトゥースクリーニング	PMTC，専門的機械的歯面清掃	PTC
978	併発症	合併症	
979	PESA	歯周上皮表面積	PISA
981	ペニシリン系抗菌薬	ペニシリン系抗生物質	アモキシシリン
982	ヘミセクション		トライセクション，歯根切除，歯根分離
984	ヘミデスモゾーム	ヘミデスモソーム，半接着斑	
985	ヘモグロビン A1c	糖化ヘモグロビン，グリコヘモグロビン，HbA1c	
988	ペリオドンタルインデックス	PI	
989	ペリオドンタルチャート	歯周チャート	プロービングチャート，ペリオドンタルプロービングチャート
992	ペリオドンタルメディシン	歯周医学，ペリオドンタルメディスン	

用語番号	選定用語	同義語	類義語・関連語
993	ペリクル	獲得被膜, アクワイアードペリクル	
995	ヘルペス性歯肉口内炎	疱疹性歯肉口内炎	
999	ペングラスプ	執筆状把持法, ペングリップ	
1002	ホウ型スケーラー	くわ型スケーラー	
1003	包括的歯周治療		マルチディシプリナリーアプローチ, インターディシプリナリーアプローチ
1006	ホープレストゥース	予後不良歯, 要抜去歯	
1007	ボーンサウンディング	骨プロービング	
1010	ポケットデプス	組織学的ポケット深さ, ポケット深さ	プロービングデプス, プロービングポケットデプス
1011	ポケット内抗菌薬投与		LDDS
1018	ポリメラーゼチェーンリアクション（法）	PCR（法）, ポリメラーゼ連鎖反応（法）	
1019	*Porphyromonas gingivalis*	*Bacteroides gingivalis*	
1020	ポンティック形態		オベイト型ポンティック
1026	前向き研究	前向きコホート研究	コホート研究
1027	マクロライド系抗菌薬	マクロライド系抗生物質	アジスロマイシン
1028	摩擦性角化症		外傷性潰瘍性歯肉病変
1030	マテリアアルバ	白質	
1031	マトリックスメタロプロテアーゼ	MMP	
1032	マラッセの上皮残遺	マラッセ上皮残遺	ヘルトヴィッヒ上皮鞘
1033	マルチディシプリナリーアプローチ	インターディシプリナリーアプローチ	包括的歯周治療
1034	慢性歯周炎		成人性歯周炎
1037	ミニマルインターベンション	最小侵襲治療, MI	
1041	無細胞セメント質	原生セメント質	
1042	無作為比較試験	ランダム化比較試験, RCT	
1046	メインテナンス		サポーティブペリオドンタルセラピー, サポーティブペリオドンタルトリートメント, SPT
1047	メス	ブレード（外科用の）, サージカルブレード, 外科用メス	
1048	メタアナリシス	メタ分析, メタ解析	
1054	モチベーション	動機づけ	コンプライアンス, アドヒアランス
1055	モディファイドペングラスプ	執筆状変法把持法, 改良執筆（状）把持法, 執筆法変法, 執筆変法, 改良ペングラスプ, モディファイドペングリップ	

用語番号	選定用語	同義語	類義語・関連語
1056	薬剤関連顎骨壊死	MRONJ	骨吸収抑制薬関連顎骨壊死（ARONJ），ビスホスホネート関連顎骨壊死（BRONJ），ビスホスホネート，デノスマブ
1059	薬物感受性試験		抗菌薬感受性試験
1060	薬物性歯肉増殖症	薬物誘発性歯肉増殖症	
1064	遊離歯肉移植術	FGG	
1065	遊離歯肉溝	辺縁歯肉溝	
1066	ユニバーサル型キュレット	ユニバーサル型スケーラー，ユニバーサルスケーラー，ユニバーサルタイプ	
1071	ライフスタイル	生活様式	
1073	ラバーチップ		歯間刺激子
1084	リスクインディケーター	ポテンシャルリスクファクター，プロバブルリスクファクター，ピュータティブリスクファクター	
1085	リスクファクター	危険因子，リスク因子	リスクインディケーター，リスクマーカー，プレディクター
1086	リスクマーカー	リスクプレディクター	
1087	リスト-フォアアームモーション	手首前腕運動	ロッキングモーション，フィンガーモーション
1088	リゾチーム	ライソザイム	
1090	リポ多糖	リポポリサッカライド，リポ多糖体，LPS，内毒素，エンドトキシン	
1091	両側乳頭弁移動術	両側歯間乳頭移動術	
1093	リン酸カルシウム人工材		バイオガラス，人工骨
1094	リン酸三カルシウム	三リン酸カルシウム，第三リン酸カルシウム，TCP	
1099	累積的防御療法	CIST	
1103	ルートデブライドメント	ルートデブリドメント，ルートデブリドマン，根面デブライドメント	スケーリング，ルートプレーニング，ルートキュレッタージ，デブライドメント
1105	ルートプレーニング	歯根面の滑沢化，ルートキュレッタージ	スケーリング，デブライドメント，ルートデブライドメント
1106	ルートプロキシミティ	歯根近接	歯根離開度
1110	裂開	ディヒーセンス	
1111	裂溝形成	グルービング	
1112	レッドコンプレックス		歯周病原細菌
1113	レンサ球菌性歯肉炎		非プラーク性歯肉病変
1115	ロイコトキシン	白血球毒素	

用語番号	選定用語	同義語	類義語・関連語
1116	瘻孔		サイナストラクト
1118	ロート状骨欠損	ロート状骨吸収，囲繞性骨欠損	ロート状拡大
1120	ロールフラップ法	ロールテクニック	
1122	ロッキングモーション		リスト-フォアアームモーション，手首前腕運動
1123	ロトソニックスケーラー	回転スケーラー	
1127	ワイヤーレジン固定	A-スプリント，ワイヤー埋め込みレジン固定	金属線歯冠結紮固定法，ワイヤー結紮レジン固定
1128	ワンサン口内炎	壊死性潰瘍性口内炎	

和文索引

1. p の後の数字はページ番号，括弧内は用語番号を表す．
2. 選定用語はゴシック体とし，用語番号は青字とした．
3. 用語番号の後の「同・類」はそれぞれ「同義語」，「類義語・関連語」を意味する．

あ

アーカンサスストーン
p1（1）同

アーカンソーストーン
p1（1）, p6（57）, p54（583）, p64（696）類

悪習慣
p1（3）同

悪習癖
p1（3）, p15（158）, p16（171）, p17（176）, p21（225）, p29（309）, p55（593）, p62（676）, p63（683）, p79（863）

アクセスフラップ手術
p87（943）同

アクリルレジン冠固定
p1（5）, p89（972）類

アクロマイシン処理
p10（105）類

アクワイアードペリクル
p91（993）同

アジスロマイシン
p1（6）, p94（1027）類

足場
p1（7）, p32（346）, p33（356）, p35（372）, p60（650）同, p69（747）, p70（759）

アスコルビン酸欠乏性歯肉炎
p15（155）同

アスパラギン酸アミノトランスフェラーゼ
p1（8）, p68（742）, p88（956）

アタッチメント（歯周組織の）
p1（9）

アタッチメントゲイン
p1（10）, p2（11）, p2（12）, p85（919）

アタッチメントレベル
p1（10）, **p1（11）**, p2（12）, p23（247）, p24（260）, p45（482）, p55（590）, p71（769）, p85（921）, p88（960）, p89（961）, p101（1095）

アタッチメントロス
p1（10）, p2（11）, **p2（12）**, p16（165）, p24（260）, p37（402）, p40（427）, p43（469）, p46（498）, p49（533）, p52（555）, p54（577）, p54（584）, p55（590）, p58（626）, p69（750）, p71（769）, p78（850）, p85（920）, p88（957）, p89（967）

アップライト
p2（13）, p21（222）, p44（474）

アディポサイトカイン
p2（14）, p37（400）類

アテローム性動脈硬化症
p2（15）, p18（193）類

アテロコラーゲン膜
p2（16）, p35（374）

アテロコラーゲンメンブレン
p2（16）同

アドヒアランス
p2（17）, p6（60）類, p35（383）類, p97（1054）類

アバットメント
p2（18）, p2（19）, p4（43）, p7（73）, p57（614）, p60（653）, p71（773）, p87（941）, p87（942）, p94（1021）, p104（1129）

アバットメントスクリュー
p2（19）

アフタ性歯肉炎
p2（20）

アブフラクション
p2（21）, p3（30）, p22（239）類, p81（878）

アメロジェニン
p3（22）, p11（110）, p11（111）

アモキシシリン
p3（23）, p90（981）類, p97（1051）

アラキドン酸代謝産物
p3（24）, p89（967）類

アルカリホスファターゼ
p3（25）, p32（339）, p68（742）, p72（784）

アンキローシス
p3（26）, p33（352）同

暗視野顕微鏡
p3（27）, p4（37）, p36（392）

安静位
p3（28）, p16（167）同

アンダーカントゥア
p3（29）, p19（197）類

アンダーマージン
p85（923）類

アンテリアガイダンス
p3（30）

鞍部（歯間乳頭の）
p3（31）, p35（376）同

123

い

異種骨移植
　p4（34）, p68（743）, p69（747）㊞

異常習癖
　p1（3）㊞

囲繞性骨欠損
　p103（1118）㊞

移植術（歯の）
　p4（35）

異所性骨形成
　p4（36）

位相差顕微鏡
　p3（27）, **p4（37）**, p36（392）

一塩基多型
　p4（38）, p4（44）, p4（44）㊞, p61（664）

1型糖尿病
　p4（39）, p73（797）, p75（819）

一次固定
　p57（616）㊞

一次性咬合性外傷
　p4（40）, p28（301）

一次創傷治癒
　p4（41）, p66（719）

一次予防
　p4（42）, p99（1069）

一回法インプラント埋入
　p4（43）, p71（773）, p75（818）

遺伝子型
　p4（38）, **p4（44）**, p4（45）

遺伝子診断
　p4（38）, **p4（45）**, p5（48）, p93（1018）

遺伝子タイプ
　p4（44）㊞

遺伝子多型
　p4（44）㊞

遺伝疾患に伴う歯周炎
　p5（46）, p43（469）

遺伝性歯肉過形成症
　p5（47）㊞

遺伝性歯肉線維腫症
　p5（47）, p52（562）, p52（563）, p53（572）

遺伝性歯肉増殖症
　p5（47）㊞

遺伝的素因
　p5（48）, p58（626）, p65（704）

イニシャルプレパレーション
　p5（49）, p44（473）㊞

インスリン依存性糖尿病
　p4（39）㊞, p73（797）㊞

インスリン抵抗性糖尿病
　p5（50）, p73（797）㊞

インスリン非依存性糖尿病
　p73（797）㊞, p75（819）㊞

インスリン様成長因子
　p5（51）㊞

インスリン様増殖因子
　p5（51）, p69（744）

インターディシプリナリーアプローチ
　p92（1003）㊞, p95（1033）㊞

インターデンタルスティムレーター
　p5（52）, p40（434）㊞

インターデンタルブラシ
　p5（53）, p41（443）㊞

インターフェロン
　p5（54）, p37（400）

インターポジション型グラフト
　p5（55）

インターリューキン
　p5（56）㊞

インターロイキン
　p4（45）, **p5（56）**, p37（400）

インディアストーン
　p1（1）, **p5（57）**, p54（583）, p64（696）㊞

インディアナストーン
　p5（57）㊞

インテグリン
　p6（58）, p33（348）, p91（984）

インドール
　p6（59）, p19（206）, p84（915）

インフォームドコンセント
　p2（17）㊞, **p6（60）**, p35（383）㊞

インプラント（歯科の）
　p4（43）, **p6（61）**, p6（62）, p6（63）, p6（67）, p7（68）, p7（69）, p7（70）, p7（72）, p7（76）, p7（77）, p8（81）, p11（116）, p14（145）, p15（161）, p15（162）, p16（170）, p17（176）, p23（243）, p35（379）, p38（414）, p48（520）, p57（616）, p60（653）, p64（692）, p66（714）, p67（724）, p71（773）, p74（802）, p87（942）, p88（959）, p89（963）, p90（980）, p99（1074）, p104（1129）

インプラント周囲炎
　p6（62）, p6（66）, p7（70）, p8（80）, p9（87）, p35（379）㊞, p64（692）, p67（732）, p91（986）

インプラント周囲溝
　p6（63）, p6（64）, p6（65）, p89（963）, p91（987）

インプラント周囲溝上皮
　p6（64）, p6（65）, p7（68）

インプラント周囲溝滲出液
　p6（65）

インプラント周囲疾患
　p6（66）, p7（70）, p38（414）, p102（1099）
インプラント周囲組織
　p6（65）, p6（66）, **p6（67）**, p38（414）, p67（732）, p102（1099）
インプラント周囲軟組織
　p6（63）, **p7（68）**, p7（69）㊞, p103（1120）
インプラント周囲粘膜
　p6（67）㊞, **p7（69）**, p7（70）, p15（161）, p35（379）
インプラント周囲粘膜炎
　p6（62）㊞, p6（66）, **p7（70）**
インプラント修復
　p8（81）㊞
インプラントスレッド
　p7（71）
インプラント即時埋入
　p7（72）, p7（74）, p7（75）
インプラント体
　p2（18）, p2（19）, p4（43）, p6（67）, p7（68）, p7（69）, p7（71）, p7（72）, **p7（73）**, p7（74）, p7（75）, p7（76）, p7（77）, p8（78）, p8（79）, p8（80）, p9（87）, p13（140）, p14（145）, p16（170）, p23（243）, p33（354）, p34（364）, p36（390）, p48（519）, p56（602）, p57（614）, p57（616）, p61（662）, p62（675）, p66（714）, p67（724）, p70（762）, p71（773）, p75（818）, p78（847）, p83（905）, p87（941）, p87（945）, p88（959）, p94（1021）, p94（1023）, p94（1024）, p99（1074）, p104（1129）
インプラント待時埋入
　p7（72）, **p7（74）**, p7（75）
インプラント遅延埋入
　p7（72）, p7（74）, **p7（75）**
インプラントの成功率
　p7（76）, p8（77）
インプラントの生存率
　p7（76）, **p7（77）**
インプラントの動揺
　p8（78）
インプラントの表面処理
　p8（79）
インプラントのメインテナンス
　p38（414）㊞
インプラントプラスティ
　p8（80）
インプラント補綴
　p8（81）
インレー型グラフト
　p8（82）㊞
インレーグラフト法
　p8（82）, p48（520）

う

ウィドマン改良フラップ手術
　p8（83）, p51（552）, p67（730）
ウィドマン改良法
　p8（83）㊞
ウィドマン変法手術
　p8（83）㊞
ウェッジ手術
　p8（84）, p72（779）㊞
ウォーキングプロービング
　p8（85）, p89（960）
後向き研究
　p8（86）, p34（370）, p57（615）, p94（1026）

え

エアアブレイシブ
　p9（87）㊞
エアアブレージョン
　p9（87）
エアスケーラー
　p9（88）, p60（654）㊞, p71（770）, p80（866）
エアポリッシング
　p9（87）㊞
永久固定
　p1（5）, **p9（89）**, p34（367）, p38（417）㊞, p64（690）, p90（972）, p104（1127）
エイズ
　p30（315）㊞
鋭匙型スケーラー
　p9（92）, p21（220）㊞
栄養障害関連歯肉炎
　p9（93）, p53（572）, p86（930）
疫学
　p8（86）, **p10（98）**, p34（370）, p57（615）, p80（872）, p91（988）
壊死性潰瘍性口内炎
　p104（1128）㊞
壊死性潰瘍性歯周炎
　p9（90）, **p10（99）**, p10（102）㊞
壊死性潰瘍性歯肉炎
　p9（90）, **p10（100）**, p10（102）㊞, p49（533）, p72（785）, p79（859）
壊死性口内炎
　p10（101）, p10（102）
壊死性歯周疾患
　p9（95）, p10（99）, p10（100）, p10（101）, **p10（102）**, p15（163）, p20（212）, p20（213）, p20（214）, p43（469）, p45（489）, p49（533）, p61（663）, p84（915）, p88（957）, p97（1051）

125

壊死セメント質
　p10（103）, p83（899）㊀
エッチング
　p3（32）, p8（79）, **p10（105）**, p22（237）
エナメル基質タンパク質
　p11（110）㊀, p11（111）㊐
エナメル小滴
　p10（106）㊀
エナメル真珠
　p10（106）, p10（108）㊐
エナメル-象牙境
　p10（107）
エナメル滴
　p10（106）㊀, p10（108）㊐
エナメル突起
　p10（106）㊐, **p10（108）**, p14（146）, p35（378）
エナメルプロジェクション
　p10（108）㊀
エナメルボンディングレジン固定
　p11（109）, p63（688）, p68（740）
エナメルマトリックスタンパク質
　p3（22）, p10（105）, **p11（110）**, p11（111）㊐, p36（386）, p45（484）, p95（1032）
エナメルマトリックスデリバティブ
　p3（22）, p3（32）, p11（110）㊐, **p11（111）**, p11（118）
エナメルマトリックスプロテインデリバティブ
　p11（111）㊀
エヌセイズ
　p81（883）㊀
エビデンスベースドデンティストリー
　p11（113）
エビデンスベースドメディシン
　p11（113）
エプーリス
　p11（114）, p76（831）
エマージェンスプロファイル
　p11（116）, p14（148）, p38（412）
エムドゲイン®
　p11（110）㊐, p11（111）㊀, **p11（118）**, p45（484）
エラスターゼ
　p89（969）㊐
エルビウムヤグレーザー
　p11（119）, p57（606）, p70（755）, p77（835）, p97（1052）, p102（1109）
エレクトロサージェリー
　p12（120）, p73（787）
塩基性線維芽細胞増殖因子
　p12（121）, p45（484）, p64（698）㊐
嚥下性肺炎
　p31（323）㊀

炎症性サイトカイン
　p12（122）, p12（124）, p37（400）㊐, p66（717）, p74（799）
炎症性細胞浸潤
　p12（123）, p30（314）, p71（775）, p76（826）, p81（875）
炎症性メディエーター
　p12（124）, p37（400）㊐, p89（967）
遠心ウェッジ手術
　p8（84）㊐
延伸ポリテトラフルオロエチレン膜
　p3（33）㊀, **p12（125）**, p39（423）
エンドタフトブラシ
　p69（752）㊀
エンドトキシン
　p12（126）, p75（814）㊀, p101（1090）㊀
エンベロープテクニック
　p12（127）, p75（809）
エンベロープフラップ法
　p12（128）

　　　お

オーシャンビンチゼル
　p12（129）, p33（358）
オーバーカントゥア
　p12（130）, p19（197）㊐
オーバージェット
　p12（131）, p13（132）
オーバーバイト
　p12（131）, **p12（132）**, p13（134）
オーバーハングマージン
　p13（133）, p85（923）㊐
オープンバイト
　p12（132）, **p13（134）**, p21（223）, p29（304）, p63（683）
オープンフラップキュレッタージ
　p87（943）㊀
オーラルスクリーン
　p13（135）, p94（1025）
オーラルセルフケア
　p64（697）㊀
オーラルフレイル
　p13（136）, p27（291）㊐
オクルーザルスプリント
　p13（137）, p56（605）, p61（657）, p62（667）㊐, p75（813）, p78（846）, p86（936）
オステオエクトミー
　p13（138）, p48（514）㊀
オステオカルシン
　p13（139）
オステオトーム
　p13（140）

126

オステオネクチン
　p13（141）
オステオプラスティ
　p13（142）, p48（513）㊀, p83（901）
オステオポンチン
　p13（143）
オッズ比
　p13（144）, p57（615）, p100（1085）
オッセオインテグレーション
　p4（43）, p6（61）, p6（62）, p7（67）, p7（73）, p8（78）, p8（79）, p8（81）, **p14（145）**, p32（344）, p88（959）, p99（1074）
オドントプラスティ
　p14（146）, p83（901）
オプソニン
　p14（147）
オベイト型ポンティック
　p14（148）, p94（1020）㊀
オルバン型メス
　p14（149）㊀
オルバンナイフ
　p14（149）㊀
オルバンメス
　p14（149）, p52（561）
音波スケーラー
　p9（88）㊀
音波電動歯ブラシ
　p14（150）㊀
音波歯ブラシ
　p14（150）, p71（771）, p73（792）
オンレーグラフト法
　p14（151）

　か

カークランド型メス
　p14（152）㊀
カークランドナイフ
　p14（152）㊀
カークランドメス
　p14（152）, p52（561）
カーテンサージェリー
　p14（153）
カーテン手術法
　p14（153）㊀
外縁上皮
　p14（154）, p52（558）, p75（810）
壊血病性歯肉炎
　p15（155）, p9（93）, p82（886）㊀
開咬
　p13（134）㊀

開口部形質細胞症
　p24（257）㊀
外骨症
　p34（366）㊀
外式固定
　p15（160）㊀
外斜切開
　p15（156）, p75（811）
外傷性潰瘍性歯肉病変
　p15（157）, p94（1028）㊀
外傷性咬合
　p15（158）, p17（176）, p21（225）, p25（270）, p29（301）, p29（302）, p40（432）, p42（456）, p64（694）, p64（695）, p84（909）, p85（923）, p86（936）, p103（1118）
開窓
　p15（159）, p84（911）, p102（1110）
外側性固定
　p1（5）, p9（89）, p11（109）, **p15（160）**, p34（367）, p39（417）, p56（605）, p75（812）, p80（865）, p97（1050）
回転スケーラー
　p104（1123）㊀
改変歯肉出血指数
　p15（161）
改変プラーク指数
　p15（162）
潰瘍性歯肉炎
　p15（163）, p49（533）
改良型マットレス縫合
　p15（164）
改良執筆（状）把持法
　p97（1055）㊀
改良プラーク指数
　p15（162）㊀
改良ペングラスプ
　p97（1055）㊀
過蓋咬合
　p13（132）, **p16（166）**
下顎安静位
　p3（28）, **p16（167）**, p29（308）
化学的清掃法
　p16（168）㊀
化学的プラークコントロール
　p16（168）, p19（200）, p24（256）, p28（294）, p50（538）, p50（543）, p65（701）, p85（927）, p98（1061）
角化歯肉
　p15（154）, **p16（169）**, p16（170）㊀, p17（184）, p23（251）, p49（531）, p85（916）, p87（948）
角化粘膜
　p16（170）

顎関節症
p13（137），**p16（171）**，p62（667），p79（863），p104（1126）
顎堤造成術
p16（172），p48（520）[同]
顎堤増生術
p16（172）[同]
獲得被膜
p16（173），p91（993）[同]
獲得免疫
p16（174），p47（509）
仮骨延長術
p16（172），**p17（175）**，p32（338）[類]，p33（354）
過重負担
p6（62），p15（158），**p17（176）**，p66（712）
カスピッドプロテクテッドオクルージョン
p17（177），p26（273）[同]，p29（303），p67（725）
仮性口臭症
p17（178），p29（306），p29（307），p59（628）
仮性ポケット
p17（179），p52（560），p54（577）[同]
カッティングエッジ
p6（57），**p17（180）**
活動性病変
p17（181）
合併症
p90（978）[同]
カポジ肉腫
p17（182），p30（315）
鎌型スケーラー
p17（183），p49（525）[同]
ガミースマイル
p17（184），p56（598），p62（669）
かみしめ
p17（185），p24（253）[同]
カルシウム拮抗薬
p17（186），p26（278），p52（563），p76（826），p98（1060）
カルシトニン
p18（187）
寛解/制御（歯周病の）
p83（895）[類]
環境因子
p18（188），p19（203），p43（469），p58（619），p61（663），p65（704），p73（797），p75（819），p76（821），p100（1085）
環境要因
p18（188）[同]
幹細胞
p18（189），p19（199）
カンジダ症
p18（190），p27（287）[同]
カンジダ性口内炎
p27（287）[同]
患者-対照研究
p8（86）[類]
患者報告アウトカム
p18（191）
患者報告アウトカム評価
p18（191）[類]
感受性
p4（45），**p18（192）**，p27（283），p37（397），p98（1059）
冠状動脈硬化症
p18（193）[類]
冠状動脈心疾患
p18（193），p19（198），p21（227），p59（631），p62（672），p91（992）
関節リウマチ
p18（194），p30（322），p42（455），p91（992）
感染性心内膜炎
p18（195），p27（284），p59（634），p83（897）
含嗽剤
p18（196），p28（294），p65（701），p85（922）
カントゥア
p3（29），p11（116），p12（130），p14（151），**p19（197）**，p41（445）
間葉系幹細胞
p18（189）[類]，**p19（199）**，p32（339），p33（349），p64（698）

き

機械的清掃法
p19（200）[同]
機械的プラークコントロール
p16（168），**p19（200）**，p27（285），p51（544），p85（927），p87（940）
規格荷重プローブ
p19（201），p46（496），p89（962）
危険因子
p19（202），p100（1085）[同]
喫煙
p18（188），**p19（203）**，p19（204），p21（228），p31（328），p41（447），p43（470），p62（672），p76（821），p99（1071）
喫煙関連性歯周炎
p19（203），**p19（204）**
機能咬頭
p19（205），p88（951）
揮発性硫黄化合物
p6（59），**p19（206）**
揮発性窒素化合物
p19（206）[類]

揮発性硫化物
　p19（206）㊞
逆行性インプラント周囲炎
　p35（379）㊞
逆行性歯髄炎
　p20（207）, p56（604）㊞
キャビテーション
　p20（208）, p71（770）
キャリア
　p20（209）, p70（759）㊞
吸収性膜
　p2（16）, **p20（210）**, p39（422）, p39（423）, p62（668）, p62（674）, p76（827）, p81（879）㊧, p81（882）
吸収性メンブレン
　p20（210）㊞
臼歯離開咬合
　p20（211）
急性壊死性潰瘍性歯周炎
　p10（102）㊧, **p20（212）**
急性壊死性潰瘍性歯肉炎
　p10（102）㊧, **p20（213）**
急性歯周疾患
　p20（214）
急性歯周膿瘍
　p20（215）, p20（216）㊧, p45（487）㊧, p72（785）
急性歯周病変
　p20（214）㊧
急性発作（歯周炎の）
　p20（216）, p72（785）
急速進行性歯周炎
　p20（217）, p58（626）㊧, p66（713）
急速破壊性歯周炎
　p20（218）, p58（626）㊞
急発
　p20（216）㊞
キュレッタージ
　p21（219）, p46（499）㊞
キュレット型スケーラー
　p9（92）, **p21（220）**, p23（249）㊧, p49（525）, p50（536）, p50（542）, p99（1066）, p102（1105）
キュレットスケーラー
　p21（220）㊞
供給床
　p21（221）㊞
供給側
　p21（221）, p40（430）, p56（601）, p98（1064）
供給部位
　p21（221）㊞
矯正的整直
　p2（13）㊧, **p21（222）**

矯正的挺出
　p21（223）, p72（777）
共生バランス失調
　p72（780）㊧
共同破壊層
　p21（224）, p42（451）
局所抗菌療法
　p27（285）㊧
局所性修飾因子
　p21（225）, p26（280）
局所性増悪因子
　p21（225）㊞
局所薬物送達システム
　p21（226）㊞
局所薬物デリバリーシステム
　p21（226）㊞
局所薬物配送システム
　p21（226）, p58（621）, p70（759）, p72（785）, p93（1011）, p98（1061）
局所薬物搬送システム
　p21（226）㊞
虚血性心疾患
　p2（15）, p18（193）㊧, **p21（227）**, p62（672）
禁煙サポートプログラム
　p21（229）㊞
禁煙支援
　p21（228）, p21（229）
禁煙支援プログラム
　p21（228）㊧, **p21（229）**
禁煙誘導
　p22（230）
筋機能訓練法
　p22（231）
菌血症
　p18（195）, **p22（232）**
菌交代現象
　p22（233）, p83（900）㊧
金属アレルギー（口腔内の）
　p22（234）, p57（607）
金属線歯冠結紮固定法
　p104（1127）㊧

く

くいしばり
　p22（235）, p24（253）㊞
空洞現象
　p20（208）㊞
偶発症
　p22（236）

クエン酸処理
p10（105）[類], **p22（237）**
クオラムセンシング
p22（238）
くさび型切除手術
p8（84）[同]
くさび状欠損（歯の）
p3（21）, **p22（239）**, p66（716）, p81（878）, p99（1067）
くさび状咬頭
p87（946）[同]
くさび状骨欠損
p22（240）, p31（333）[同], p48（512）[類]
グラインディング
p13（137）, **p22（241）**, p24（253）, p69（748）, p86（936）
クラウディング
p23（242）, p67（722）[同]
クラウン-インプラント・レシオ
p23（243）
グラム陰性細菌
p19（198）, **p23（244）**, p61（665）, p65（708）, p72（785）, p74（799）, p101（1088）, p101（1090）
グラムプローブ
p19（201）[同]
クリーピングアタッチメント
p23（245）
グリコヘモグロビン
p91（985）[同]
クリニカルアタッチメントレベル
p1（11）[同], **p23（247）**
グルービング
p103（1111）[同]
グループファンクションドオクルージョン
p23（248）, p29（303）, p67（725）
グレーシー型キュレット
p17（180）, p21（220）[類], **p23（249）**, p99（1066）
クレーター状骨欠損
p23（250）, p32（341）
クレフト（歯肉の）
p24（252）, p61（661）
クレンチング
p17（185）, p22（235）, p22（241）, **p24（253）**, p69（748）, p86（936）
クローン病
p24（254）
クロスアーチスプリント
p24（255）, p34（368）
クロルヘキシジン
p24（256）, p88（953）
くわ型スケーラー
p92（1002）[同]

け

経口抗菌療法
p27（285）[類]
形質細胞歯肉炎
p24（257）
形質細胞歯肉口内炎
p24（257）[類]
形質細胞性口唇炎
p24（257）[類]
形質細胞病変
p81（875）[類]
形質転換増殖因子
p24（258）, p74（805）[同]
傾斜移動
p24（259）, p49（524）
軽度歯周炎
p24（260）, p43（469）, p55（590）[類], p71（769）[類]
外科用ガイドプレート
p36（390）[同]
外科用テンプレート
p36（390）[同]
外科用メス
p96（1047）[同]
血管新生
p25（261）, p25（262）, p64（698）
血管新生因子
p25（262）
血球凝集素
p25（263）
結合組織移植術
p21（221）, **p25（264）**, p28（297）, p36（389）, p51（548）, p56（601）, p57（611）, p85（916）, p103（1120）
結合組織性付着
p1（9）, p1（10）, p10（105）, p10（108）, **p25（265）**, p32（336）, p39（422）, p57（612）[類], p59（637）, p62（678）, p65（700）, p86（934）, p102（1105）
血小板濃厚血漿
p25（266）, p68（744）[同]
血小板由来成長因子
p25（267）[同]
血小板由来増殖因子
p25（262）, **p25（267）**, p66（720）, p68（744）
血清抗体価検査
p25（268）, p30（312）, p37（395）
結節縫合
p70（758）[同]
血糖
p25（269）, p91（985）
ケモカイン
p37（400）[類]

原因除去療法
p25（270）, p68（737）
嫌気性細菌
p25（271）
限局型若年性歯周炎
p26（272）, p54（584）㊞
限局矯正
p11（117）㊞, p44（474）㊞
犬歯誘導
p26（273）㊞
犬歯誘導咬合
p17（177）, p20（211）, **p26（273）**, p29（303）, p67（725）
懸垂縫合
p26（274）, p70（758）, p93（1004）
原生セメント質
p96（1041）㊞
減張切開
p26（275）
原発性咬合性外傷
p28（301）㊞
研磨材（歯面の）
p22（239）, **p26（276）**, p54（580）, p54（581）

こ

降圧薬
p17（186）㊞, **p26（278）**, p52（563）, p76（826）
広域可動性フラップ
p26（279）
口蓋溝
p26（280）㊞
口蓋裂溝
p26（280）, p36（388）
硬化性骨炎
p26（281）
抗菌薬
p2（20）, p16（168）, p20（216）, p22（233）, p24（256）, **p26（282）**, p27（283）, p27（284）, p27（285）, p37（397）, p45（487）, p61（658）, p63（681）, p65（701）, p68（738）, p70（759）, p72（785）, p74（800）, p78（845）, p79（860）, p94（1027）, p98（1057）, p98（1058）, p98（1059）, p98（1061）, p102（1099）
抗菌薬感受性試験
p27（283）, p37（397）, p98（1059）㊞
抗菌薬剤
p26（282）㊞
抗菌薬物
p26（282）㊞
抗菌薬予防投与
p18（195）, **p27（284）**

抗菌療法（歯周治療における）
p27（285）, p29（310）
口腔衛生指数
p27（286）, p47（507）, p86（929）
口腔衛生指導
p28（294）㊞
口腔カンジダ症
p18（190）, **p27（287）**
口腔乾燥症
p27（288）, p68（742）
口腔関連QOL
p27（289）
口腔機能回復治療（歯周治療における）
p9（89）, **p27（290）**, p37（404）, p38（416）, p39（419）, p45（485）, p55（590）
口腔機能低下症
p13（136）㊞, **p27（291）**
口腔筋機能療法
p27（292）
口腔ケア
p28（293）
口腔清掃指数
p27（286）㊞
口腔清掃指導
p17（178）, **p28（294）**, p40（434）, p41（437）, p41（443）, p71（776）
口腔洗浄器具
p28（295）
口腔前庭
p5（55）, **p28（296）**, p28（297）, p44（475）, p52（560）, p86（935）
口腔前庭拡張術
p28（297）
口腔前庭形成術
p28（297）㊞
口腔前庭切開骨膜下トンネルアクセス
p81（882）㊞
口腔内エックス線写真（歯周病の所見）
p28（298）, p73（788）
口腔内6分割
p63（680）㊞
抗痙攣薬
p28（299）, p52（563）, p54（579）, p82（887）, p84（910）, p98（1060）
膠原線維
p35（373）㊞
咬合干渉
p28（300）, p30（317）, p96（1043）, p104（1124）
咬合小面
p83（904）㊞

咬合性外傷
p3（30），p4（40），p15（158），p21（224），p22（241），p24（252），p24（253），**p28（301）**，p30（321），p42（451），p43（463），p44（474），p45（489），p47（510），p55（592），p58（622），p66（712），p72（777），p76（823），p80（863），p86（936），p96（1045）

咬合調整
p29（302），p38（416），p40（432），p44（473），p55（586），p65（706），p65（707），p66（712），p88（951），p103（1111），p104（1124）

咬合様式
p20（211），p23（248），p26（273），**p29（303）**，p88（952）

口呼吸
p13（134），p13（135），p21（225），p27（292），**p29（304）**，p29（305），p60（648），p72（778），p83（898），p86（935）

口呼吸線
p29（304），**p29（305）**

口臭
p10（102），p17（178），p18（196），p19（206），**p29（306）**，p29（307），p54（580），p58（628），p63（687），p65（701），p84（915）

口臭恐怖症
p17（178），p29（306），**p29（307）**，p59（628）

口唇閉鎖不全
p13（135），**p29（308）**，p83（898）

咬唇癖
p1（3），p13（135），**p29（309）**

抗生物質
p26（282）類

光線力学的治療法
p29（310）

抗体
p11（115），p14（147），p17（174），**p30（311）**，p30（312），p37（395），p47（509），p97（1053）

抗体検査（歯周病原細菌の）
p30（312）

好中球減少症
p5（46），**p30（313）**，p55（587）

好中球病変
p30（314）

抗てんかん薬
p28（299）同

後天性免疫
p16（174）同

後天性免疫不全症候群
p17（182），**p30（315）**，p65（703），p82（888）

後天免疫
p16（174）同

咬頭嵌合位
p12（131），p12（132），p13（134），p19（205），p28（300），**p30（316）**，p30（320），p55（586），p65（707），p67（725），p71（767），p71（768），p88（952），p104（1124），p104（1126）

咬頭干渉
p23（248），p28（300），**p30（317）**，p88（951）

行動変容
p30（318），p97（1054）

広汎型若年性歯周炎
p30（319），p54（584）類

後方運動
p30（320）

咬耗
p22（241），p24（253），**p30（321）**，p58（620），p71（774），p83（904），p103（1111）

抗RANKLモノクローナル抗体製剤
p30（322）

誤嚥性肺炎
p31（323），p55（588），p91（992）

コーヌス義歯
p31（324）同

コーヌステレスコープデンチャー
p31（324）

コーン（の）プライヤー
p31（325）同

コーンスーチャープライヤー
p31（325）

黒色色素産生嫌気性桿菌
p31（326）

黒色色素産生性 Bacteroides
p31（326）同

黒色色素産生 Bacteroides
p31（326）同

鼓形空隙
p31（327），p40（433）同

コチニン
p31（328），p76（821）

骨移植材
p31（329），p31（330），p33（354），p33（356），p34（361），p48（521），p69（747），p77（843），p78（847），p79（861）

骨移植術（歯周病の）
p5（55），p16（172），p21（221），p31（329），**p31（330）**，p32（346），p40（430），p45（484），p48（520），p79（861）

骨-インプラント接触
p31（331）

骨鋭匙
p31（332）

骨縁下欠損
p21（223），p21（224），p22（240），p31（330），**p31（333）**，p32（334），p32（335），p33（350），p33（357），p41（448），p48（512）類，p72（777），p91（983），p103（1118）

骨縁下欠損の分類
p31（333）, **p32（334）**, p91（983）
骨縁下ポケット
p21（224）, p31（333）, **p32（335）**, p32（337）, p41（448）, p46（498）, p48（514）, p52（560）
骨縁上組織付着
p1（9）, p25（265）, **p32（336）**, p62（678）[類]
骨縁上ポケット
p32（337）, p46（498）, p52（560）, p59（638）
骨延長術
p17（175）[類], **p32（338）**
骨芽細胞
p3（22）, p3（25）, p5（51）, p13（141）, p25（267）, **p32（339）**, p33（356）, p34（365）, p43（465）, p47（505）, p64（698）, p78（853）, p89（967）, p95（1039）, p100（1078）
骨吸収
p7（70）, p9（90）, p20（217）, p30（322）, **p32（340）**, p39（424）, p43（470）, p44（471）, p48（512）[同], p48（515）, p62（678）, p78（853）, p102（1099）
骨吸収抑制薬関連顎骨壊死
p97（1056）[類]
骨 Gla タンパク質
p13（139）[同]
骨クレーター
p23（250）[同], **p32（341）**
骨形成因子
p32（342）[類]
骨形成タンパク質
p32（342）, p34（365）, p66（720）, p74（805）
骨形態修正
p32（343）, p48（513）[同]
骨結合
p14（145）[同], **p32（344）**
骨減少症
p32（345）, p33（355）[類], p65（703）
骨再生
p32（346）, p90（980）
骨再生誘導法
p32（347）, p39（425）[同]
骨シアロタンパク質
p33（348）
骨髄幹細胞
p18（189）[類], **p33（349）**
骨スウェージング法
p33（350）
骨整形手術
p48（513）[同]
骨整形術
p33（351）, p34（366）, p48（513）[同]
骨性癒着
p3（26）, **p33（352）**
骨接合
p14（145）[同]
骨切除手術
p48（514）[同]
骨切除術
p5（55）, **p33（353）**, p41（438）, p48（514）[同], p63（685）
骨造成
p33（354）, p48（520）, p75（818）, p78（847）
骨増生
p33（354）[同]
骨粗鬆症
p30（322）, p32（345）, **p33（355）**, p65（703）, p82（884）, p91（992）
骨多孔症
p33（355）[同]
骨伝導
p33（356）, p34（365）
骨内欠損
p31（333）[同], **p33（357）**, p79（861）, p95（1036）
骨ノミ
p12（129）, p33（350）, **p33（358）**
骨ファイル
p33（359）
骨プロービング
p34（360）, p93（1007）[同]
骨補塡材
p31（329）[類], **p34（361）**, p62（675）
骨膜剝離子
p34（362）, p65（705）, p77（837）[類]
骨膜縫合
p34（363）, p53（574）, p93（1004）
骨密度
p34（364）
骨ヤスリ
p33（359）[同]
骨誘導
p33（356）, **p34（365）**
骨誘導因子
p32（342）[類]
骨誘導タンパク質
p32（342）[同]
骨隆起
p22（241）, p24（253）, **p34（366）**
固定
p5（55）, p7（71）, p9（89）, p11（109）, p24（255）, p26（274）, p34（363）, **p34（367）**, p34（368）, p34（369）, p38（411）, p45（488）, p53（574）, p60（653）, p61（666）, p64（692）, p75（812）, p80（865）, p87（946）, p92（1004）,

歯周組織再生誘導法
　p39（422），同，**p45（483）**
歯周組織再生療法
　p10（105），p15（164），p44（476），**p45（484）**，p74（804），
　p78（847），p79（861），p87（944）
歯周チャート
　p91（989）同
歯周治療
　p1（10），p11（119），p18（195），p19（200），p21（226），
　p25（270），p27（285），p29（310），p32（334），p32（338），
　p36（383），p37（402），p37（403），p37（404），p39（417），
　p39（421），p39（426），p44（472），p44（473），p44（480），
　p45（485），p46（494），p55（588），p55（591），p56（599），
　p57（607），p57（612），p66（716），p68（737），p71（772），
　p72（786），p74（800），p75（817），p75（819），p87（940），
　p90（975），p95（1033），p96（1046），p97（1051），p97
　（1054），p99（1075）
歯周治療学
　p45（486）
歯周膿瘍
　p20（214），p20（215），p37（401），**p45（487）**，p53（567），
　p77（839），p103（1116）
歯周パック
　p45（488），p46（497），p53（574），p91（990）
歯周病
　p1（8），p2（11），p2（15），p3（27），p4（37），p4（42），p4
　（45），p5（48），p16（172），p18（188），p18（193），p19
　（198），p19（200），p19（203），p19（204），p20（206），p21
　（224），p21（225），p21（228），p27（290），p29（302），p30
　（312），p30（314），p31（323），p31（330），p33（355），p35
　（376），p35（377），p36（386），p36（391），p37（395），p37
　（396），p39（417），p39（419），p39（426），p41（440），p41
　（446），p42（451），p42（455），p44（473），p44（474），p44
　（475），p44（477），p44（480），p45（482），p45（484），p45
　（485），**p45（489）**，p45（491），p46（492），p46（494），p49
　（533），p50（535），p55（587），p55（591），p55（595），p56
　（599），p57（607），p58（619），p58（624），p59（637），p60
　（648），p61（655），p61（663），p62（672），p63（683），p63
　（685），p64（697），p65（701），p66（717），p67（722），p67
　（732），p68（741），p72（780），p73（793），p73（797），p76
　（821），p76（825），p77（833），p79（860），p81（880），p82
　（892），p82（894），p83（897），p85（926），p88（956），p90
　（979），p91（992），p92（997），p92（1003），p95（1036），
　p96（1046），p97（1049），p97（1054），p98（1061），p99
　（1069），p99（1071），p100（1079），p100（1085），p101
　（1090），p102（1104），p102（1106）
歯周病学
　p18（189），**p45（490）**
歯周病活動性
　p17（181），**p45（491）**，p49（528），p52（556）

歯周病活動度
　p45（491）同
歯周病感受性
　p11（115），p18（192），**p46（492）**，p49（529）
歯周病関連細菌
　p46（493）同
歯周病原菌
　p46（493）同
歯周病検査
　p45（482）同
歯周病原細菌
　p1（4），p2（15），p4（45），p18（193），p21（226），p22
　（232），p23（244），p25（263），p25（268），p25（271），p30
　（312），p31（323），p31（326），p36（392），p37（395），p42
　（455），**p46（493）**，p50（537），p65（708），p66（717），p68
　（742），p69（750），p74（806），p74（807），p82（894），p84
　（915），p85（926），p88（953），p88（957），p89（971），p93
　（1018），p94（1019），p101（1090），p103（1112）同
歯周病原性細菌
　p46（493）同
歯周病細菌
　p46（493）同
歯周病重症化予防治療
　p46（494）
歯フェノタイプ
　p46（495），p78（844）同
歯周プローブ
　p2（11），p6（63），p8（85），p23（246），p46（495），**p46
　（496）**，p51（553），p77（835），p80（869），p83（902），p86
　（929），p88（960），p89（966），p93（1015），p101（1098）
歯周包帯
　p45（488）同，**p46（497）**
歯周ポケット
　p8（84），p8（85），p19（201），p21（223），p21（226），p25
　（271），p26（280），p29（310），p32（335），p32（337），p36
　（388），p37（402），p40（426），p42（451），p42（459），p44
　（472），p44（476），p45（487），p46（494），**p46（498）**，p46
　（499），p46（500），p50（535），p50（536），p50（537），p51
　（551），p52（560），p53（567），p53（574），p54（577），p56
　（604），p58（621），p59（630），p59（638），p61（665），p62
　（678），p63（685），p67（730），p70（759），p70（766），p72
　（779），p75（811），p77（835），p78（844），p78（848），p80
　（866），p81（880），p83（895），p83（896），p83（901），p87
　（944），p88（953），p92（997），p92（1002），p93（1008），
　p93（1009），p95（1034），p99（1070），p100（1079），p100
　（1080），p104（1121）
歯周ポケット搔爬
　p21（219），**p46（499）**，p67（723），p67（730）
歯周ポケット搔爬術
　p46（499）同

歯周ポケット内洗浄
　p38（416），**p46（500）**, p49（534），p50（538），p93（1012）
歯周補綴
　p27（290），**p47（501）**
思春期性歯肉炎
　p47（502）
思春期前歯周炎
　p47（503），p65（702）同
自浄作用
　p29（304），**p47（504）**，p51（551），p58（622），p85（924）
歯小嚢
　p47（505），p54（578），p92（994），p96（1041）
篩状板
　p34（371）同
歯石
　p8（85），p9（87），p20（208），p21（220），p21（225），p27（286），p37（402），p40（426），p40（427），p46（499），**p47（506）**，p47（507），p50（535），p50（536），p50（541），p50（542），p54（584），p57（606），p60（654），p61（655），p62（673），p71（770），p72（786），p80（866），p83（899），p85（918），p86（935），p95（1034），p101（1087），p102（1103），p102（1105），p104（1123）
歯石指数
　p27（286），**p47（507）**，p86（929）
歯石除去
　p9（88），p11（119），**p47（508）**，p61（655）同，p71（770）
自然免疫
　p17（174），**p47（509）**
歯槽硬線
　p28（298），p34（371），p43（463），**p47（510）**，p48（516）同
歯槽骨
　p2（13），p4（43），p10（102），p11（110），p11（111），p15（158），p15（159），p23（246），p28（298），p28（301），p31（330），p31（333），p33（350），p33（352），p34（366），p35（377），p37（399），p43（462），p43（463），p43（467），p45（481），p45（484），p45（489），p47（505），**p47（511）**，p48（512），p48（513），p48（514），p48（518）同，p48（519），p49（522），p49（523），p49（531），p49（533），p53（568），p54（575），p54（576），p54（582），p55（594），p59（636），p59（637），p64（693），p72（784），p77（842），p79（860），p84（916），p87（942），p87（944），p92（997），p95（1031），p96（1045），p98（1063），p102（1110），p103（1118）
歯槽骨吸収
　p23（250），p24（260），p32（340），p37（402），p38（413），p43（469），**p48（512）**，p48（521），p55（590），p58（626），p59（639），p60（643），p71（769），p83（898），p91（983），p95（1034）
歯槽骨整形術
　p12（129），p13（142），p14（153），p32（343），p33（351），p33（358），p33（359），**p48（513）**，p48（514）同，p48（519）同，p63（685），p83（901）
歯槽骨切除術
　p12（129），p13（138），p33（353），p33（358），p48（513）同，**p48（514）**
歯槽骨頂
　p48（515）同
歯槽骨頂切開
　p48（517）同
歯槽中隔
　p66（711）同
歯槽頂
　p48（515），p51（546），p56（602），p87（948）
歯槽頂硬線
　p48（516）
歯槽頂切開
　p48（517）
歯槽堤
　p8（82），p14（151），p38（411），p48（511），p48（517），**p48（518）**，p48（520），p55（590）
歯槽堤整形術
　p48（513）同，**p48（519）**
歯槽堤造成（増生）
　p16（172）同
歯槽堤増大
　p33（354）同
歯槽堤増大術
　p8（82），p16（172）同，**p48（520）**，p48（521）
歯槽堤保存術
　p48（520），**p48（521）**，p67（726），p101（1089）
歯槽突起
　p14（154），p43（467），p47（511）同，p48（515），**p49（522）**
歯槽粘膜
　p15（156），p28（296），**p49（523）**，p51（553），p59（636），p104（1128）
歯槽白線
　p47（510）同
歯槽辺縁
　p48（515）同
歯体移動
　p24（259），**p49（524）**
シックル型スケーラー
　p17（183），p21（220），**p49（525）**，p50（542）
執筆状把持法
　p49（526），p92（999）同
執筆状変法把持法
　p49（527），p97（1055）同
執筆変法
　p97（1055）同

139

執筆法変法
　p97（1055）回
疾病活動性
　p45（491）回, **p49（528）**
疾病活動度
　p45（491）回
疾病感受性
　p46（492）回, **p49（529）**
歯内-歯周病変
　p20（214）, p44（479）回, **p49（530）**
歯肉
　p2（12）, p2（20）, p5（47）, p6（63）, p8（83）, p9（90）,
　p10（102）, p11（114）, p13（135）, p15（155）, p15（156）,
　p15（157）, p15（158）, p16（169）, p16（170）, p17（182）,
　p17（184）, p19（203）, p20（216）, p23（246）, p23（251）,
　p24（257）, p29（305）, p36（389）, p37（399）, p37（401）,
　p38（409）, p40（436）, p41（439）, p41（447）, p45（481）,
　p45（482）, p45（489）, p46（494）, p46（495）, p46（498）,
　p47（502）, **p49（531）**, p49（533）, p51（545）, p51（549）,
　p51（551）, p51（552）, p52（555）, p52（556）, p52（559）,
　p52（560）, p52（562）, p53（564）, p53（565）, p53（567）,
　p53（568）, p53（570）, p54（576）, p54（577）, p57（608）,
　p58（617）, p59（636）, p59（638）, p60（652）, p61（659）,
　p62（678）, p70（766）, p75（818）, p76（831）, p77（835）,
　p78（844）, p78（850）, p78（852）, p80（868）, p82（886）,
　p83（899）, p84（910）, p84（916）, p85（916）, p85（923）,
　p87（944）, p87（945）, p90（980）, p92（995）, p93（1007）,
　p94（1030）, p98（1060）, p98（1062）, p98（1063）, p98
　（1064）, p99（1067）, p99（1073）, p103（1113）, p103
　（1116）, p103（1119）, p104（1128）
歯肉圧排
　p49（532）
歯肉炎
　p9（93）, p13（135）, p15（155）, p16（166）, p24（254）,
　p42（451）, p43（469）, p44（478）, p47（502）, **p49（533）**,
　p50（540）, p50（541）, p50（543）, p52（556）, p54（577）,
　p77（832）, p79（859）, p80（872）, p84（914）, p86（930）,
　p86（932）, p91（988）, p92（997）
歯肉縁下イリゲーション
　p46（500）回, **p49（534）**
歯肉縁下カントゥア
　p38（412）回
歯肉縁下歯垢
　p50（537）回
歯肉縁下歯石
　p47（506）, p47（507）, **p50（535）**, p50（541）, p88（960）,
　p99（1066）
歯肉縁下スケーリング
　p50（536）, p50（542）, p61（655）

歯肉縁下デブライドメント
　p72（786）回
歯肉縁下プラーク
　p50（537）, p50（538）, p82（890）, p85（918）, p85（926）,
　p88（960）, p103（1112）
歯肉縁下プラークコントロール
　p50（537）, **p50（538）**, p51（544）, p85（927）
歯肉縁下マージン
　p50（539）, p51（545）
歯肉炎指数
　p50（540）
歯肉縁上歯垢
　p50（543）回
歯肉縁上歯石
　p47（506）, p47（507）, p49（525）, p50（535）, **p50（541）**,
　p99（1066）
歯肉縁上スケーリング
　p50（536）, **p50（542）**, p61（655）
歯肉縁上プラーク
　p50（537）, **p50（543）**, p85（918）, p85（926）
歯肉縁上プラークコントロール
　p50（538）, **p51（544）**, p85（927）
歯肉縁上マージン
　p50（539）, **p51（545）**
歯肉縁切開
　p51（546）
歯肉過形成症
　p51（547）, p52（563）回
歯肉結合組織移植術
　p25（264）回, p44（475）, **p51（548）**
歯肉溝
　p12（127）, p46（496）, p46（498）, p50（535）, p50（536）,
　p50（537）, p50（539）, **p51（549）**, p51（550）, p51（551）,
　p51（552）, p52（557）, p54（577）, p63（682）, p75（809）,
　p76（828）, p79（854）, p81（882）, p88（960）, p89（962）,
　p98（1063）, p99（1065）
歯肉口腔上皮
　p14（154）回
歯肉溝上皮
　p51（550）, p51（551）, p52（558）, p75（810）, p93（1009）
歯肉溝浸出液
　p51（551）回
歯肉溝滲出液
　p1（8）, p6（65）, p49（533）, **p51（551）**, p58（627）, p61
　（665）, p63（687）, p89（967）
歯肉溝切開
　p51（552）回
歯肉溝内切開
　p51（552）, p87（948）

歯肉歯槽粘膜移行部
p51（553）㊁
歯肉歯槽粘膜境
p10（101），p14（154），p16（169），p24（254），p46（495），p49（523），p49（531），**p51（553）**，p53（574），p80（867），p81（882），p84（916），p85（916），p95（1040）
歯肉歯槽粘膜形成術
p44（475）㊁，**p51（554）**，p57（608），p57（609），p85（925）
歯肉疾患
p49（533），**p52（555）**，p86（930）
歯肉収縮
p53（566）㊣
歯肉出血
p10（102），p40（426），**p52（556）**
歯肉出血インデックス
p52（557）
歯肉上皮
p49（531），**p52（558）**，p54（579），p57（612），p63（682）
歯肉整形術
p12（120），p15（156），**p52（559）**，p52（560），p67（732）
歯肉切除術
p12（120），p14（153），p15（156），p17（184），p24（251），p41（438），p52（559），**p52（560）**，p52（561），p63（685），p67（732），p84（910）
歯肉切除用ブレード
p52（561）㊁
歯肉切除用メス
p52（561）
歯肉線維腫症
p5（47）㊣，**p52（562）**，p74（801）
歯肉増殖症
p28（299），p42（449），p45（489），p51（547），**p52（563）**，p53（571），p54（579），p64（699），p67（721），p82（887），p84（910）
歯肉増生術
p53（564）㊁
歯肉増大術
p53（564），p59（636）
歯肉増大症
p52（563）㊁
歯肉象皮症
p52（562）㊁
歯肉息肉
p12（120），**p53（565）**
歯肉退縮
p15（157），p16（165），p36（387），p36（389），p44（475），p45（489），p46（495），**p53（566）**，p54（575），p54（576），p58（620），p62（678），p67（732），p68（736），p69（749），p78（844），p81（878），p81（882），p87（942），p90（979），

p95（1040），p96（1045），p98（1062），p101（1091）
歯肉頂切開
p51（546）㊁
歯肉膿瘍
p20（214），p45（487），**p53（567）**，p77（839）
歯肉剝離
p53（568）
歯肉剝離搔爬術
p53（569），p87（944）㊁
歯肉鋏
p53（570）
歯肉肥大症
p52（563）㊁，**p53（571）**
歯肉病変
p45（489），p49（533），**p53（572）**，p78（852），p82（891）
歯肉弁
p53（573）
歯肉辺縁切開
p51（546）㊁
歯肉弁根尖側移動術
p28（297），p34（363），p41（438），p44（475），**p53（574）**，p63（685），p87（948）
歯肉弁歯冠側移動術
p44（475），**p53（575）**，p54（576），p80（867），p98（1062）
歯肉弁側方移動術
p44（475），p54（575），**p54（576）**，p98（1062）
歯肉ポケット
p17（179），p46（498），p49（533），p50（535），p50（536），p50（537），p51（551），p52（560），**p54（577）**，p63（685），p93（1008），p93（1009）
歯肉ポリープ
p53（565）㊁
歯囊
p47（505）㊁
歯胚
p11（111），p47（505），**p54（578）**
ジフェニルヒダントイン
p28（299），**p54（579）**
歯磨剤
p24（257），p28（294），**p54（580）**，p85（922）
歯面研磨
p54（581），p90（975），p91（993）
シャーピー線維
p34（371），p43（462），**p54（582）**，p64（693）
シャープニング
p1（1），**p54（583）**，p64（696），p77（841）
若年性歯周炎
p1（4），p20（217），p26（272），p30（319），p46（493），**p54（584）**，p58（626）㊣，p62（673），p66（713），p75（817），p103（1115）

141

斜切痕
　p26（280）㊣
遮蔽膜
　p39（423）㊣
シャンク
　p23（249），**p55（585）**
周期性好中球減少症
　p30（313）㊣，**p55（587）**
周術期等口腔機能管理
　p55（588）
重症型多形滲出性紅斑
　p61（658）㊂
縦切開
　p12（128），**p55（589）**，p81（882）
重度歯周炎
　p24（260）㊣，p43（469），**p55（590）**，p71（769）㊣，p88（954），p93（1006），p97（1051），p103（1112）
修復（歯周組織の）
　p55（591），p66（720），p72（782），p75（820），p93（1009）
修復・補綴治療
　p27（290），p34（366），p38（416），**p55（592）**，p65（710）
習癖
　p1（3），**p55（593）**，p63（683），p86（936）
シュガーマンファイル
　p33（359），**p55（594）**
宿主因子
　p18（188）㊣，p37（402），p43（469），**p55（595）**，p58（626），p86（935），p100（1085）
宿主寄生体相互作用
　p56（596）
宿主細菌相互作用
　p56（596）㊂
粥状動脈硬化症
　p2（15）㊂
手術用顕微鏡
　p56（597），p94（1022）
受動的萌出遅延
　p56（598）
腫瘍壊死因子
　p2（14），p37（400），**p56（599）**
受容床
　p56（601）㊂
手用スケーラー
　p49（525），p55（585），**p56（600）**，p60（654）㊣，p70（764），p71（770），p83（903），p84（908），p92（1002）
受容側
　p21（221），p25（264），p40（430），**p56（601）**，p75（809），p98（1064）
受容部位
　p56（601）㊂

掌握法
　p77（841）㊂
上顎洞挙上術
　p56（602）㊂
上顎洞底挙上術
　p13（140），p33（354），**p56（602）**，p67（727）
小矯正
　p11（117）㊂，p44（474）㊣，**p56（603）**
上行性歯髄炎
　p20（207），**p56（604）**
床固定
　p56（605）
蒸散
　p57（606），p70（755），p80（868）
掌蹠膿疱症
　p22（234），**p57（607）**，p83（897）
小帯切除術
　p44（475），**p57（608）**
小帯切断術
　p57（609）
小帯の異常
　p57（610）
上皮下結合組織移植術
　p25（264）㊂，**p57（611）**
上皮性付着
　p1（9），p1（10），p25（265），p32（336），p43（469），p46（498），**p57（612）**，p57（613），p62（678），p75（815），p91（984），p102（1105）
上皮付着
　p57（612）㊂，**p57（613）**
上部構造（インプラントの）
　p2（18），p6（61），p7（73），p7（76），p7（77），p11（116），**p57（614）**，p60（653），p64（692），p66（714），p67（724），p87（941）
症例-対照研究
　p8（86）㊣，p13（144），**p57（615）**
初期固定
　p7（73），**p57（616）**，p94（1024）
初期歯肉炎
　p57（617）
初期治療
　p44（473）㊂，**p58（618）**
食習慣
　p58（619），p62（672）
食片圧入
　p21（225），p35（382），p39（417），p40（433），**p58（620）**，p59（640），p60（644），p63（684），p85（923），p86（935），p87（939），p87（946）
除石
　p61（655）㊂

徐放性薬剤
　p58（621）
徐放性薬物
　p58（621）㊥
歯列の異常
　p58（622），p86（935），p88（954）
人工骨
　p31（329），p58（623），p77（843）㊞，p101（1093）㊞
人工歯根
　p6（61）㊥
深行増殖（上皮の）
　p57（612），p58（624）
ジンジパイン
　p58（625），p74（806），p94（1019）
侵襲性歯周炎
　p1（4），p20（217），p20（218），p43（469），p46（493），p54（584）㊞，p58（626），p66（713），p75（817），p97（1051），p103（1115）
滲出液
　p6（65），p50（537），p51（551）㊥，p58（627）
真性口臭症
　p17（178），p29（306），p29（307），p58（628）
新生セメント質
　p59（629）
真性ポケット
　p46（498）㊥，p59（630）
心臓血管系疾患
　p18（193）㊥，p59（631）
診断用ワックスアップ
　p59（632），p74（802）
伸展四フッ化エチレン樹脂膜
　p3（33）㊥，p59（633）
心内膜炎
　p18（195）㊞，p59（634）
シンバイオーシス
　p59（635），p72（780）
シンビオーシス
　p59（635）㊥
審美歯周外科治療
　p41（440），p44（475），p59（636），p79（861）
新付着
　p1（10），p25（265），p38（405），p39（422），p59（629），p59（637），p59（638）
新付着手術
　p59（638）㊥
新付着術
　p24（251），p59（638），p67（730），p75（811）

す

垂直性骨吸収
　p29（301），p31（333）㊞，p32（335），p48（512）㊞，p54（584），p55（590），p59（639）
垂直性骨欠損
　p31（333）㊥
垂直性食片圧入
　p58（620），p59（640）
垂直的被蓋
　p12（132）㊥
垂直的プロービング
　p59（641），p88（960）㊞
垂直マットレス縫合
　p59（642），p93（1004），p94（1029）
水平性骨吸収
　p24（260），p32（337），p48（512）㊞，p60（643），p71（769）
水平性食片圧入
　p58（620），p60（644）
水平的被蓋
　p12（131）㊥
水平的プロービング
　p60（645），p88（960）㊞
水平マットレス縫合
　p60（646），p93（1004），p94（1029）
睡眠時随伴症
　p60（647），p60（648），p60（649）
睡眠時無呼吸症候群
　p60（647），p60（648）
睡眠障害国際分類
　p60（648），p60（649）
スキャフォールド（再生における）
　p1（7），p60（650），p70（759），p72（782）
スキャロップ状切開
　p60（651）
スクラッビング法
　p60（652），p87（940），p99（1067）
スクリュー固定式
　p57（614），p60（653），p64（692）
スケーラー
　p1（1），p9（88），p17（180），p21（220），p54（583），p56（600），p60（654），p61（655），p64（696），p71（770），p77（841），p80（866），p92（999），p97（1055），p101（1087），p104（1122），p104（1123）
スケーリング
　p16（168），p19（200），p22（232），p23（249），p26（276），p38（416），p44（473），p46（494），p47（508），p50（536），p50（542），p60（654），p61（655），p61（656），p70（764），p83（903），p84（908），p90（976），p102（1103）㊞，p102（1105）㊞，p104（1122），p104（1123）

143

スケーリング・ルートプレーニング
　p17（180），p37（403），p50（538），p54（581），p54（583），
　p59（638），**p61（656）**，p81（880），p87（944），p88（953），
　p90（975），p96（1046），p101（1087）

スタビライゼーション型スプリント
　p61（657）㈲

スタビライゼーションスプリント
　p61（657）

スティップリング
　p49（531），**p61（659）**，p84（916）

スティルマン改良法
　p61（660），p87（940）

スティルマン原法
　p61（660）㈲

ステント
　p2（11），**p61（662）**

ストレス（歯周病における）
　p2（20），p10（102），p20（216），**p61（663）**，p75（819），
　p99（1071）

スニップ
　p4（38）㈲，p4（44）㈲，**p61（664）**

スニップス
　p4（38）㈲，p4（44）㈲

スピロヘータ
　p3（27），p10（102），p50（537），**p61（665）**，p74（807），
　p82（890），p104（1128）

スプリットシックネスフラップ
　p85（925）

スプリント
　p61（657），**p61（666）**

スプリント治療
　p61（666），**p62（667）**，p75（813），p78（846），p86（936）

スペースメイキング
　p39（425），**p62（668）**，p81（879）

スマイルライン
　p17（184），**p62（669）**

スミア層
　p62（670）㈲

スミヤー層
　p3（32），p10（105），**p62（670）**

スメア層
　p62（670）㈲

すれ違い咬合
　p62（671）

せ

生活習慣病
　p62（672），p75（819），p82（892）

生活様式
　p99（1071）㈲

成人性歯周炎
　p55（584），**p62（673）**，p94（1019），p95（1034）㈲

生体医工学
　p72（782）㈲

生体活性化ガラス
　p77（843）㈲

生体吸収性膜
　p20（210）㈲，**p62（674）**

生体材料
　p62（675）

生体親和性膜
　p39（423）㈲

正中離開
　p41（446），p57（610），**p62（676）**，p88（954）

成長因子
　p62（677），p64（698），p66（720）㈲

整直
　p2（13）㈲

生物学的幅
　p62（678）㈲

生物学的幅径
　p21（223），p32（336）㈲，p41（438），p50（539），**p62（678）**，p72（777）

セクショナルアーチ（矯正治療の）
　p63（679）

セクスタント
　p63（680）

セグメンテッドアーチ
　p63（679）㈲

セチルピリジニウム塩化物水和物
　p63（681）

接合上皮
　p6（64），p7（68），p7（69），p51（551），p52（558），p57（612），p58（624），**p63（682）**，p75（810），p85（917），p86（934），p91（984），p93（1010）

舌習癖
　p1（3），**p63（683）**，p79（863），p83（898），p103（1117）

接触域
　p35（381）㈲

接触点
　p11（109），p35（376），p35（382），p40（433），p41（439），p41（443），p58（620），**p63（684）**，p85（923），p88（954）

切除療法
　p44（476），**p63（685）**

舌側弧線装置
　p63（686）

舌苔
　p20（206），**p63（687）**，p63（689）

接着性レジン固定
　p11（109）㈲，p15（160），**p63（688）**

144

舌ブラシ
　p63（687），**p63（689）**
説明と同意
　p6（60）㊥
説明に基づく同意
　p6（60）㊥
舌面板-接着性レジン固定
　p15（160），**p64（690）**
セメント-エナメル境
　p2（11），p10（106），p10（108），p16（165），p17（184），p31（333），p48（512），p53（566），p56（598），**p64（691）**，p81（882），p92（994），p102（1104）
セメント合着式
　p64（692）㊥
セメント固定式
　p57（614），p60（653），**p64（692）**
セメント質
　p3（21），p6（67），p11（110），p13（139），p25（265），p28（301），p33（348），p33（352），p36（387），p37（398），p37（399），p38（408），p42（456），p43（462），p45（481），p45（484），p45（489），p47（505），p50（543），p54（582），p59（629），p59（637），p63（682），p64（691），**p64（693）**，p64（694），p64（695），p83（899），p84（916），p95（1032），p96（1041）
セメント質（の）剝離
　p64（694）
セメント質（の）肥厚
　p64（695）
セメント質（の）肥大
　p64（695）㊥
セラミックストーン
　p54（583），**p64（696）**
セルフケア
　p30（318），p36（383），p51（544），p59（628），**p64（697）**，p85（927），p90（974），p96（1046），p99（1069），p100（1082）
線維芽細胞成長因子
　p64（698）㊥
線維芽細胞増殖因子
　p12（121），p25（262），**p64（698）**，p66（720），p74（804）㊥，p100（1081）
線維性歯肉増殖症
　p52（560），p52（563）㊥，**p64（699）**
線維性付着
　p25（265）㊥，**p65（700）**
洗口液
　p65（701）㊥
洗口剤
　p18（196），p28（294），**p65（701）**，p73（791），p85（922），p92（1000）

前思春期性歯周炎
　p47（503），p58（626）㊥，**p65（702）**，p66（713）
全身疾患関連性歯周炎
　p65（703）
全身性エリテマトーデス
　p42（455），**p65（704）**
全層歯肉弁
　p65（705）㊥
全層弁
　p8（83），p34（362），p53（568），p53（573），p53（574），**p65（705）**，p77（836），p85（925），p87（944），p88（950）
選択削合
　p65（706）㊥
選択的咬合調整
　p29（302）㊥，**p65（706）**，p88（951）
先天免疫
　p47（509）㊥
セントリックオクルージョン
　p30（316）㊥
セントリックカスプ
　p19（205）
セントリックリレーション
　p71（767）㊥
前方運動
　p65（707），p67（725），p71（767）
前方誘導
　p3（30）㊥
線毛
　p65（708），p84（915），p94（1019）
専門的機械的歯面清掃
　p90（976）㊥
専門的口腔ケア
　p65（709），p90（974）㊥
専門の歯面清掃
　p90（975）㊥
戦略的抜歯
　p65（710），p92（998）

そ

槽間中隔
　p35（377）㊥，p43（461），**p66（711）**
早期荷重
　p66（714）㊥
早期接触
　p15（158），p17（176），p28（300），p55（586），p65（706），p65（707），**p66（712）**，p72（777），p103（1111）
早期発症型歯周炎
　p20（217），p54（584），p58（626）㊥，p65（702），**p66（713）**

145

早期負荷
p66（714）, p67（724）, p70（762）

象牙質-歯髄複合体
p66（715）

象牙質知覚過敏
p14（146）, p22（239）, p26（276）, p42（450）, p45（488）, p53（566）, p54（580）, **p66（716）**, p67（733）, p70（755）, p70（763）, p85（922）

早産低出生体重
p66（717）, p66（718）, p72（781）, p91（992）

早産・低体重児出産
p66（717）囲, **p66（718）**

創傷治癒
p4（41）, p25（261）, p25（267）, p55（591）, p64（698）, **p66（719）**, p69（744）, p76（824）

増殖因子
p34（365）, p37（400）, p60（650）, p62（677）, **p66（720）**, p70（759）, p72（782）, p74（805）, p95（1039）

増殖性歯肉炎
p52（563）短, **p67（721）**

叢生
p23（242）, p58（622）, **p67（722）**, p69（752）

掻爬
p21（220）, p31（332）, p43（461）, p46（499）, **p67（723）**, p72（779）, p76（820）, p87（943）

相利共生
p59（635）短

即時荷重
p67（724）囲

即時負荷
p66（714）, **p67（724）**, p70（762）

側方運動
p23（248）, p26（273）, p65（707）, **p67（725）**

側方歯肉弁移動術
p54（576）囲

ソケットプリザベーション
p48（521）囲, **p67（726）**

ソケットリフト
p33（354）, p56（602）短, **p67（727）**

組織学的ポケット深さ
p93（1010）囲

組織工学
p67（728）, p72（782）囲

組織再生誘導法
p39（422）囲, **p67（729）**

組織付着療法
p8（83）, p44（476）, p59（638）, **p67（730）**

咀嚼能力検査
p67（731）

ソフトティッシュマネージメント
p67（732）

ソフトレーザー
p67（733）, p80（868）, p102（1109）

た

第三リン酸カルシウム
p68（735）, p101（1094）囲

退縮
p6（62）, p14（153）, p53（566）囲, p59（638）, **p68（736）**, p79（861）, p87（939）, p99（1067）

対症療法
p2（20）, **p68（737）**, p78（852）

耐性菌
p16（168）, p21（226）, p22（233）, **p68（738）**, p69（745）, p98（1059）

ダイランチン
p54（579）囲

ダイランチン歯肉増殖症
p68（739）, p84（910）囲

ダイレクトボンディングシステム固定
p11（109）囲, **p68（740）**

唾液検査
p68（742）

唾液減少症
p27（288）囲

他家骨移植
p4（34）, **p68（743）**, p69（746）, p69（747）短, p73（796）

多形核白血球病変
p30（314）囲

多血小板血漿
p25（266）, **p68（744）**, p80（871）

多剤耐性菌
p68（738）, **p69（745）**

脱灰凍結乾燥骨移植
p4（34）, p68（743）, **p69（746）**, p69（747）短, p73（796）短

脱灰凍結乾燥同種他家骨移植
p69（746）囲

脱タンパク質ウシ骨ミネラル
p69（747）

タッピング
p22（241）, p24（253）, **p69（748）**, p86（936）

縦みがき法
p69（749）, p87（940）

多能性幹細胞
p69（751）

タフトブラシ
p28（294）, **p69（752）**

ダブルレイヤー縫合
　p69（753）
炭酸アパタイト
　p69（754）
炭酸ガスレーザー
　p12（119），p57（606），**p70（755）**，p77（835），p97（1052），
　p102（1109）
短縮歯列
　p70（756）
単純性歯肉炎
　p49（533），p53（572），**p70（757）**，p86（932）⦿
断続縫合
　p41（444），**p70（758）**，p79（855），p102（1108），p103
　（1114）
担体
　p20（209），p32（342），p60（650），**p70（759）**
タンパク質分解酵素
　p89（969）⦿

■ **ち**

地域歯周疾患指数
　p39（426）⦿
チーム医療
　p70（760），p95（1033）
遅延荷重
　p70（762）⦿
遅延負荷
　p66（714），p67（724），**p70（762）**
知覚過敏
　p70（763）
チゼル型スケーラー
　p70（764）
チャータース法
　p70（765）⦿
チャーターズ法
　p70（765），p87（940）
治癒（臨床的，歯周組織の）
　p37（402），p37（403），p45（484），p55（591），p57（607），
　p57（612），p58（624），p59（629），p59（638），p66（719），
　p66（720），**p70（766）**，p74（805），p96（1046），p100
　（1082），p101（1090）
中心位
　p30（316），**p71（767）**，p104（1124），p104（1126）
中心咬合位
　p30（316）㊐，p55（586），p65（707），**p71（768）**
中等度歯周炎
　p24（260）㊐，p43（469），p55（590）㊐，**p71（769）**
超音波スケーラー
　p9（88），p20（208），p50（536），p50（542），p60（654）
　㊐，**p71（770）**，p80（866），p102（1105）

超音波歯ブラシ
　p71（771），p73（792）
治療用義歯
　p71（772）

■ **つ**

2ピースインプラント
　p71（773），p104（1129）

■ **て**

定圧プローブ
　p19（201）⦿
低アルカリホスファターゼ血症
　p72（784）⦿
低アルカリホスファターゼ症
　p72（784）⦿
低位咬合
　p71（774）
挺出
　p16（166），p20（216），p21（223），p41（438），**p72（777）**
堤状隆起
　p29（304），**p72（778）**
ディスクルージョン
　p20（211）⦿
ディスタルウェッジ手術
　p8（84）㊐，**p72（779）**
ディスバイオーシス
　p72（780）
ディスビオーシス
　p72（780）⦿
低体重児早産
　p66（717）⦿，**p72（781）**
ティッシュエンジニアリング
　p67（728），**p72（782）**
ディヒーセンス
　p15（159），**p72（783）**，p102（1110）⦿
低ホスファターゼ血症
　p72（784）⦿
低ホスファターゼ症
　p5（46），**p72（784）**
手首前腕運動
　p100（1087）⦿，p104（1122）㊐
テトラサイクリン系抗菌薬
　p26（282），**p72（785）**，p74（800），p95（1038）
テトラサイクリン系抗生物質
　p72（785）⦿
テトラサイクリン処理
　p10（105）㊐
デノスマブ
　p30（322）⦿，p97（1056）㊐

147

デブライドメント
p8（83），p46（499）[類]，**p72（786）**，p102（1103）[類]，p102（1105）[類]
デブリードマン
p72（786）[同]
デブリドメント
p72（786）[同]
電気メス
p12（120），p49（532），p57（606），**p73（787）**
テンションリッジ
p72（778）[同]
デンタルエックス線写真（歯周病の所見）
p28（298）[類]，**p73（788）**
デンタルプラーク
p36（394）[類]，**p73（789）**，p85（926）[同]
デンタルフロス
p15（157），p28（294），p40（437），**p73（790）**，p89（968）
デンタルリンス
p65（701）[同]，**p73（791）**
電動歯ブラシ
p14（150），p51（544），p71（771），**p73（792）**，p79（862）

と

樋状根
p73（793）
糖化ヘモグロビン
p73（794），p91（985）[同]
動機づけ
p73（795），p97（1054）[同]
凍結乾燥骨移植
p4（34），p68（743），p69（746）[類]，p69（747）[類]，**p73（796）**
凍結乾燥同種骨移植
p73（796）[同]
糖尿病
p4（39），p5（50），p25（269），p27（284），p37（396），p43（470），p65（703），**p73（797）**，p75（819），p80（870），p86（930），p91（985），p91（992），p95（1033），p95（1034）
動揺度（歯の）
p37（402），p44（472），p44（480），p45（482），**p73（798）**，p91（989），p93（1006）
トールライクレセプター
p73（799）
ドキシサイクリン
p72（785）[類]，**p74（800）**
特発性歯肉線維腫症
p5（47）[類]，p52（562），**p74（801）**
トップダウントリートメント
p74（802）
ドナーサイト
p21（221）[同]
トライセクション
p42（458）[類]，p42（460），**p74（803）**，p90（982）[類]
ドライマウス
p27（288）[同]
トラフェルミン
p74（804）
トランスフォーミンググロースファクター
p74（805）[同]
トランスフォーミング成長因子
p74（805）[同]
トランスフォーミング増殖因子
p24（258），p25（262），p32（342），p66（720），p69（744），**p74（805）**
トリプシン様プロテアーゼ
p58（625），p69（750），**p74（806）**
トンネリング
p36（386），p42（458）[類]，p42（461）[類]，p43（466），**p74（808）**
トンネル形成
p74（808）[同]
トンネルテクニック
p12（127），**p75（809）**

な

内縁上皮
p15（154），p52（558），**p75（810）**
内式固定
p75（812）[同]
内斜切開
p8（83），p15（156），p51（546），p65（705），**p75（811）**
内側性固定
p9（89），p15（160），p34（367），p39（417），**p75（812）**，p104（1127）
ナイトガード
p13（137）[同]，p62（667）[類]，**p75（813）**
内毒素
p75（814），p101（1090）[同]
長い上皮性付着
p57（612），p58（624），p59（638），**p75（815）**
軟化セメント質
p75（816），p83（899）[同]
難治性歯周炎
p75（817）

に

二回法インプラント埋入
p4（43），p71（773），**p75（818）**

2 型糖尿病
　p4（39），p5（50），p56（599），p62（672），p72（780），p73（797），**p75（819）**
肉芽組織
　p8（83），p11（119），p31（332），p45（488），p46（499），p53（570），**p75（820）**，p87（944），p87（949）
ニコチン
　p19（203），p19（204），p21（229），p31（328），**p76（821）**
二次手術（GTR 法の）
　p20（210），p39（423），**p76（822）**，p76（827），p81（879），p100（1080）
二次性咬合性外傷
　p1（5），p28（301），p39（417），**p76（823）**
二次創傷治癒
　p66（719），**p76（824）**
21-トリソミー症
　p68（741）囲
二次予防
　p76（825），p99（1069）
ニフェジピン歯肉増殖症
　p18（186），**p76（826）**，p98（1060）
乳酸-グリコール酸共重合体膜
　p20（210），**p76（827）**
乳酸脱水素酵素
　p68（742），**p76（828）**
乳頭形成術
　p41（440）囲，**p76（829）**
乳頭歯肉
　p41（439）囲
乳頭保存フラップ手術
　p76（830），p79（861）囲
妊娠関連歯肉炎
　p77（832）囲
妊娠腫
　p76（831）囲
妊娠性エプーリス
　p11（114），**p76（831）**
妊娠性歯肉炎
　p49（533），**p77（832）**，p84（914），p88（957）
認知症
　p77（833）

ね

ネイバースプローブ
　p77（834），p83（902）囲
ネオジムヤグレーザー
　p12（119），p70（755），**p77（835）**，p102（1109）
粘膜骨膜弁
　p26（275），p34（362），p53（568），p65（705）囲，**p77（836）**

粘膜剝離子
　p34（362）囲，**p77（837）**
粘膜弁
　p34（363），p53（568），p53（574），p54（575），**p77（838）**，p85（925）囲

の

膿瘍（歯周組織の）
　p20（216），p35（379），p45（487），p45（489），p53（567），**p77（839）**，p79（857）

は

パーシャルシックネスフラップ
　p77（840），p85（925）囲
パームグラスプ
　p77（841）
パームグリップ
　p77（841）囲
バイオインテグレーション
　p14（145），**p77（842）**
バイオガラス
　p58（623），p69（747）囲，**p77（843）**，p101（1093）囲
バイオタイプ（歯肉の，歯周組織の）
　p46（495）囲，**p78（844）**，p104（1125）
バイオフィルム
　p16（168），p36（394）囲，**p78（845）**，p82（894），p84（915），p85（926）囲，p86（934），p94（1027）
バイトガード
　p13（137）囲
バイトスプリント
　p13（137）囲，p62（667）囲，**p78（846）**
ハイドロキシアパタイト
　p13（141），p13（143），p14（145），p32（339），p47（506），p58（623），p60（650），p69（747）囲，p69（754）囲，p77（842），**p78（847）**，p82（889），p101（1093）
排膿
　p6（62），p7（70），p20（216），p35（379），p45（487），**p78（848）**，p95（1034）
バイファーケーショナルリッジ
　p78（849）
歯ぎしり
　p22（241），p60（647），**p78（851）**，p86（936）囲
白質
　p94（1030）囲
白線
　p47（510）囲
剝離性歯根破折
　p64（694）囲
剝離性歯肉炎
　p78（852），p84（914），p92（1001），p95（1035）

149

破骨細胞
　p18（187），p32（339），p43（465），p56（599），**p78（853）**，
　p89（967），p100（1078）

バス法
　p79（854），p87（940）

8の字縫合
　p41（444），p70（758），**p79（855）**，p93（1004）

8020運動
　p79（856）

発育溝
　p26（280）㊇

白血球接着異常症
　p79（857）㊇

白血球接着不全症候群
　p79（857）

白血球毒素
　p79（858），p103（1115）㊇

白血球粘着異常症
　p79（857）㊇

白血病性歯肉炎
　p79（859），p84（914）

抜歯窩保存術
　p48（521）㊇

抜歯後即時埋入
　p7（72）㊇

抜歯後待時埋入
　p7（74）㊇

抜歯後遅延埋入
　p7（75）㊇

歯の整形術
　p14（146）㊇

パピラプリザベーションフラップ手術
　p41（441），p76（830），**p79（861）**

歯ブラシ
　p14（150），p15（157），p22（239），p24（252），p28（294），
　p28（295），p38（409），p54（580），p60（652），p61（660），
　p69（749），p69（752），p70（765），p73（792），p77（841），
　p79（854），**p79（862）**，p84（909），p84（912），p87（940），
　p99（1067），p99（1073），p103（1119）

歯磨き法
　p87（940）㊇

パラファンクション
　p1（3），**p79（863）**，p83（904），p86（936）㊇

バランスドオクルージョン
　p80（864），p88（952）㊇

バリアメンブレン
　p39（423）㊇

バルカン固定法
　p80（865）㊇

パワースケーラー
　p80（866）㊇

パワードリブンスケーラー
　p80（866）

晩期負荷
　p70（762）㊇

半月弁歯冠側移動フラップ手術
　p80（867）

半接着斑
　p91（984）㊇

半導体レーザー
　p67（733），**p80（868）**

反復性外傷力
　p41（448）㊇

ひ

非アルコール性脂肪性肝疾患
　p80（870）

非齲蝕性歯頸部欠損
　p2（21）㊇，**p81（878）**

非感染性疾患
　p62（672）㊇

非吸収性膜
　p3（33），p20（210），p39（422），p39（423），p62（668），
　p76（822），**p81（879）**

非吸収性メンブレン
　p81（879）㊇

非外科的治療法
　p81（880）

非ステロイド性抗炎症薬
　p11（112），p61（658），**p81（883）**，p98（1061）

ビスホスホネート
　p33（355），**p82（884）**，p97（1056）㊇

ビスホスホネート関連顎骨壊死
　p30（322）㊇，p33（355），**p82（885）**，p97（1056）㊇

微生物検査
　p36（392）㊇

ビタミン欠乏性口内炎
　p82（886）

ヒダントイン系抗痙攣薬
　p82（887），p84（910）

非特異的免疫
　p47（509）㊇

ヒト免疫不全ウイルス
　p9（90），p17（182），p30（315），**p82（888）**

ヒドロキシアパタイト
　p78（847）㊇，**p82（889）**

非付着性プラーク
　p46（500），p50（537），**p82（890）**，p85（918），p85（926）

皮膚粘膜眼症候群
　p61（658）同
非プラーク性歯肉病変
　p45（489）, p52（555）, p53（572）, **p82（891）**, p103（1113）
　類
肥満
　p60（648）, p62（672）, p72（780）, p75（819）, p80（870）,
　p82（892）, p91（992）
ピュータティブリスクファクター
　p100（1084）同
描円法
　p82（893）, p84（912）同
病原因子（細菌の）
　p42（455）, p44（473）, p72（780）, **p82（894）**
病状安定（歯周病の）
　p38（416）, **p83（895）**, p100（1082）
病状進行
　p83（896）
病巣感染
　p83（897）
病的移動（歯の）
　p9（89）, **p83（898）**
病的セメント質
　p10（103）, p46（499）, p60（654）, p75（816）, **p83（899）**,
　p102（1103）, p102（1105）
日和見感染
　p22（233）類, p30（315）, **p83（900）**

ふ

ファーケーションプラスティ
　p14（146）類, p36（385）, p36（386）, **p83（901）**
ファーケーションプローブ
　p46（496）, p77（834）, **p83（902）**
ファイブロネクチン
　p84（907）同
ファイル型スケーラー
　p83（903）
ファセット
　p83（904）
ファルカプラスティ
　p83（901）同
フィクスチャー
　p7（73）同, **p83（905）**
フィステル
　p37（401）類
フィブリンシーラント
　p83（906）
フィブリン糊
　p83（906）同

フィブロネクチン
　p84（907）, p95（1031）
フィンガーモーション
　p84（908）, p100（1087）類, p104（1122）
フェストゥーン
　p84（909）
フェニトイン
　p54（579）同
フェニトイン歯肉増殖症
　p28（299）, p54（579）, p68（739）, p82（887）, **p84（910）**,
　p98（1060）
フェネストレーション
　p15（159）同, **p84（911）**, p102（1110）
フォーンズ法
　p82（893）, **p84（912）**, p87（940）
不完全破折
　p84（913）
複雑性歯肉炎
　p47（502）, p49（533）, p70（757）, p79（859）, **p84（914）**,
　p86（930）
付着歯肉
　p5（47）, p15（154）, p16（170）類, p24（257）, p28（297）,
　p49（523）, p49（531）, p51（546）, p51（553）, p53（564）,
　p53（574）, p57（608）, p57（609）, p61（659）, p67（732）,
　p80（867）, p80（872）, **p84（916）**, p96（1045）, p98（1063）,
　p98（1065）
付着上皮
　p58（624）, p63（682）同, **p85（917）**
付着性プラーク
　p50（537）, p82（890）, **p85（918）**, p85（926）
付着の位置
　p2（11）同
付着の獲得
　p1（10）同, **p85（919）**
付着の喪失
　p2（12）同, **p85（920）**
付着レベル
　p1（11）同, **p85（921）**
フッ化物の局所応用
　p85（922）
不適合修復・補綴装置
　p13（133）, p16（171）, p17（176）, p58（620）, **p85（923）**,
　p86（935）
不動歯
　p64（695）, **p85（924）**
部分矯正
　p11（117）同
部分層歯肉弁
　p85（925）同

部分層弁
　p12（127），p34（363），p53（568），p53（573），p53（574），p54（575），p65（705），p77（838），p77（840），p80（867），**p85（925）**，p87（944），p87（948）

プラーク
　p3（27），p4（37），p9（94），p14（150），p15（158），p15（162），p16（168），p19（197），p19（198），p19（200），p20（206），p20（208），p21（224），p21（225），p25（270），p27（286），p28（294），p28（295），p29（304），p31（323），p35（376），p36（388），p36（393），p36（394）㊝，p40（434），p42（451），p42（453），p44（480），p47（502），p47（506），p49（533），p50（537），p50（543），p51（544），p52（555），p54（584），p58（619），p58（622），p58（626），p60（652），p60（654），p61（655），p61（660），p62（673），p64（697），p65（701），p65（702），p70（765），p71（770），p71（771），p72（786），p73（789），p73（790），p76（831），p77（832），p78（845），p79（854），p79（862），p80（866），p82（890），p83（899），p84（909），p84（910），p84（914），p85（918），p85（923），p85（924），**p85（926）**，p85（927），p86（928），p86（929），p86（930），p86（931），p86（932），p86（934），p86（935），p87（940），p89（968），p90（975），p90（976），p95（1034），p99（1067），p99（1073），p102（1099），p102（1103），p102（1105），p103（1113）

プラークコントロール
　p16（168），p19（200），p28（294），p36（383），p36（389），p37（402），p38（414），p44（473），p44（474），p44（475），p44（476），p51（544），p52（559），p52（563），p55（592），p58（622），p64（697），p67（722），p81（880），p83（901），p84（910），**p85（927）**，p86（935），p89（971），p94（1020），p97（1054），p99（1075），p102（1106）

プラークコントロールレコード
　p81（876），p85（927），**p86（928）**，p86（931）

プラーク指数
　p15（162），p27（286），p42（454），p47（507），**p86（929）**

プラーク性歯肉炎
　p47（502），p49（533）㊝，p52（555），p53（572），p57（617）㊝，**p86（930）**，p86（932）

プラーク染色液
　p86（928），**p86（931）**

プラーク増加因子
　p86（935）㊝

プラーク単独性歯肉炎
　p47（502），p49（533）㊝，p52（555），p53（572），p70（757），p84（914），p86（930），**p86（932）**

プラーク蓄積因子
　p10（106），**p86（933）**，p86（935）㊝

プラーク停滞因子
　p86（935）㊝

プラーク付着促進因子
　p86（935）㊝

プラークフリーゾーン
　p86（934）

プラークリテンションファクター
　p25（270），p44（473），p47（506），p85（923），p86（933），**p86（935）**

ブラキシズム
　p1（3），p2（21），p3（30），p13（137），p15（158），p16（167），p16（171），p17（176），p21（225），p22（241），p24（253），p34（366），p42（452），p60（647），p60（648），p62（667），p69（748），p78（851），p79（863），**p86（936）**，p104（1126）

フラクチャー
　p41（442），p42（459），**p87（937）**

プラスティックサージェリー
　p87（938）

ブラックトライアングル
　p40（433），**p87（939）**

ブラッシング法
　p28（294），p38（410），p60（652），p61（660），p70（765），p79（854），p79（862），p84（912），**p87（940）**，p99（1067），p103（1119）

プラットフォーム
　p87（941），p87（942）

プラットフォームシフティング
　p87（942）

プラットフォームスイッチング
　p87（942）㊝

フラップキュレッタージ
　p67（730），**p87（943）**

フラップ手術
　p8（83），p14（153），p36（386），p41（438），p48（517），p51（546），p53（569），p55（589），p60（651），p65（705），p75（811），p76（820），p85（925），p87（943），**p87（944）**

フラップレスサージェリー
　p87（945）

プランジャーカスプ
　p58（620），**p87（946）**

プランジャー咬頭
　p87（946）㊝

ブリーディングオンプロービング
　p87（947），p89（963）㊝

ブリット型ポンティック
　p14（148）㊝

不良肉芽組織
　p87（949）

フルシックネスフラップ
　p65（705）㊝，**p88（950）**

フルバランスドオクルージョン
　p29（303），p67（725），p80（864），**p88（952）**

フルマウスディスインフェクション
p27（285）[類], **p88（953）**
フレアーアウト
p41（446）, p71（774）, **p88（954）**
ブレード（外科用の）
p88（955）, p96（1047）[同]
プレディクター（歯周病の）
p88（956）, p99（1068）, p100（1085）[類]
フレミタス
p88（958）
ブローネマルクシステム
p88（959）
プロービング
p8（85）, p15（161）, p22（232）, p50（540）, p57（617）, p59（641）, p60（645）, **p88（960）**, p89（962）, p89（963）
プロービングアタッチメントレベル
p2（11）[同], **p89（961）**
プロービング圧
p19（201）, **p89（962）**
プロービング時の出血
p6（62）, p7（70）, p37（402）, p44（480）, p46（494）, p50（540）, p52（556）, p70（766）, p81（874）, p81（881）, p83（895）, p83（896）, p87（947）, **p89（963）**, p91（989）, p102（1099）
プロービング値
p89（964）, p89（965）[同]
プロービングチャート
p91（989）[類]
プロービングデプス
p6（62）, p23（251）, p24（260）, p55（590）, p64（694）, p71（769）, p89（964）, **p89（965）**, p91（989）, p93（1010）[類], p93（1014）, p101（1097）, p102（1099）
プロービングポケットデプス
p89（965）[同], p93（1010）[類]
プローブ
p15（162）, p19（201）, p23（251）, p46（496）[同], p68（734）, p83（902）, p89（962）, p89（965）, **p89（966）**, p93（1007）, p99（1070）, p104（1121）
プロスタグランジン E_2
p3（24）, p12（124）, p56（599）, p88（956）, **p89（967）**
フロッシング
p73（790）, **p89（968）**
プロテアーゼ
p89（969）, p94（1019）
プロテオグリカン
p5（51）, **p89（970）**, p95（1031）
プロバイオティクス
p85（927）, **p89（971）**
プロバブルリスクファクター
p100（1084）[同]
プロビジョナル固定
p1（5）, p9（89）, p34（367）, **p89（972）**, p90（973）[類]
プロビジョナルスプリント
p89（972）[同]
プロビジョナルレストレーション
p39（418）, p89（972）[類], **p90（973）**
プロフェッショナルオーラルケア
p90（974）[同]
プロフェッショナルケア
p51（544）, p59（628）, p64（697）, p65（709）, p85（927）, **p90（974）**, p99（1069）, p100（1082）
プロフェッショナルトゥースクリーニング
p81（877）, **p90（975）**
プロフェッショナルメカニカルトゥースクリーニング
p9（94）, p38（416）, p46（494）, p50（538）, p54（581）, p81（873）, p90（974）, **p90（976）**, p96（1046）
フロリダプローブ
p19（201）[類]
分化増殖因子
p66（720）[同]
分岐部形成術
p83（901）[同]
分岐部病変
p36（386）[同], **p90（977）**
粉砕咬頭
p19（205）[同]

へ

併発症
p90（978）
ベニアグラフト
p90（980）
ペニシリン系抗菌薬
p3（23）, p26（282）, **p90（981）**, p98（1058）
ペニシリン系抗生物質
p90（981）[同]
ヘミセクション
p36（386）, p42（458）[類], p42（460）, p42（461）[類], p43（466）, p74（803）[類], p74（808）[類], **p90（982）**
ヘミセプター状骨欠損
p32（334）, **p91（983）**
ヘミデスモソーム
p91（984）[同]
ヘミデスモゾーム
p7（68）, p57（612）, p63（682）[類], **p91（984）**
ヘモグロビン A1c
p9（91）, p73（794）, **p91（985）**
ペリインプランタイティス
p6（62）[同], **p91（986）**

ペリインプラントサルカス
　p6（63）同, **p91（987）**
ペリオドンタルインデックス
　p91（989）
ペリオドンタルチャート
　p91（989）
ペリオドンタルドレッシング
　p45（488）同, **p91（990）**
ペリオドンタルプラスティックサージェリー
　p44（475）同, **p91（991）**
ペリオドンタルプロービングチャート
　p91（989）類
ペリオドンタルメディシン
　p2（15）, p18（193）, p18（194）, p31（323）, p43（468）,
　p91（992）
ペリオドンタルメディスン
　p91（992）同
ペリクル
　p16（173）, p50（543）, **p91（993）**
ヘルトヴィッヒ上皮鞘
　p11（110）, **p92（994）**, p95（1032）類, p96（1041）
ヘルペス性歯肉口内炎
　p20（214）, **p92（995）**, p103（1113）
辺縁歯肉
　p10（102）, p11（116）, p21（224）, p24（252）, p24（257）,
　p42（451）, p50（540）, p52（559）, p53（566）, p54（576）,
　p54（577）, p57（610）, p58（620）, p61（660）, p72（778）,
　p79（859）, p80（872）, p84（909）, **p92（996）**, p98（1063）
辺縁歯肉溝
　p98（1065）同
辺縁性歯周炎
　p35（380）, p43（469）類, **p92（997）**, p95（1034）
辺縁性歯肉炎
　p49（533）同
便宜抜歯
　p65（710）類, **p92（998）**
ペングラスプ
　p49（526）, **p92（999）**, p97（1055）
ペングリップ
　p92（999）同
ベンゼトニウム塩化物
　p92（1000）
片側性平衡咬合
　p23（248）類
扁平苔癬
　p22（234）, p53（572）, p65（704）, p78（852）, p82（891）,
　p92（1001）

ほ

ホウ型スケーラー
　p92（1002）
包括的歯周治療
　p92（1003）, p95（1033）類
縫合
　p8（83）, p15（164）, p31（325）, p34（363）, p34（369）,
　p57（609）, p59（638）, p66（719）, p70（758）, p72（779）,
　p76（822）, p79（855）, p80（867）, p81（882）, p87（944）,
　p92（1004）, p98（1064）, p103（1114）
縫合糸
　p26（274）, p41（444）, p79（855）, **p93（1005）**
疱疹性歯肉口内炎
　p92（995）同
ホープレストゥース
　p93（1006）
ボーンキュレット
　p31（332）同
ボーンサウンディング
　p34（360）, **p93（1007）**
ポケット
　p93（1008）
ポケットイリゲーション
　p46（500）同
ポケット上皮
　p51（552）, p75（810）, p82（890）, p90（979）, **p93（1009）**
ポケット探針
　p46（496）同
ポケットデプス
　p89（965）類, **p93（1010）**, p93（1013）
ポケット内抗菌薬投与
　p21（226）類, **p93（1011）**, p98（1061）
ポケット内洗浄
　p46（500）同, **p93（1012）**
ポケット内容液
　p51（551）類
ポケット深さ
　p45（482）, p88（960）, p89（965）類, p93（1010）同,
　p93（1013）
ポケットプロービング値
　p89（965）同, **p93（1014）**
ポケットプローブ
　p46（496）同, **p93（1015）**
ポケットマーカー
　p23（251）同, **p93（1016）**
保護膜
　p39（423）類
ホスト–パラサイトインタラクション
　p56（596）同

保存的治療法
　p81（880）㊙

保定
　p22（231），**p93（1017）**

補綴主導型インプラント治療
　p74（802）㊙

補綴治療
　p55（592）㊙

ポテンシャルリスクファクター
　p100（1084）㊙

ポリメラーゼチェーンリアクション（法）
　p36（392），p81（876），**p93（1018）**

ポリメラーゼ連鎖反応（法）
　p93（1018）㊙

ポンティック形態
　p14（148）㊙，**p94（1020）**

ま

マイクロギャップ
　p94（1021），p104（1129）

マイクロサージェリー
　p56（597），**p94（1022）**

埋入窩（インプラントの）
　p56（602），**p94（1023）**

埋入トルク
　p94（1024）

マウススクリーン
　p13（135）㊙，**p94（1025）**

前向き研究
　p9（86），p34（370），**p94（1026）**

前向きコホート研究
　p94（1026）㊙

マクロライド系抗菌薬
　p1（6），p26（282），**p94（1027）**

マクロライド系抗生物質
　p94（1027）㊙

摩擦性角化症
　p94（1028）

マットレス縫合
　p59（642），p60（646），p69（753），p70（758），**p94（1029）**

マテリアアルバ
　p94（1030）

マトリックスメタロプロテアーゼ
　p35（375），p56（599），p74（800），**p95（1031）**

マラッセ上皮残遺
　p95（1032）㊙

マラッセの上皮残遺
　p92（994），**p95（1032）**，p96（1041）

マルチディシプリナリーアプローチ
　p92（1003）㊙，**p95（1033）**

慢性歯周炎
　p9（90），p43（469），p46（493），p58（626），p62（673）
　㊙，p84（915），p92（997），p94（1019），**p95（1034）**

慢性剥離性歯肉炎
　p78（852）㊙，**p95（1035）**

み

ミニマルインターベンション
　p95（1037）

ミノサイクリン
　p72（785）㊙，**p95（1038）**

未分化間葉系細胞
　p18（189）㊙，p34（365），p43（462），p43（465），**p95（1039）**，p96（1041）

む

ムコ多糖タンパク質複合体
　p89（970）㊙

無細胞セメント質
　p64（693），**p96（1041）**

無作為比較試験
　p96（1042）

め

メインテナンス
　p36（383），p37（404），p38（416）㊙，p39（419），p45（485），p46（494）㊙，p75（808），**p96（1046）**，p100（1082）

メカニカルプラークコントロール
　p19（200）㊙

メス
　p14（149），p14（152），p52（561），p88（955），p92（999），**p96（1047）**

メタアナリシス
　p97（1048）

メタ解析
　p97（1048）㊙

メタ分析
　p97（1048）㊙

メタボリックシンドローム
　p82（892），**p97（1049）**

メッシュレジン固定
　p15（160），**p97（1050）**

メトロニダゾール
　p97（1051）

メラニン色素除去
　p97（1052）

メラノプラキア
　p41（447）㊙

免疫グロブリン
　p97（1053）

155

も

モチベーション
　p3（27），p4（37），p28（294），p30（318）類，p73（795），
　p96（1046），**p97（1054）**，p99（1075）

モディファイドペングラスプ
　p49（527），p92（999），**p97（1055）**

モディファイドペングリップ
　p97（1055）同

や

薬剤関連顎骨壊死
　p33（355），p82（884），p82（885），p96（1044），**p97（1056）**

薬剤耐性
　p98（1057）

薬剤耐性菌
　p68（738）同

薬物アレルギー
　p98（1058）

薬物感受性試験
　p27（283），**p98（1059）**

薬物性歯肉増殖症
　p52（563），p53（572），p76（826），p84（910），**p98（1060）**

薬物誘発性歯肉増殖症
　p98（1060）同

薬物療法（歯周治療における）
　p90（981），**p98（1061）**

やすり型スケーラー
　p83（903）同

ゆ

有茎弁歯肉移植術
　p36（389），**p98（1062）**

有細胞セメント質
　p38（408）同

誘導膜
　p39（423）類

遊離歯肉
　p14（151），p48（521），p49（531），p49（532），p84（916），
　p92（996），**p98（1063）**，p98（1065）

遊離歯肉移植術
　p21（221），p23（245），p25（264），p28（297），p36（389），
　p44（475），p56（601），p57（609），p85（916），p85（925），
　p98（1064）

遊離歯肉溝
　p98（1063），**p98（1065）**

ユニバーサル型キュレット
　p17（180），p21（220）類，**p99（1066）**

ユニバーサル型スケーラー
　p99（1066）同

ユニバーサルスケーラー
　p99（1066）同

ユニバーサルタイプ
　p99（1066）同

よ

要抜去歯
　p93（1006）同

予後不良歯
　p93（1006）同

横みがき法
　p87（940），**p99（1067）**

予知因子
　p88（956）同，**p99（1068）**

予防（歯周病の）
　p6（62），p36（383），p45（485），p45（486），p54（580），
　p61（655），p64（697），p76（825），p96（1046），**p99（1069）**

4点法（プロービングの）
　p44（480），**p99（1070）**，p104（1121）

ら

ライソザイム
　p101（1088）同

ライフスタイル
　p99（1071）

ラクトフェリン
　p99（1072）

ラバーチップ
　p40（434），**p99（1073）**

ラフサーフェイス（インプラントの）
　p99（1074）

ラポール
　p99（1075）

ラミニン
　p100（1076）

ランダム化比較試験
　p96（1042）同

ランダムバースト説
　p100（1079）

り

リウマチ
　p18（194）同

リエントリー手術
　p76（822），**p100（1080）**

リグロス®
　p45（484），p64（698）類，p74（804），**p100（1081）**

リコール
　p38（414），**p100（1082）**

リスクアセスメント
p100（1083）
リスク因子
p100（1085）[同]
リスクインディケーター
p100（1084）, p100（1085）[類], p100（1086）
リスクファクター
p13（144）, p18（188）[類], p19（202）, p19（203）, p19（204）, p21（228）, p33（355）, p55（595）, p57（615）, p58（619）, p61（663）, p73（797）, p76（821）, p89（967）, p96（1046）, p99（1071）, **p100（1085）**, p102（1106）
リスクプレディクター
p100（1086）[同]
リスクマーカー
p100（1084）, p100（1085）[類], **p100（1086）**
リスト-フォアアームモーション
p100（1087）, p104（1122）[類]
リゾチーム
p101（1088）
リッジプリザベーション
p101（1089）
リポ多糖
p12（126）, p23（244）, p42（455）, p74（799）, p75（814）, p82（894）, p83（899）, **p101（1090）**
リポ多糖体
p101（1090）[同]
リポポリサッカライド
p101（1090）[同]
両側歯間乳頭移動術
p101（1091）[同]
両側性平衡咬合
p88（952）[同]
両側乳頭弁移動術
p98（1062）, **p101（1091）**
リラクゼーション
p101（1092）
リン酸カルシウム人工材
p58（623）, p69（747）[類], p78（847）, **p101（1093）**
リン酸三カルシウム
p60（650）, p68（735）, p69（754）[類], p77（843）[類], p101（1093）, **p101（1094）**
臨床的アタッチメントレベル
p2（11）[同], p61（662）, p81（881）, p90（979）, **p101（1095）**
臨床的歯冠長延長術
p41（438）[同], **p101（1096）**
臨床的ポケット深さ
p89（965）[同], **p101（1097）**

る

累積成功率
p7（76）[類]
累積的防御療法
p102（1099）
ルートアンプテーション
p42（458）[同], **p102（1100）**
ルートキュレッタージ
p102（1101）, p102（1103）[類], p102（1105）[同]
ルートセパレーション
p42（461）[同], **p102（1102）**
ルートデブライドメント
p72（786）[類], **p102（1103）**, p102（1105）[類]
ルートデブリドマン
p102（1103）[同]
ルートデブリドメント
p102（1103）[同]
ルートトランク
p74（808）, **p102（1104）**
ルートプレーニング
p23（249）, p26（276）, p38（416）, p44（473）, p46（499）[類], p50（536）, p60（654）, p61（656）, p80（867）, p83（899）, p83（903）, p84（908）, p90（976）, p99（1066）, p102（1101）, p102（1103）[類], **p102（1105）**, p104（1122）
ルートプロキシミティ
p42（457）, **p102（1106）**
ルートリセクション
p42（458）[同], **p102（1107）**
ループ状縫合
p69（753）, p70（758）, **p102（1108）**

れ

レーザー
p11（119）, p67（733）, p70（755）, p77（835）, p80（868）, **p102（1109）**
レジン連続冠固定
p1（5）[同]
レシピエントサイト
p56（601）[同]
裂開
p15（159）, p24（252）[同], p72（783）, **p102（1110）**
裂溝形成
p103（1111）
レッドコンプレックス
p103（1112）
レンサ球菌性歯肉炎
p103（1113）
連続縫合
p70（758）, p93（1004）, **p103（1114）**

連続レジン冠固定
　p1（5）㊥

ろ

ロイコトキシン
　p1（4），p79（858），p82（894），**p103（1115）**

瘻孔
　p37（401）㊚，p98（1056），**p103（1116）**

弄舌癖
　p63（683）㊥，**p103（1117）**

ローカルドラッグデリバリーシステム
　p21（226）㊥

ロート状拡大
　p103（1118）㊚

ロート状骨吸収
　p103（1118）㊥

ロート状骨欠損
　p41（448），**p103（1118）**

ローリング法
　p87（940），**p103（1119）**

ロールテクニック
　p103（1120）㊥

ロールフラップ法
　p103（1120）

6点法（プロービングの）
　p99（1070），**p104（1121）**

露出セメント質
　p83（899）㊥

ロッキングモーション
　p84（908），p100（1087）㊚，**p104（1122）**

ロトソニックスケーラー
　p104（1123）

ロングセントリックオクルージョン
　p104（1124）

わ

ワイドセントリック
　p104（1126）

ワイヤー埋め込みレジン固定
　p104（1127）㊥

ワイヤー結紮レジン固定
　p104（1127）㊚

ワイヤーレジン固定
　p9（96），p80（865），**p104（1127）**

ワンサン口内炎
　p10（102）㊚，**p104（1128）**

ワンタフトブラシ
　p69（752）㊥

1ピースインプラント
　p71（773），**p104（1129）**

英文索引

4 points method
　p99（1070）
6 points method（probing）
　p104（1121）
8020 movement
　p79（856）

A

A-splint
　p9（96）
A-スプリント
　p9（96）, p75（812）, p104（1127）📖
abfraction
　p2（21）
abnormal habit
　p1（3）
abnormality of frenulum
　p57（610）
abrasive
　p26（276）
abscess
　p77（839）
absorbable membrane
　p20（210）, p62（674）
abutment
　p2（18）
abutment screw
　p2（19）
accident
　p22（236）
acellular cementum
　p96（1041）
acquired immunity
　p16（174）
acquired immunodeficiency syndrome
　p30（315）
acquired pellicle
　p16（173）, p91（993）
acrylic resin crown splint
　p1（5）
Actinobacillus actinomycetemcomitans
　p1（4）📖
active lesion
　p17（181）
acute necrotizing ulcerative gingivitis
　p9（95）, p20（213）

acute necrotizing ulcerative periodontitis
　p20（212）
acute periodontal abscess
　p20（215）
acute periodontal diseases
　p20（214）
acute symptom
　p20（216）
adherence
　p2（17）
adhesive resin splint
　p63（688）
adipocytokine
　p2（14）
adult periodontitis
　p62（673）
advanced glycation end product
　p37（396）
AGE
　p37（396）📖
Aggregatibacter actinomycetemcomitans
　p1（4）, p20（217）, p46（493）, p55（584）, p58（626）, p65（708）, p79（860）, p103（1115）
aggressive periodontitis
　p20（218）, p58（626）
AIDS
　p30（315）📖
air abrasion
　p9（87）
air scaler
　p9（88）
alkaline phosphatase
　p3（25）
allograft
　p68（743）
alloplastic material
　p34（361）
ALP
　p3（25）📖
altered passive eruption
　p56（598）
alveolar bone
　p47（511）

alveolar bone resorption
　p48（512）
alveolar crest
　p48（515）
alveolar crestal incision
　p48（517）
alveolar mucosa
　p49（523）
alveolar process
　p49（522）
alveolar ridge
　p48（518）
alveolar ridge augmentation
　p16（172）, p48（520）
alveolar ridge preservation
　p48（521）
alveoplasty
　p48（519）
amelogenin
　p3（22）
amoxicillin
　p3（23）
anaerobes
　p25（271）
anaerobic bacteria
　p25（271）
anchor suture
　p34（369）
anchorage
　p34（367）
angiogenesis
　p25（261）
angiogenic factor
　p25（262）
angular bone defect
　p31（333）
angular bone loss
　p59（639）
angular bone resorption
　p59（639）
ankylosis
　p3（26）
anterior guidance
　p3（30）
anti RANKL antibody
　p30（322）

159

antibacterial agent
p26（282）
antibiotic prophylaxis
p27（284）
antibody
p30（311）
antibody test
p30（312）
anticonvulsant
p28（299）
antiepileptic drug
p28（299）
antimicrobial drug
p26（282）
antimicrobial sensitivity test
p27（283）
ANUG
p9（95）, p10（102）㊞
ANUP
p10（102）㊞
APF
p53（574）㊞
aphthous gingivitis
p2（20）
apical periodontitis
p35（380）
apically positioned flap surgery
p53（574）
apically repositioned flap surgery
p53（574）
arachidonic acid metabolic product
p3（24）
Arkansas stone
p1（1）
ARONJ
p97（1056）㊞
arthrosis of temporomandibular joint
p16（171）
artificial bone
p58（623）
ascending pulpitis
p56（604）
aspartate aminotransferase
p1（8）
aspiration pneumonia
p31（323）
AST
p1（8）㊞
atelocollagen membrane
p2（16）

atherosclerosis
p2（15）
attached epithelium
p85（917）
attached gingiva
p84（916）
attached plaque
p85（918）
attachment
p1（9）
attachment gain
p1（10）, p85（919）
attachment level
p1（11）, p85（921）
attachment loss
p2（12）, p85（920）
attrition
p30（321）
autogenous graft
p40（430）
autoimmune disease
p42（455）
autosuggestion method
p42（452）
azithromycin
p1（6）

B

B-cell lesion
p81（875）
B-splints
p80（865）㊞
B-スプリント
p80（865）㊞
backward movement
p30（320）
bacteremia
p22（232）
bacteria-specific antibody
p37（395）
bacterial coating of tongue
p63（687）
bacterial flora
p36（394）
bacterial infection
p36（391）
bacterial plaque
p36（393）
bacterial test
p36（392）

bacterial virulence factor
p82（894）
Bacteroides forsythus
p69（750）㊞
Bacteroides gingivalis
p94（1019）㊞
bad breath
p29（306）
balanced occlusion
p80（864）
Barkann splint
p80（865）
Barkann 固定法
p15（160）, **p80（865）**, p104（1127）
barrier membrane
p39（423）
basic fibroblast growth factor
p12（121）
Bass method
p79（854）
behavior modification
p30（318）
benzethonium chloride
p92（1000）
bFGF
p64（698）㊞
bifurcational ridge
p78（849）
bioabsorbable membrane
p62（674）
biofilm
p78（845）
bioglass
p77（843）
biointegration
p77（842）
biologic width
p62（678）
biological width
p62（678）
biomaterial
p62（675）
bisphosphonate
p82（884）
bisphosphonate-related osteonecrosis
of the jaw
p82（885）
bite splint
p78（846）

160

black-pigmented anaerobic rods
　p31（326）
black triangle
　p87（939）
blade
　p88（955）
bleeding on probing
　p81（874）, p87（947）, p89（963）
blood glucose
　p25（269）
blood sugar
　p25（269）
BM-40
　p13（141）回
BMP
　p32（342）回
bodily tooth movement
　p49（524）
bone augmentation
　p33（354）
bone chisel
　p33（358）
bone conduction
　p33（356）
bone curette
　p31（332）
bone density
　p34（364）
bone file
　p33（359）
bone graft
　p31（330）
bone graft material
　p31（329）
bone-implant contact
　p31（331）
bone induction
　p34（365）
bone mineral density
　p34（364）回
bone morphogenetic protein
　p32（342）
bone probing
　p34（360）
bone regeneration
　p32（346）
bone resorption
　p32（340）
bone sialoprotein
　p33（348）

bone sounding
　p93（1007）
bone swaging
　p33（350）
bone torus
　p34（366）
bony crater
　p32（341）
BOP
　p52（556）, **p81（874）**, p89（963）回
Brånemark system
　p88（959）
BRONJ
　p82（885）回, p97（1056）翻
brushing method
　p87（940）
bruxism
　p78（851）, p86（936）
BSP
　p33（348）回
BULL rule
　p88（951）
BULL の法則
　p88（951）
B 細胞病変
　p71（775）, **p81（875）**
B リンパ球病変
　p81（875）回

C

C-reactive protein
　p39（420）
C 反応性タンパク質
　p39（420）回
Cairo's classification of gingival recession
　p16（165）
Cairo の歯肉退縮分類
　p16（165）, p53（566）, p96（1040）, p96（1045）
CAL
　p2（11）回
calcitonin
　p18（187）
calcium antagonist
　p17（186）
calcium channel blocker
　p17（186）

calcium phosphate artificial bone substitute
　p101（1093）
calculus index
　p47（507）
Campylobacter rectus
　p19（198）
candidiasis
　p18（190）
candidosis
　p18（190）
CAP
　p54（575）翻
carbon dioxide gas laser
　p70（755）
carbonate apatite
　p69（754）
cardiovascular disease
　p59（631）
carrier
　p20（209）, p70（759）
case-control study
　p57（615）
cause-related therapy
　p25（270）
cavitation
　p20（208）
CBCT
　p39（421）, **p40（428）**
CEJ
　p64（691）回
cellular cementum
　p38（408）
cement-retained
　p64（692）
cemental tear
　p64（694）
cemento-enamel junction
　p64（691）
cementum
　p64（693）
centric occlusion
　p30（316）, p71（768）
centric relation
　p71（767）
ceramic stone
　p64（696）
cervical hypersensitivity
　p42（450）

161

cetylpyridinium chloride
　　p63（681）
Charters method
　　p70（765）
Chédiak-Higashi syndrome
　　p70（761）
Chédiak-Higashi 症候群
　　p5（46），**p70（761）**
chemical plaque control
　　p16（168）
chisel type scaler
　　p70（764）
chlorhexidine
　　p24（256）
chronic desquamative gingivitis
　　p95（1035）
chronic periodontitis
　　p95（1034）
CI ratio
　　p23（243）
CI レシオ
　　p23（243）同
circular method
　　p82（893）
circumferential-type intrabony defect
　　p103（1118）
CIST
　　p102（1099）同
citric acid etching
　　p22（237）
classification of infrabony defect
　　p32（334）
cleft
　　p24（252）
clenching
　　p17（185），p22（235），p24（253）
clinical attachment level
　　p23（247），p101（1095）
clinical crown lengthening procedure
　　p101（1096）
clinical pocket depth
　　p101（1097）
CO_2 レーザー
　　p70（755）同
cognitive disease
　　p77（833）
cohort study
　　p34（370）
col
　　p3（31），p35（376）

collagen fiber
　　p35（373）
collagen membrane
　　p35（374）
collagen sponge
　　p34（372）
collagenase
　　p35（375）
combined periodontic-endodontic lesions
　　p44（479）
community periodontal index
　　p39（426）
community periodontal index modified
　　p40（427）
complex gingivitis
　　p84（914）
compliance
　　p35（383）
complications
　　p90（978）
comprehensive periodontal therapy
　　p92（1003）
computed tomography
　　p39（421）
condensing osteitis
　　p26（281）
cone-beam CT
　　p40（428）
connective tissue attachment
　　p25（265）
connective tissue graft
　　p25（264）
contact area
　　p35（381）
contact gauge
　　p35（382）
contact point
　　p63（684）
continuous suture
　　p103（1114）
contour
　　p19（197），p41（445）
corn suture plier
　　p31（325）
coronally advanced flap surgery
　　p53（575）同
coronally positioned flap surgery
　　p53（575）

coronally repositioned flap surgery
　　p53（575）
coronary artery heart disease
　　p18（193）
cotinine
　　p31（328）
CPC
　　p63（681）同
CPF
　　p53（575）同
CPI
　　p39（426），p40（427）
CPI modified
　　p40（427）
CPITN
　　p39（426）同
Crane-Kaplan pocket marking forceps
　　p23（251）
Crane-Kaplan のポケットマーカー
　　p23（251），p93（1016）
crater of alveolar bone
　　p23（250）
creeping attachment
　　p23（245）
crestal incision
　　p51（546）
crestal lamina dura
　　p48（516）
cribriform plate
　　p34（371）
Crohn's disease
　　p24（254）
cross-arch splint
　　p24（255）
crowding
　　p23（242），p67（722）
crown lengthening procedure
　　p41（438）
crown-implant ratio
　　p23（243）
crown-root ratio
　　p40（435）
CRP
　　p39（420）
CR 比
　　p40（435）同
CT
　　p39（421），p40（428）

cumulative interceptive supportive
　therapy
　p102（1099）
curettage
　p21（219）, p67（723）
curette type scaler
　p9（92）, p21（220）
curtain surgery
　p14（153）
cuspal interference
　p30（317）
cuspid guidance
　p26（273）
cuspid protected occlusion
　（articulation）
　p17（177）, p26（273）
cuspid protection
　p26（273）
cutting edge
　p17（180）
CVD
　p59（631）同
cyclic neutropenia
　p55（587）
cyclosporin A
　p42（449）
cytokine
　p37（400）

D

dark-field microscope
　p3（27）
debridement
　p72（786）
debris index
　p42（454）
deep overbite
　p16（166）
dehiscence
　p72（783）, p102（1110）
delayed implant placement
　p7（74）
delayed loading
　p70（762）
demineralized freeze-dried bone
　allograft
　p69（746）
dental calculus
　p47（506）

dental floss
　p73（790）
dental follicle
　p47（505）
dental hygiene process of care
　p40（429）
dental implant
　p6（61）
dental plaque
　p42（453）, p73（789）
dental rinse
　p73（791）
dental sac
　p47（505）
dental x-ray film
　p73（788）
dentifrice
　p54（580）
dentin hypersensitivity
　p66（716）
dentin-pulp complex
　p66（715）
dentino-enamel junction
　p10（107）
denture splint
　p56（605）
depressor
　p26（278）
deproteinized bovine bone mineral
　p69（747）
desquamative gingivitis
　p78（852）
DFDBA
　p69（746）同, p69（747）類, p73
　（796）類
diabetes mellitus
　p73（797）
diagnostic wax up
　p59（632）
dietary habit
　p58（619）
dilantin-induced gingival hyperplasia
　p68（739）
dilantin-induced gingival overgrowth
　p68（739）
diphenylhydantoin
　p54（579）
direct bonding system splint
　p68（740）

disease evolution
　p83（896）
diseased granulation tissue
　p87（949）
distal wedge operation
　p72（779）
distal wedge surgery
　p72（779）
distraction osteogenesis
　p17（175）, p32（338）
divergence of roots
　p43（466）
donor site
　p21（221）
double layer suture
　p69（753）
double papilla laterally positioned flap
　surgery
　p101（1091）
down growth（epithelial）
　p58（624）
Down syndrome
　p68（741）
Down 症候群
　p68（741）
doxycycline
　p74（800）
drug allergy
　p98（1058）
drug-induced gingival hyperplasia
　p98（1060）
drug-induced gingival overgrowth
　p98（1060）
drug resistance
　p98（1057）
drug-resistant bacteria
　p68（738）
drug sensitivity test
　p98（1059）
drug therapeutics
　p98（1061）
dry mouth
　p27（288）
dryness of mouth
　p27（288）
dysbiosis
　p72（780）

163

E

early loading
p66（714）
early-onset periodontitis
p66（713）
EBD
p11（113）囲
EBM
p11（113）囲
ECM
p38（406）囲
ectopic bone formation
p4（36）
EDTA conditioning
p3（32）
EDTA 処理
p3（32）, p10（105）種
effusion
p58（627）
Ehlers-Danlos syndromes
p9（97）
Ehlers-Danlos 症候群
p9（97）
Eichner's classification
p1（2）
Eichner の分類
p1（2）
electric surgery
p12（120）
electric surgical knife
p73（787）
electric toothbrush
p73（792）
embrasure
p31（327）, p40（433）
EMD
p11（110）種, p11（111）囲
Emdogain®
p11（118）
emergence profile
p11（116）
enamel bonding resin splint
p11（109）
enamel matrix derivative
p11（111）
enamel matrix protein
p11（110）
enamel pearl
p10（106）

enamel projection
p10（108）
ENAP
p59（638）囲
endocarditis
p59（634）
endotoxin
p12（126）, p75（814）
envelope flap technique
p12（128）
envelope technique
p12（127）
environmental factor
p18（188）
epidemiology
p10（98）
epithelial attachment
p57（612）, p57（613）
ePTFE 膜
p3（33）, p12（125）, p39（423）, p59（633）, p81（879）
epulis
p11（114）
Er：YAG laser
p11（119）
esthetic periodontal surgery
p59（636）
ES 細胞
p18（189）種, p69（751）種
etching
p10（105）
EVA tip
p9（94）
EVA チップ
p9（94）
evidence based dentistry
p11（113）
evidence based medicine
p11（113）
excisional new attachment procedure
p59（638）
expanded polytetrafluoroethylene membrane
p3（33）, p12（125）, p59（633）
external bevel incision
p15（156）
external marginal epithelium
p14（154）
external splint
p15（160）

extracellular matrix
p38（406）
extraction for convenience
p92（998）
extrusion
p72（777）
exudate
p58（627）

F

facet
p83（904）
false pocket
p17（179）
faulty dental restoration
p85（923）
Fc receptor
p11（115）
Fc 受容体
p11（115）囲
Fc レセプター
p11（115）, p14（147）
FDBA
p69（746）種, p69（747）種, p73（796）囲
fenestration
p15（159）, p84（911）
festoon
p84（909）
FGF
p64（698）囲
FGF-2
p64（698）種
FGG
p98（1064）囲
fibrin sealant
p83（906）
fibroblast growth factor
p64（698）
fibronectin
p84（907）
fibrous attachment
p65（700）
fibrous gingival hyperplasia
p64（699）
fibrous gingival overgrowth
p64（699）
figure-eight suture
p79（855）

file type scaler
p83（903）
fimbriae
p65（708）
finger motion
p84（908）
fistula
p103（1116）
fixation
p34（367）
fixed appliance
p34（368）
fixture
p83（905）
flap curettage
p87（943）
flap elevation
p53（568）
flap operation
p53（569）, p87（944）
flap reflection
p53（568）
flap surgery
p53（569）, p87（944）
flapless surgery
p87（945）
flaring
p88（954）
flaring out
p88（954）
flossing
p89（968）
FMD
p27（285）[類], p88（953）
focal infection
p83（897）
Fones method
p84（912）
Fones' method
p84（912）
food habit
p58（619）
food impaction
p58（620）
FOP
p87（944）[同]
forced eruption
p21（223）
fracture
p87（937）
fracture of root
p42（459）
free gingiva
p98（1063）
free gingival graft
p98（1064）
free gingival groove
p98（1065）
freeze-dried bone allograft
p73（796）
fremitus
p88（958）
frenectomy
p57（608）
frenotomy
p57（609）
frictional keratosis
p94（1028）
Friedman & Levin's classification
p87（948）
Friedman と Levin の分類
p87（948）
full balanced occlusion
p88（952）
full mouth disinfection
p88（953）
full thickness flap
p65（705）, p88（950）
functional cusp
p19（205）
fur
p63（687）
furcaplasty
p36（385）
furcation fornix
p36（384）
furcation involvement
p36（386）, p90（977）
furcation plasty
p36（385）, p83（901）
furcation probe
p83（902）
Fusobacterium nucleatum
p84（915）

G

gargle
p18（196）
GBI
p52（557）[同]
GBR 法
p2（16）, p3（33）, p16（172）, p32（347）, p33（354）, p39（423）, **p39（425）**, p48（520）, p81（879）
GCF
p51（551）[同]
generalized juvenile periodontitis
p30（319）
genetic diagnosis
p4（45）
genetic predisposition
p5（48）
genotype
p4（44）
genuine halitosis
p58（628）
GI
p50（540）[同]
gingipain
p58（625）
gingiva
p49（531）
gingival abscess
p53（567）
gingival augmentation
p53（564）
gingival biotype
p78（844）
gingival bleeding
p52（556）
gingival bleeding index
p52（557）
gingival connective tissue graft
p51（548）
gingival crevice
p51（549）
gingival crevicular fluid
p51（551）
gingival disease
p52（555）
gingival enlargement
p53（571）
gingival epithelium
p52（558）
gingival fibromatosis
p52（562）
gingival flap
p53（573）
gingival flap surgery
p53（569）

gingival hyperplasia
　p51（547），p52（563）
gingival hypertrophy
　p53（571）
gingival index
　p50（540）
gingival lesions
　p53（572）
gingival overgrowth
　p52（563）
gingival pocket
　p54（577）
gingival polyp
　p53（565）
gingival recession
　p53（566）
gingival retraction
　p49（532）
gingival sulcus
　p51（549）
gingivectomy
　p52（560）
gingivectomy knife
　p52（561）
gingivitis
　p49（533）
gingivitis induced by dental plaque only
　p86（932）
gingivitis modified by malnutrition
　p9（93）
gingivoplasty
　p52（559）
GJP
　p54（584）［同］
Glickman's classification of furcation involvement
　p23（246）
Glickmanの根分岐部病変分類
　p23（246），p36（386），p68（734），p80（869），p102（1098）
glycated hemoglobin
　p73（794）
GOT
　p1（8）［同］
Gracey type curette
　p23（249）
Gram-negative bacteria
　p23（244）
granulation tissue
　p75（820）

grinding
　p22（241）
groove of the root
　p36（388）
grooving
　p103（1111）
group functioned occlusion
　p23（248）
growth factor
　p62（677），p66（720）
GTR法
　p2（16），p3（33），p36（386），p36（389），**p39（422）**，p39（423），p45（483），p45（484），p62（668），p67（729），p69（753），p76（822），p79（861），p81（879）
GTR膜
　p2（16），p20（210），p25（264），p31（325），p39（422），**p39（423）**，p39（425），p62（668），p76（827），p79（861），p90（980）
GTRメンブレン
　p39（423）［同］
guided bone regeneration method
　p32（347），p39（425）
guided tissue regeneration method
　p39（422），p45（483），p67（729）
gummy smile
　p17（184）
gutter-shaped root
　p73（793）

H

HA
　p78（847）［同］
habit
　p55（593）
Haim-Munk syndrome
　p78（850）
Haim-Munk症候群
　p78（850）
halitophobia
　p29（307）
halitosis
　p29（306）
Hamp et al.'s classification of furcation involvement
　p80（869）
Hampらの根分岐部病変分類
　p23（246），p36（386），p68（734），**p80（869）**，p102（1098）
hand scaler
　p56（600）
HAP
　p78（847）［同］
HbA1c
　p9（91），p91（985）［同］
healing（clinical periodontal tissue）
　p70（766）
hemagglutinin
　p25（263）
hemidesmosome
　p91（984）
hemisection
　p42（460），p90（982）
hemiseptal bone defect
　p91（983）
hemoglobin A1c
　p9（91），p91（985）
hereditary gingival fibromatosis
　p5（47）
herpetic gingivostomatitis
　p92（995）
Hertwig's epithelial sheath
　p92（994）
heterogenous bone graft
　p68（743）
heterotopic osteogenesis
　p4（36）
HIV
　p82（888）［同］
HIV-related periodontitis
　p9（90）
HIV関連歯周炎
　p9（90），p30（315），p82（888）
hoe type scaler
　p92（1002）
hopeless tooth
　p93（1006）
horizontal bone loss
　p60（643）
horizontal bone resorption
　p60（643）
horizontal food impaction
　p60（644）
horizontal mattress suture
　p60（646）
horizontal overlap
　p12（131）

horizontal probing
　p60（645）
horizontal tooth brushing method
　p99（1067）
host factor
　p55（595）
host-parasite interaction
　p56（596）
human immunodeficiency virus
　p82（888）
hydantoin antiepileptic drug
　p82（887）
hydroxyapatite
　p78（847），p82（889）
hypercementosis
　p64（695）
hyperplastic gingivitis
　p67（721）
hypersensitive dentin
　p66（716）
hypersensitivity
　p70（763）
hypophosphatasia
　p72（784）
hypotensive drug
　p26（278）
Hys
　p66（716）🔄

I

ICSD
　p60（649）🔄
IDDM
　p4（39）🔄
idiopathic gingival hyperplasia
　p74（801）
idiopathic gingival overgrowth
　p74（801）
IFN
　p5（54）🔄
IGF
　p5（51）🔄
IHD
　p21（227）🔄
IL
　p5（56）🔄
immediate implant placement
　p7（72）
immediate loading
　p67（724）

immune globulin
　p97（1053）
immunoglobulin
　p97（1053）
implant body
　p7（73）
implant mobility
　p8（78）
implant plasty
　p8（80）
implant prosthodontics
　p8（81）
implant success rate
　p7（76）
implant superstructure
　p57（614）
implant survival rate
　p7（77）
implant thread
　p7（71）
incipient gingivitis
　p57（617）
incomplete fracture
　p84（913）
india stone
　p5（57）
indole
　p6（59）
infectious endocarditis
　p18（195）
inflammatory cell infiltration
　p12（123）
inflammatory cytokine
　p12（122）
inflammatory mediator
　p12（124）
informed consent
　p6（60）
infrabony defect
　p31（333）
infrabony pocket
　p32（335）
infraocclusion
　p71（774）
infundibuliform infrabony defect
　p103（1118）
initial periodontal therapy
　p44（473）
initial preparation
　p5（49），p44（473），p58（618）

initial therapy
　p44（473），p58（618）
inlay graft procedure
　p8（82）
innate immunity
　p47（509）
inner epithelium
　p75（810）
insertion torque
　p94（1024）
insulin-like growth factor
　p5（51）
insulin-resistant diabetes mellitus
　p5（50）
integrin
　p6（58）
interalveolar septum
　p66（711）
intercellular matrix
　p38（407）
intercuspal position
　p30（316）
interdental brush
　p5（53），p41（443）
interdental instrument
　p40（437）
interdental papilla
　p41（439）
interdental separation
　p41（446）
interdental stimulator
　p5（52），p40（434）
interdental suture
　p41（444）
interdental toothbrush
　p5（53）
interferon
　p5（54）
interleukin
　p5（56）
internal bevel incision
　p75（811）
internal splint
　p75（812）
interpositional graft
　p5（55）
interradicular projection
　p35（378）
interradicular septum
　p35（377）

167

interrupted suture
p70（758）
intrabony defect
p31（333）, p33（357）
intracrevicular incision
p51（552）
intraoral radiograph
p28（298）
intraoral x-ray photograph
p28（298）
intrapocket application of antimicrobial drug
p93（1011）
intrasulcular incision
p51（552）
inverse bevel incision
p75（811）
iPS 細胞
p18（189）[類], p69（751）[類]
ischemic heart disease
p21（227）

J

Jankelson's classification
p55（586）
Jankelson の分類
p55（586）
jiggling force
p41（448）
junctional epithelium
p63（682）
juvenile periodontitis
p54（584）

K

Kaposi sarcoma
p17（182）
keratinized gingiva
p16（169）
keratinized mucosa
p16（170）
Kirkland knife
p14（152）
Kois's classification
p26（277）
Kois の分類
p26（277）, p50（539）
Konus telescopic denture
p31（324）

L

lactate dehydrogenase
p76（828）
lactoferrin
p99（1072）
lamina dura
p47（510）
laminin
p100（1076）
laser
p102（1109）
late implant placement
p7（75）
lateral movement
p67（725）
laterally positioned flap surgery
p54（576）
laterally repositioned flap surgery
p54（576）
LDDS
p21（226）[同], p93（1011）[類]
LDH
p76（828）[同]
leukemic gingivitis
p79（859）
leukocyte adhesion deficiency syndrome
p79（857）
leukotoxin
p79（858）, p103（1115）
lichen planus
p92（1001）
life style
p99（1071）
life style disease
p62（672）
life style-related disease
p62（672）
Lindhe & Nyman's classification of furcation involvement
p101（1098）
Lindhe と Nyman の根分岐部病変分類
p23（246）, p36（386）, p43（461）, p68（734）, p74（803）, p80（869）, **p101（1098）**
lingual arch appliance
p63（686）
lingual plate-adhesive resin splint
p64（690）
lip biting habit
p29（309）
lip incompetence
p29（308）
lipopolysaccharide
p101（1090）
LJP
p54（584）[類]
local drug delivery system
p21（226）
local modified factors
p21（225）
localized juvenile periodontitis
p26（272）
long centric occlusion
p104（1124）
long epithelial attachment
p75（815）
loop suture
p102（1108）
LPF
p54（576）[同]
LPS
p101（1090）[同]
lysozyme
p101（1088）

M

macrolide antibiotic
p94（1027）
maintenance
p96（1046）
Malassez epithelial rest
p95（1032）
marginal gingiva
p92（996）
marginal periodontitis
p92（997）
masticatory ability
p67（731）
materia alba
p94（1030）
matrix metalloproteinase
p95（1031）
mattress suture
p94（1029）
maxillary sinus elevation
p56（602）

Maynard's classification of gingival recession
　　p96（1045）
Maynard の歯肉退縮分類
　　p16（165），p53（566），p96（1040），
　　p96（1045）
McCall のフェストゥーン
　　p84（909）🔄
mechanical plaque control
　　p19（200）
median diastema
　　p62（676）
medication-related osteonecrosis of the jaw
　　p96（1044），p97（1056）
membrane of copolymers of polylactic acid and polyglycolic acid
　　p76（827）
mesenchymal stem cell
　　p19（199），p33（349）
mesh-resin splint
　　p97（1050）
meta-analysis
　　p97（1048）
metabolic syndrome
　　p97（1049）
metal allergy
　　p22（234）
metronidazole
　　p97（1051）
MFT
　　p27（292）
MGJ
　　p51（553）🔄
MGS
　　p44（475）🔄
MI
　　p95（1037）🔄
MIC
　　p37（397）🔄
microbial substitution
　　p22（233）
microgap
　　p94（1021）
microsurgery
　　p94（1022）
midline diastema
　　p62（676）

Miller's classification of gingival recession
　　p95（1040）
Miller の歯肉退縮分類
　　p16（165），p53（566），**p95（1040）**，
　　p96（1045）
minimal intervention
　　p95（1037）
minimally invasive surgical technique
　　p95（1036）
minimum inhibitory concentration
　　p37（397）
minocycline
　　p95（1038）
minor tooth movement
　　p11（117），p56（603）
MIST
　　p95（1036）
MMP
　　p95（1031）🔄
moderate periodontitis
　　p71（769）
modified mattress suture
　　p15（164）
modified pen grasp
　　p49（527），p97（1055）
modified plaque index
　　p15（162）
modified Stillman method
　　p61（660）
modified sulcus bleeding index
　　p15（161）
modified Widman flap operation
　　p8（83）
modified Widman flap surgery
　　p8（83）
molar disclusion
　　p20（211）
motivation
　　p73（795），p97（1054）
mouth breathing
　　p29（304）
mouth breathing line
　　p29（305）
mouth rinse
　　p65（701）
mouth rinse solution
　　p65（701）
mouth screen
　　p94（1025）

mouthwash
　　p65（701）
mPlI
　　p15（162）🔄
MRONJ
　　p96（1044），p97（1056）🔄
mSBI
　　p15（161）🔄
MTM
　　p11（117），p44（474）🔄
mucogingival junction
　　p51（553）
mucogingival surgery
　　p51（554）
mucoperiosteal flap
　　p77（836）
mucosal elevator
　　p77（837）
mucosal flap
　　p77（838）
mucosal raspatory
　　p77（837）
MUDL rule
　　p96（1043）
MUDL の法則
　　p96（1043）
multi disciplinary approach
　　p95（1033）
multidrug resistant bacteria
　　p69（745）
multiple drug resistant bacteria
　　p69（745）
multipotential stem cell
　　p69（751）
myofunctional therapy
　　p22（231）

N

Nabers probe
　　p77（834）
NAFLD
　　p80（870）🔄
Nd：YAG laser
　　p77（835）
necrotic cementum
　　p10（103）
necrotizing periodontal diseases
　　p10（102）
necrotizing stomatitis
　　p10（101）

169

necrotizing ulcerative gingivitis
p10 (100)
necrotizing ulcerative periodontitis
p10 (99)
neutropenia
p30 (313)
neutrophil lesion
p30 (314)
new attachment
p59 (637)
newly formed cementum
p59 (629)
nicotine
p76 (821)
NIDDM
p75 (819) 同
nifedipine-induced gingival hyperplasia
p76 (826)
nifedipine-induced gingival overgrowth
p76 (826)
night guard
p75 (813)
non-absorbable membrane
p81 (879)
non-alcoholic fatty liver disease
p80 (870)
non-carious cervical lesions
p81 (878)
non-functional tooth
p85 (924)
non-insulin-dependent diabetes mellitus
p75 (819) 同
non plaque-induced gingival lesions
p82 (891)
non-resorbable membrane
p81 (879)
nonsteroidal anti-inflammatory drugs
p11 (112), p81 (883)
non-submerged implant placement
p4 (43)
non-surgical therapy
p81 (880)
non-vertical stop occlusion
p62 (671)
NSAIDs
p11 (112), p81 (883) 同
NUG
p10 (102) 類

NUP
p10 (102) 類

O

obesity
p82 (892)
occlusal adjustment
p29 (302), p65 (706)
occlusal equilibration
p29 (302)
occlusal interference
p28 (300)
occlusal pattern
p29 (303)
occlusal reshaping
p40 (432)
occlusal scheme
p29 (303)
occlusal splint
p13 (137)
occlusal trauma
p28 (301)
Ochsenbein chisel
p12 (129)
odds ratio
p13 (144)
odontoplasty
p14 (146)
OHI
p27 (286) 同
one-piece implant
p104 (1129)
one-stage implant placement
p4 (43)
onlay graft procedure
p14 (151)
open bite
p13 (134)
operating microscope
p56 (597)
opportunistic infection
p83 (900)
opsonin
p14 (147)
oral breathing
p29 (304)
oral candidiasis
p27 (287)
oral candidosis
p27 (287)

oral care
p28 (293)
oral frailty
p13 (136)
oral health care
p28 (293)
oral health-related quality of life
p27 (289)
oral hygiene index
p27 (286)
oral hygiene instruction
p28 (294)
oral hypofunction
p27 (291)
oral irrigation device
p28 (295)
oral malodor
p29 (306)
oral myofunctional therapy
p27 (292)
oral rehabilitation
p27 (290)
oral respiration
p29 (304)
oral screen
p13 (135)
oral sulcular epithelium
p51 (550)
oral vestibule
p28 (296)
Orban knife
p14 (149)
osseointegration
p14 (145), p32 (344)
osseous ankylosis
p33 (352)
osseous resection
p32 (343)
ostectomy
p33 (353), p48 (514)
osteoblast
p32 (339)
osteocalcin
p13 (139)
osteoclast
p78 (853)
osteoconduction
p33 (356)
osteodistraction
p32 (338)

170

osteoectomy
　　p13（138），p33（353），p48（514）
osteoinduction
　　p34（365）
osteonectin
　　p13（141）
osteopenia
　　p32（345）
osteoplasty
　　p13（142），p33（351），p48（513）
osteopontin
　　p13（143）
osteoporosis
　　p33（355）
osteotome
　　p13（140）
osteotomy site（for implant）
　　p94（1023）
ovate pontic
　　p14（148）
overbite
　　p12（132）
overcontour
　　p12（130）
overhang margin
　　p13（133）
overjet
　　p12（131）
overload
　　p17（176）

P

PAL
　　p2（11）㊐
palatogingival groove
　　p26（280）
palm grasp
　　p77（841）
palmoplantar pustulosis
　　p57（607）
papilla preservation flap surgery
　　p41（441），p76（830），p79（861）
papilla preservation flap technique
　　p76（830），p79（861）
papillary reconstruction
　　p76（829）
Papillon-Lefèvre syndrome
　　p79（860）
Papillon-Lefèvre 症候群
　　p5（46），p78（850）㊐，**p79（860）**

parafunction
　　p79（863）
parasomnia
　　p60（647）
partial thickness flap
　　p77（840），p85（925）
pathological cementum
　　p83（899）
pathological tooth migration
　　p83（898）
patient reported outcome
　　p18（191）
PCR
　　p36（392），**p81（876）**，p86（928）
　　㊐，p93（1018）㊐
PD
　　p89（965）㊐
PDGF
　　p25（267）㊐
PDI
　　p44（478）㊐
pedicle gingival graft
　　p98（1062）
pellicle
　　p91（993）
pen grasp
　　p49（526），p92（999）
penicillin antibiotic
　　p90（981）
peri-implant crevicular epithelium
　　p6（64）
peri-implant crevicular fluid
　　p6（65）
peri-implant disease
　　p6（66）
peri-implant mucosa
　　p7（69）
peri-implant mucositis
　　p7（70）
peri-implant soft tissue
　　p7（68）
peri-implant sulcus
　　p6（63），p91（987）
peri-implant sulcus fluid
　　p6（65）
peri-implant tissue
　　p6（67）
peri-implantitis
　　p6（62），p91（986）

periapical peri-implantitis
　　p35（379）
perio-orthodontic treatment
　　p44（474）
periodontal abscess
　　p45（487）
periodontal antimicrobial therapy
　　p27（285）
periodontal biotype
　　p78（844）
periodontal chart
　　p91（989）
periodontal comprehensive examination
　　p44（480）
periodontal curettage
　　p46（499）
periodontal disease
　　p44（477）
periodontal disease activity
　　p45（491），p49（528）
periodontal disease index
　　p44（478）
periodontal disease susceptibility
　　p49（529）
periodontal diseases
　　p45（489）
periodontal dressing
　　p46（497），p91（990）
periodontal epithelial surface area
　　p90（979）
periodontal index
　　p91（988）
periodontal inflamed surface area
　　p81（881）
periodontal initial examination
　　p44（472）
periodontal lesions combined with
　　endodontic lesions
　　p49（530）
periodontal ligament
　　p43（462）
periodontal ligament cell
　　p43（465）
periodontal ligament space
　　p43（463）
periodontal masseteric reflex
　　p43（464）
periodontal medicine
　　p43（468），p91（992）

171

periodontal membrane
　p43（462）
periodontal pack
　p45（488）
periodontal phenotype
　p46（495）
periodontal plastic surgery
　p44（475），p91（991）
periodontal pocket
　p46（498）
periodontal probe
　p46（496）
periodontal prosthetics
　p47（501）
periodontal regeneration
　p37（399）
periodontal regenerative therapy
　p45（484）
periodontal repair
　p55（591）
periodontal surgery
　p44（476）
periodontal therapy
　p45（485）
periodontal tissue
　p45（481）
periodontal tissue examination
　p45（482）
periodontics
　p45（486）
periodontitis
　p43（469）
periodontitis associated with genetic disorders
　p5（46）
periodontitis associated with smoking
　p19（204）
periodontitis associated with systemic diseases
　p65（703）
periodontitis grade
　p43（470）
periodontitis stage
　p43（471）
periodontium
　p45（481）
periodontology
　p45（490）
periodontopathic bacteria
　p46（493）

perioperative oral management
　p55（588）
periosteal suture
　p34（363）
periosteum elevator
　p34（362）
permanent splint
　p9（89）
PESA
　p81（881）掲，**p90（979）**
PGE_2
　p89（967）同
phase-contrast microscope
　p4（37）
phenytoin-induced gingival hyperplasia
　p84（910）
phenytoin-induced gingival overgrowth
　p84（910）
photodynamic therapy
　p29（310）
PI
　p91（988）同
pigmentation（gingival）
　p41（447）
pili
　p65（708）
PISA
　p81（881），p90（979）掲
plaque
　p85（926）
plaque control
　p85（927）
plaque control record
　p81（876），p86（928）
plaque disclosing agent
　p86（931）
plaque-free zone
　p86（934）
plaque index
　p86（929）
plaque-induced gingivitis
　p86（930）
plaque retention factor
　p86（933），p86（935）
plasmacytosis
　p24（257）
plastic surgery
　p87（938）
platelet-derived growth factor
　p25（267）

platelet-rich plasma
　p25（266），p68（744），p80（871）
platform
　p87（941）
platform shifting
　p87（942）
PlI
　p86（929）同
plunger cusp
　p87（946）
PMA index
　p80（872）
PMA 指数
　p80（872）
PMTC
　p9（94），p38（416），p50（538），**p81（873）**，p90（974），p90（975）掲，p90（976）同
pocket
　p93（1008）
pocket depth
　p93（1010），p93（1013）
pocket epithelium
　p93（1009）
pocket irrigation
　p93（1012）
pocket marker
　p93（1016）
pocket probe
　p93（1015）
pocket probing measurement
　p93（1014）
polishing material
　p26（276）
polishing of tooth surface
　p54（581）
polymerase chain reaction
　p81（876），p93（1018）
pontic shape
　p94（1020）
Porphyromonas gingivalis
　p20（217），p25（263），p31（326），p46（493），p58（625），p65（708），p69（750），p74（806），**p94（1019）**，p103（1112）
posterior disocclusion
　p20（211）
power-driven scaler
　p80（866）

PPD
　p89（965）🔄
PPF
　p79（861）🔄
PPT
　p79（861）🔄
predictor
　p88（956），p99（1068）
pregnancy epulis
　p76（831）
pregnancy-associated gingivitis
　p77（832）
premature birth
　p72（781）
premature contact
　p66（712）
premature delivery
　p72（781）
premature labor
　p72（781）
prematurity
　p72（781）
prepubertal periodontitis
　p47（503），p65（702）
pressure sensitive probe
　p19（201）
preterm low birth weight
　p66（717）
preterm low weight birth
　p66（718）
prevention（of periodontal disease）
　p99（1069）
preventive periodontal therapy
　p46（494）
Prevotella intermedia
　p31（326），p77（832），**p88（957）**
primary occlusal trauma
　p4（40）
primary prevention
　p4（42）
primary stability
　p57（616）
primary stabilization
　p57（616）
primary wound healing
　p4（41）
PRO
　p18（191）🔄
probe
　p89（966）

probing
　p88（960）
probing attachment level
　p89（961）
probing depth
　p89（965）
probing measurement
　p89（964）
probing pressure
　p89（962）
probiotics
　p89（971）
professional care
　p90（974）
professional mechanical tooth cleaning
　p81（873），p90（976）
professional oral care
　p65（709）
professional tooth cleaning
　p81（877），p90（975）
prophylactic antibiotics administration
　p27（284）
prospective study
　p94（1026）
prostaglandin E_2
　p89（967）
protease
　p89（969）
proteoglycan
　p89（970）
protrusive movement
　p65（707）
provisional restoration
　p39（418），p90（973）
provisional splint
　p89（972）
PRP
　p68（744）🔄，**p80（871）**
pseudohalitosis
　p17（178）
pseudopocket
　p17（179）
PTC
　p81（877），p90（975）🔄，p90（976）🔄
pubertal gingivitis
　p47（502）
pus discharge
　p78（848）

Q
quorum sensing
　p22（238）

R
Ramfjördの6歯
　p44（478），**p100（1077）**
random burst theory
　p100（1079）
randomized controlled trial
　p96（1042）
RANKL
　p30（322），p89（967），**p100（1078）**
rapidly progressive periodontitis
　p20（217）
rapport
　p99（1075）
RCT
　p96（1042）🔄
re-entry procedure
　p100（1080）
re-entry surgery
　p100（1080）
re-evaluation
　p37（404）
reattachment
　p38（405）
recall
　p100（1082）
receptor activator NFκB ligand
　p100（1078）
recession
　p68（736）
recipient site
　p56（601）
reconstruction of interdental papilla
　p41（440）
recurrence of periodontitis
　p37（402）
recurrent periodontitis
　p37（403）
red complex
　p103（1112）
refractory periodontitis
　p75（817）
regeneration
　p37（399）
REGROTH®
　p100（1081）

173

relaxation
p101（1092）
release incision
p26（275）
releasing incision
p26（275）
removal of melanin pigmentation
p97（1052）
resective procedure
p63（685）
resective therapy
p63（685）
resistant bacteria
p68（738）
resorbable membrane
p20（210）
rest position
p3（28）, p16（167）
restorative and prosthetic therapy
p55（592）
retention
p93（1017）
retrograde pulpitis
p20（207）
retrospetive study
p8（86）
rheumatoid arthritis
p18（194）
ridge augmentation
p16（172）, p48（520）
ridge preservation
p101（1089）
rinsing agent
p65（701）
risk assessment
p100（1083）
risk factor
p19（202）, p100（1085）
risk indicator
p100（1084）
risk marker
p100（1086）
rocking motion
p104（1122）
roll-flap technique
p103（1120）
rolling method
p103（1119）
root amputation
p102（1100）

root caries
p36（387）
root coverage
p36（389）
root curettage
p102（1101）
root debridement
p102（1103）
root fracture
p42（459）
root planing
p102（1105）
root proximity
p42（457）, p102（1106）
root resection
p42（458）, p102（1107）
root resorption
p42（456）
root separation
p42（461）, p102（1102）
root trunk
p102（1104）
rotosonic scaler
p104（1123）
rough surface
p99（1074）
rubber tip
p99（1073）

S

saddle graft
p38（411）
salivary test
p68（742）
SAS
p60（648）回
scaffold
p1（7）, p60（650）
scaler
p60（654）
scaling
p47（508）, p61（655）
scaling and root planing
p61（656）
scallop shaped incision
p60（651）
scorbutic gingivitis
p15（155）
screw-retained
p60（653）

scrubbing method
p60（652）
SCTG
p57（611）回
SDA
p70（756）回
secondary occlusal trauma
p76（823）
secondary prevention
p76（825）
secondary surgery
p76（822）
secondary wound healing
p76（824）
sectional arch
p63（679）
Seibert's classification
p39（424）
Seibert の分類
p39（424）
selective grinding
p65（706）
self-care
p64（697）
self-cleaning action
p47（504）
semiconductor diode laser
p80（868）
semilunar coronally positioned flap surgery
p80（867）
serum antibody titer（level）test
p25（268）
severe periodontitis
p55（590）
sextant
p63（680）
shank
p55（585）
sharpening
p54（583）
Sharpey fiber
p54（582）
shortened dental arch
p70（756）
sickle type scaler
p17（183）, p49（525）
simple gingivitis
p70（757）

single nucleotide polymorphism
　　p4（38），p61（664）
sinus augmentation
　　p56（602）
sinus tract
　　p37（401），p103（1116）
six teeth of Ramfjörd
　　p100（1077）
sleep apnea syndrome
　　p60（648）
sliding abrasion（by brushing）
　　p38（409）
slight periodontitis
　　p24（260）
slow-release drug
　　p58（621）
smear layer
　　p62（670）
smile line
　　p62（669）
smoking
　　p19（203）
smoking cessation
　　p22（230）
smoking cessation support
　　p21（228）
smoking cessation support program
　　p21（229）
SNP
　　p4（38）囲，p4（44）視
SNPs
　　p4（38）囲，p4（44）視
socket lift
　　p67（727）
socket preservation
　　p67（726）
soft laser
　　p67（733）
soft tissue management
　　p67（732）
softened cementum
　　p75（816）
sonic toothbrush
　　p14（150）
space making
　　p62（668）
SPARC
　　p13（141）囲
spirochetes
　　p61（665）

splint
　　p34（367），p61（666）
splint treatment
　　p62（667）
SPT
　　p10（104），p37（404），p38（416）
　　囲，p39（419），p46（494）視，p96
　　（1046）視
SRP
　　p61（656）囲
stabilization splint
　　p61（657）
stable lesion（periodontal disease）
　　p83（895）
stem cells
　　p18（189）
stent
　　p61（662）
Stevens-Johnson syndrome
　　p61（658）
Stevens-Johnson 症候群
　　p61（658），p98（1058）
Stillman's cleft
　　p61（661）
Stillman のクレフト
　　p24（252）囲，**p61（661）**
stippling
　　p61（659）
strategic tooth extraction
　　p65（710）
Streptococcal gingivitis
　　p103（1113）
stress
　　p61（663）
subepithelial connective tissue graft
　　p57（611）
subgingival calculus
　　p50（535）
subgingival contour
　　p38（412）
subgingival irrigation
　　p49（534）
subgingival margin
　　p50（539）
subgingival plaque
　　p50（537）
subgingival plaque control
　　p50（538）
subgingival pocket irrigation
　　p46（500）

subgingival scaling
　　p50（536）
submerged implant placement
　　p75（818）
subtraction method
　　p38（413）
Sugarman's bone file
　　p55（594）
sulcular epithelium
　　p51（550）
superstructure
　　p57（614）
supporting alveolar bone
　　p43（467）
supportive implant therapy
　　p38（414）
supportive periodontal therapy
　　p38（416）
supportive therapy
　　p38（415）
suprabony pocket
　　p32（337）
supracrestal tissue attachment
　　p32（336）
supragingival calculus
　　p50（541）
supragingival margin
　　p51（545）
supragingival plaque
　　p50（543）
supragingival plaque control
　　p51（544）
supragingival scaling
　　p50（542）
surface treatment of implant
　　p8（79）
surgical blade
　　p96（1047）
surgical knife
　　p96（1047）
surgical microscope
　　p56（597）
surgical periodontal therapy
　　p44（476）
surgical scalpel
　　p96（1047）
surgical scissors
　　p53（570）
surgical template
　　p36（390）

175

survey of dental diseases
　p40（431）
susceptibility
　p18（192）
susceptibility of periodontal diseases
　p46（492）
（suspensory）sling suture
　p26（274）
suture
　p92（1004）
suture thread
　p93（1005）
symbiosis
　p59（635）
symptomatic therapy
　p68（737）
symptomatic treatment
　p68（737）
systemic anti-infective periodontal therapy
　p27（285）
systemic lupus erythematosus
　p65（704）

T

T-cell lesion
　p71（775）
T 細胞病変
　p71（775）, p81（875）
T リンパ球病変
　p71（775）図
Tannerella forsythensis
　p69（750）図
Tannerella forsythia
　p46（493）, **p69（750）**, p74（806）, p103（1112）
tapping
　p69（748）
Tarnow & Fletcher's classification of furcation involvement
　p68（734）
Tarnow と Fletcher の根分岐部病変分類
　p23（246）, p36（386）, **p68（734）**, p80（869）, p102（1098）
tartar
　p47（506）
TBI
　p28（294）知, **p71（776）**

TCP
　p101（1094）図
team care
　p70（760）
team treatment
　p70（760）
temporary splint
　p38（417）
temporomandibular disorder
　p16（171）
temporomandibular joint arthrosis
　p16（171）
tension ridge
　p72（778）
tertiary prevention
　p39（419）
tetracycline antibiotic
　p72（785）
TGF
　p74（805）図
the international classification of sleep disorders
　p60（649）
therapeutic denture
　p71（772）
thrush
　p27（287）
tipping movement
　p24（259）
tissue attachment therapy
　p67（730）
tissue engineering
　p67（728）, p72（782）
TLR
　p73（799）
TMD
　p16（171）図
TNF
　p56（599）図
toll-like receptor
　p73（799）
tongue brush
　p63（689）
tongue cleaner
　p63（689）
tongue coating
　p63（687）
tongue habit
　p63（683）, p103（1117）

tongue plaque
　p63（687）
tongue thrusting
　p103（1117）
tooth brushing instruction
　p71（776）
tooth brushing method
　p38（410）
tooth crown fracture
　p41（442）
tooth germ
　p54（578）
tooth malalignment
　p58（622）
tooth mobility
　p73（798）
tooth replantation
　p37（398）
tooth transplantation
　p4（35）
toothbrush
　p79（862）
top-down treatment
　p74（802）
topical use of fluoride
　p85（922）
Trafermin
　p74（804）
transforming growth factor
　p24（258）, p74（805）
transseptal fiber
　p40（436）
traumatic occlusion
　p15（158）
traumatic ulcerative gingival lesions
　p15（157）
traumatizing occlusion
　p15（158）
treatment denture
　p71（772）
Treponema denticola
　p46（493）, p61（665）, p74（806）, **p74（807）**, p103（1112）
tricalcium phosphate
　p68（735）, p101（1094）
trisection
　p42（460）, p74（803）
true pocket
　p59（630）

trypsin-like protease
  p74（806）
tuft brush
  p69（752）
tumor necrosis factor
  p56（599）
tunnel preparation
  p74（808）
tunnel technique
  p75（809）
tunneling
  p74（808）
two-piece implant
  p71（773）
two-stage implant placement
  p75（818）
two-step implant placement
  p75（818）
type 1 diabetes mellitus
  p4（39）
type 2 diabetes mellitus
  p75（819）

U

ulcerative gingivitis
  p15（163）
ultrasonic scaler
  p71（770）
ultrasonic toothbrush
  p71（771）
unattached plaque
  p82（890）
undercontour
  p3（29）
undifferentiated mesenchymal cell
  p95（1039）
universal curette
  p99（1066）
universal scaler
  p99（1066）
uprighting
  p2（13），p21（222）

V

vaporization
  p57（606）
veneer graft technique
  p90（980）
vertical bone defect
  p22（240）
vertical bone loss
  p59（639）
vertical bone resorption
  p59（639）
vertical food impaction
  p59（640）
vertical incision
  p55（589）
vertical mattress suture
  p59（642）
vertical overlap
  p12（132）
vertical probing
  p59（641）
vertical tooth brushing method
  p69（749）
vestibular extension procedures
  p28（297）
Vestibular Incision Subperiosteal Tunnel Access
  p81（882）
vestibule of mouth
  p28（296）
Vincent stomatitis
  p104（1128）
virulence factor
  p82（894）
VISTA
  p81（882）
vitamin deficiency stomatitis
  p82（886）
volatile sulfide compound
  p19（206）
VSC
  p19（206）図

W

walking probing
  p8（85）
wedge operation
  p8（84）
wedge-shaped bone defect
  p22（240）
wedge-shaped defect
  p22（239）
wedge surgery
  p8（84）
Weisgold's classification
  p104（1125）
Weisgoldの分類
  p104（1125）
wide centric
  p104（1126）
widely mobilized flap
  p26（279）
Widman改良法
  p8（83）図
wire-resin splint
  p104（1127）
wound healing
  p66（719）
wrist-forearm motion
  p100（1087）
WSD
  p22（239）図

X

xenograft
  p4（34），p68（743）
xerostomia
  p27（288）

Z

zone of co-destruction
  p21（224）
zone of irritation
  p42（451）

歯周病学用語集 第4版　　　ISBN978-4-263-45694-1

2007年1月25日	第1版第1刷発行
2013年1月10日	第2版第1刷発行
2019年3月25日	第3版第1刷発行
2025年3月25日	第4版第1刷発行

編　集　特定非営利活動法人
　　　　日本歯周病学会

発行者　白　石　泰　夫

発行所　医歯薬出版株式会社

〒113-8612 東京都文京区本駒込 1-7-10
TEL.（03）5395-7638（編集）・7630（販売）
FAX.（03）5395-7639（編集）・7633（販売）
https://www.ishiyaku.co.jp/
郵便振替番号　00190-5-13816

乱丁，落丁の際はお取り替えいたします　　印刷・三報社印刷／製本・榎本製本
Ⓒ Ishiyaku Publishers, Inc., 2007, 2025. Printed in Japan

本書の複製権・翻訳権・翻案権・上映権・譲渡権・貸与権・公衆送信権（送信可能化権を含む）・口述権は，医歯薬出版（株）が保有します．
本書を無断で複製する行為（コピー，スキャン，デジタルデータ化など）は，「私的使用のための複製」などの著作権法上の限られた例外を除き禁じられています．また私的使用に該当する場合であっても，請負業者等の第三者に依頼し上記の行為を行うことは違法となります．

|JCOPY|＜出版者著作権管理機構 委託出版物＞

本書をコピーやスキャン等により複製される場合は，そのつど事前に出版者著作権管理機構（電話03-5244-5088，FAX03-5244-5089，e-mail：info@jcopy.or.jp）の許諾を得てください．